JN088620

世界

グローバル・ミノタウロス

米国、欧州、そして世界経済のゆくえ

ヤニス・バルファキス

早川健治=訳　那須里山舎

私の世界の配偶者（グローバル・パートナー）、ダナエ・ストラトウに捧ぐ

CONTENTS

付録

凡例

一、本書は、THE GLOBAL MINOTAUR America, Europe and the Future of the Global Economy by Zed Books Ltd の全訳であるが、底本として二〇一五年版を用いた。

一、本文中の円と各通貨の換算は以下の基準による。一ドル＝一〇〇円、一ポンド＝一四〇円、一ユーロ＝一二〇円　として計算した円数値をカッコ内に示してある。

一、原注はローマ数字で、訳注は（　）をつけたアラビア数字で、それぞれ行間に示してある。

一、原注の詳細は文末に、訳注の詳細は本文奇数ページに、それぞれ組み込んだ。

一、索引は、原著の詳細な索引を基にして修正を施して作成した。

序文

ポール・メイソン

二〇一五年二月二〇日に欧州連合本部に足を踏み入れたとき、ヤニス・バルファキスは字義的にも比喩的にも独りだった。顧問も広報担当者も護衛役も連れて来なかった。ブリュッセルの記者団はよだれを垂らして待っていた——無様な降伏宣言が出るに違いないと思っていたのだ。一六日前には急進左派連合（シリザ）の勝利の陶酔感をぶち壊すように、欧州中央銀行がギリシアの諸銀行への通常融資制度を撤廃していた。ギリシアは生命維持装置につながれ、銀行預金への静かな取り付け騒ぎへと事態は発展した。

　ブリュッセルに着いたその日、バルファキスはギリシアの銀行制度から毎日一〇億ユーロ（一二〇〇億円）弱が漏出している現状をよくわかっていた。交渉の余地すら与えてもらえぬまま、資本規制を実施し、預金の引き出しにも上限額を設け、海外への現金流出の塞き止めを強要されるであろうことも。最終的にバルファキスが署名した合意は、無様でこそなかったものの降伏宣言も同然だった。ギリシアは緊縮政策への対抗措置をとる許可のため猶予を得た。財政黒字を高く（四％に）保てという二〇一一年救済策からの要請は帳消しとなった。

　こうした修正を除けば、欧州連合の負債植民地というギリシアの立場は変わらなかった。いくばくかの自治権が認められ、いわゆる「買弁有産階級（コンプラドール・ブルジョアジー）」――入植者たちの従順な僕（しもべ）たち――が追放された。

凡庸な政治家ならば、一言二言建前を述べ、質問をいくつか受けた後でそそくさとホテルのサウナへ駆け込んでいただろう。バルファキスは別格だった。記者会見を四〇分間も行い、合意をささやかな勝利として祝ったのだ。ユーロ圏を理解していれば、この態度にも納得がいくだろう。バルファキスはこの一六日間で牛魔人を封じ込めたからである。

本書初版では、バルファキスはクレタ島の牛魔人伝説を比喩として駆使しつつ二〇〇八年金融危機を分析した。「世界牛魔人」とは、ウォール街を中心地として一九七一年以降世界中から貢物を取り立て続ける米国資本主義を指す。英雄テセウスの代わりに、魔獣は持続不可能な経済学によって殺される。しかし牛魔人の霊魂は生き永らえた。緊縮経済学、そして世帯や事業や政府よりも銀行を優先する態度は、ギリシア危機勃発後のユーロ圏の掟であり続けてきた。ブレトン・ウッズ体制崩壊以後、米国は一方的な契約を世界に押し付けてきた。それと同じように、今回はドイツがユーロ体制の恩恵だけを得ようと無我夢中になっている。

急進左派連合の台頭は「欧州牛魔人」を覚醒させた。魔獣は迷宮を見回した後、最も魅力的な獲物に狙いを定めた――バルファキスである。

私はバルファキスの仕事をもう何年も追っている。初めて本人に会ったのは二〇一五年一月二五日の選挙日のわずか三日前のことだった。そのときバルファキスは流れるような語り口で自身の展望を私に話してくれた。ギリシアは事実上財政破綻しているが、その現実から欧州北部の諸銀行を護るために欧州は三二〇〇億ユーロ（三八兆四〇〇〇億円）という救済金を投じた。財政黒字や財政赤字を効果的に再循環させるための装置――死蔵貯蓄を（特に資金を必要としている分野への）生産的投資に変換するための装置――をユーロ圏に設立しない限り、「制度は二年以内に破綻する」。

「善きユーロ」は達成可能であると、バルファキスは急進左派連合の経済学者たちと共に信じてもいた。吉兆もあった。マリオ・ドラギは量的緩和策（一兆六〇〇〇億ドル〈一六〇兆円〉の刺激策）を発表し、緊縮策の緩和も呼びかけていた。ジャン＝クロード・ユンケルも苦しむユーロ圏に三〇〇〇億ユーロ（三六兆円）の投資を呼び込む目的で基金を立ち上げた。ギリシアには政治の追い風が吹いていた。当選日から二月二〇日までの間で、バルファキスは欧州左派を代表してある教訓を学んだ。欧州を統べているのは政治家ではなく牛魔人である、と。

改訂版が印刷される頃には、バルファキスが二月二〇日に勝ち取った「執行猶予」はどうなるのだろうか。常態化や継続がされるのか、はたまた中止となるのか。誰にもそれはわからないが、一つだけ確かなことがある。新鮮なアイデアがもたらす活力である。バルファキスの単刀直入な言動は、欧州統率部の機能の仕方（モードゥス・オペランディ）を（おそらく永久に）変えてしまった。統率部の強硬政治や圧力のかけ方のイロハを暴露せんと奮起するバルファキスは、まさにこうした体制の擁護から利益を傍受してきた記者団にとって危険な存在だった。ギリシア国民、ギリシアの債務者たち[1]、そして欧州の労働者や若者たち――すべてがこの三者に向けて発せられた。

債務者たちの頭を特に悩ませたのは、バルファキスが債務者の一人としての所作・言動の作法を体

（1）its debtors　次の段落から察するに、おそらく「creditors」（債権者たち）の誤り。

現していたという事実である。欧州西部の伝統に根ざす本流の経済学者として、バルファキスは同世代の学者たちが右傾化する中あくまで左派思想を追究した。新自由主義世界の仕組みを熟知していたがために、その世界との衝突の一幕一幕が痛切に感じられた。ほとんどの場合、政治家は理論家にはなれない。そもそも思想ができないことが多く、政治家の過酷な日常には大きな理念に費やせるような時間的余裕もない。何よりも、理論家には間違いを認める態度が必要とされる。「知識の暫定性」である。理論上の難題は巧みな弁舌では解決されない。

本書でバルファキスは世界経済の問題の本質を浮き彫りにした。新たな枠組み、新たなパラダイム、そして民衆の合意形成の新たな舞台を打ち立てる主体の**不在**という問題である。中国が準備不足であり、欧州中心地が民衆の支持を得られておらず、米国も荒廃しきっているのだとすると、一体誰がこの主体の役割を担えばよいのだろうか――バルファキスはこう問いかける。ギリシアの政治の中心地が無能と拝金に侵蝕され、ギリシアの人々が憤激する現状で出た答えは「急進左派」である。

欧州諸機関との戦いでの勝敗を超えて、急進左派連合は「理論の力」を見事に証明してみせた。バルファキスはギリシアの宴を待ち受ける破滅的な終焉、借入投機型（レバレッジ）金融の持続不可能性、そしてユーロ圏の分裂を予言した。『ウォール・ストリート・ジャーナル』や『フィナンシャル・タイムズ』に受け入れられるような理論の逆を行ったのだ。当初からバルファキスは「最後の一瞬まで」欧州との合意は結ばれないだろうと身辺の顧問に言い聞かせていた。つまり、危機から偶然派生しうる事態までをも理論的に把握していたのだ。

本書の力と趣の源泉はここにある。急進左派連合とユーロ圏の戦いのゆくえは誰にもわからないが、終結には何らかの妥協が伴うだろう。政治家は妥協の世界に生きている。理論家はそうではない。終局を迎える頃には、急進左派は旧式資本主義からの抵抗勢力を正面から迎え撃ちつつ、より公正な新型資本主義のために戦う術を体得することになるだろう。

二〇一五年三月二八日

改訂版への序文

ヤニス・バルファキス

激動の世界に輪郭を与えるための比喩を提示すること——本書の出発点はこれです。二〇〇八年金融崩壊以前の主流思想のパラダイムでは、今の世界はもはや理解できないからです。複雑極まりない世界的悲劇には、簡潔な——しかし短絡的ではない——構造が潜んでいます。それを一般読者に向けて暴くことこそ、本書の比喩の目的です。他の説明に異議を唱えたいわけではありません。むしろ多種多様な説明が一堂に会するような舞台を用意したかったのです。どの説明にもそれなりの妥当性はありますが、本書ではそれらを束ねて現代世界の「規律」の分析へと収斂させました。二〇〇八年にこの「規律」が内破して灰燼に帰すと、あとには幻滅にうちのめされて途方に暮れる世界が残りました。

世界牛魔人という比喩が心の中に立ち現れてきたのは二〇〇二年のことでした。その頃は友人であり同僚であり共同執筆者であるジョーセフ・ハレーヴィと四六時中話をしていました。一九七〇年代の経済危機以後の世界を動かしている力は何かという議論から、今の世界経済制度では米国の二重赤字、ウォール街、そして米国実質賃金の恒常的低下が中心的な役割を果たしつつ逆説的にも覇権を握っているという、整合性はあるものの非常に複雑な見識が紡ぎだされたのです。

あのときの議論の概要はこうです。一九七一年以後の時代は、米国とその他の国々の間での貿易・資本黒字の潮流の逆転によって定義づけられる。世界史上初めて、覇権国は赤字をあえて増やすことで覇権を強化していった。それでは、米国はそれをどのようにしてやってのけたのか。米国の成功は金融化を引き起こし、金融化は米国の支配力を増強しつつもその陥落の種を蒔いたが、この悲劇はどう理解すればよいのか。こうした問題へ取り組む上で、私たちは世界牛魔人の比喩を用いました。そうすれば複雑な議論も明解にしていくことができると踏んだからです（詳しくはハレーヴィとの共著の以下の論文をご覧ください。"The Global Minotaur." *Monthly Review* 55, July-August 2003）。

五年後の二〇〇八年に金融制度が内破したとき、私の人生のパートナー、ダナエ・ストラトゥは本書の執筆をするよう私を奮い立たせてくれました。本書の核となる比喩には複雑な物語を一般読者に届けるだけの力が備わっていると言ってくれたのです。ダナエからの信頼のおかげで、私はこのアイデアを実行に移してみようという気になれました。執筆はアテネの自宅から始まりました。ギリシアを覆う雲もまだそこまで暗くなく、国が終わりなき没落の道を突き進むことになるなどとは家族や友人も含め誰も思わなかった頃のことです。不吉な予言は聴きたくないという世間の風潮を背景として本書の草稿を書き進めるうちに、私はギリシア国内や海外のメディアにおいて終末論者として悪名高い存在になってゆきました。ギリシアの財政破綻は不可避だと信じていただけでなく、それがユーロ圏の破綻への序章となるだろうとも言っていたからです。ギリシアを最も手酷く襲うことになる国際的大惨事の解説にギリシアの比喩（ミノア文明の牛魔人の神話）を使うという皮肉に気がついたのもその頃でした。

それでも私は当初の執筆計画に専念しており、ギリシアを本書の主軸には据えませんでした。時が経つにつれて、私の日常は二つに引き裂かれてゆくことになります。ラジオやテレビに出演してギリシアの堕落を延々と議論し続ける。帰宅すると今度は牛魔人の物語の執筆に戻り、そこにはギリシアを一切反映させない。もしギリシアの不幸に関する私の分析が正しいならば――「ギリシア危機」などというものは虚構であり、ギリシアは世界経済史の地殻変動の一現象にすぎないのならば――本書にこの洞察を反映させる必要があったからです。米国が改訂版も含め本書の分析の焦点であり続けた理由はこれです。

　知見と分析内容の発展という観点から言うと、ユーロ危機という巨大な画布を相手に仕事をしたおかげで、世界牛魔人という比喩に二〇〇八年以後の世界の状態を説明したり政策案を生み出したりする力がどれくらいあるのかを試すことができました。現に私は本書初版の執筆と並行して「ユーロ危機解決のためのささやかな提案」というスチュアート・ホーランドとの共著論文の執筆・推敲へも多大な力を注いでいました。スチュアートと一緒に「ささやかな提案」を欧州全土へ（ひいては北米やオーストラリアに）広めていく中で、私は目を見張るような現象や新たな知見の源泉の数々に出会い、本書のより細かい仮説の検証を進めることもできました。

　強力な比喩のご多分に漏れず、世界牛魔人という寓喩にも本書の分析や予測を偏向してしまう危険性が含まれていました。本書の仕上げにとりかかっていた時期（二〇一一年一月頃）に、私は世界経済の病後診断（プログノーシス）をする必要を強く感じました。そのとき、当初の比喩に忠実でありたいという衝動がこれから書く結論部を支配してしまうのではないかという不安も一層強まりました。自分が作った寓喩の居心地の良さに負けて、分析家として偽りの安心感に浸ってしまっていたとしたら……。危機の変容、その移り変わりの速さは私をますます不安にさせました。そして私たちの世代でめまぐるしく変わる歴史の気まぐれを肌身で実感することにもなりました。

執筆の終了から本書初版を手にとるまでの間で、私の気持ちはだいぶ落ち着きました。その後の世界の動向が本書の比喩の範囲内に収まっていたからです。むしろ世界各地からの良い反響のおかげで、私は豊かな思想の鉱脈を掘り当てることができたと思うようになりました。とはいえ、それから一年後に出版社から改訂版の話を持ちかけられたときには、「世界牛魔人仮説」が世界の舞台で検証に耐えうるものかどうかを調べたいという思いに駆られて、私は早速研究に没頭しました。新たな章（第九章）の誕生です。そこではまず本書の枠組みを反証しうる事実を列挙した後、公式統計の裏に潜む事実の考察へと話を進めました。嬉しいことに、「世界牛魔人仮説」は経験主義の試練を無傷で乗り越えました。

個人的な話をして本稿をしめくくりたいと思います。現在、私はダナエと一緒に米国に住んでいます。本書改訂版も米国の自宅で完成させました。罪の意識に少し苛まれつつも、私はここから母国ギリシアの荒れ果てた地に想いを馳せ、折に触れてメディアのインタビューに応じています。そこで受ける質問はいつも同じです――大恐慌を脱するためにギリシアは今何をすべきなのか。論理的に見れば明らかに事態を悪化させるような要請を突きつけられて、イタリアやスペインはどう応じればよいのか。私は蓄音機になったような気持ちで同じ答えを繰り返しています。空虚な政策を前にして、誇り高き国々の国民には「否」と言い続けることしかできません。こうした政策がなぜ不況を悪化させてしまうのか、その理由は漠然としていてわかりにくい。それを白日のもとに晒すためにこそ、世界牛魔人の遺産を入念に分析していく必要があるのです。

二〇一三年二月

謝辞

ジョーセフ・ハレーヴィにはすでに言及したので、ここではアテネ大学での親友であり同僚であるニコラス・テオカラキスの名を挙げておきます。二〇〇三年の『Monthly Review』誌の論文にてジョーセフと私が論じた世界牛魔人の物語を、私たち三人はさらに発展させて『Modern Political Economics: Making Sense of the Post-2008 World』（Routledge, 二〇一一年、未邦訳）という書籍へとまとめました。これは本書の土台となった作品でもあります。ジョーセフとニコラスと共に練り上げた思想は本書のそこかしこにちりばめられています。またケン・バーロウを始めとするZed Booksのチームにも感謝します。私のアイデアを温かく、そして効率的に受け入れてくれたからです。本書のテーマについての講演を世界各国でする機会を与えてくれた人たちにも感謝します。そこで出会った人々の多種多様な人生経験と洗練された信念のおかげで、本書の物語をさらに磨き上げることができました。最後に、マイケル・アブラシとゲーブ・ニューウェルに感謝します。第九章を新たに書くきっかけとなった興味深い質問をしてくれたからです。（二〇〇九年以降米国の貿易・財政赤字は再び増加している。だとすると、世界牛魔人には米国二重赤字を使って世界の黒字を再循環させる能力がもはやないという私の議論はおかしいのではないか、という質問でした）。もっとたくさんの面白い質問が「正式な答え」に対して発せられるようになれば、世界も明るい方へ向かうことでしょう。

推薦図書

ジョーセフ・ハレーヴィ、ニコラス・テオカラキス、そして私の共著作品『Modern Political Economics: Making Sense of the Post-2008 World』(London & New York, Routledge, 二〇一一年、未邦訳)では、本書に登場する議論の多くをより詳しく、より学術的に扱っています。そこに収録されている豊富な文献目録は特に参考になると思います。とても内容の濃い学術書なので、旅行がてらに気軽に読めるようなものではないという点だけにはご注意ください。

世界牛魔人という比喩の系譜を知りたい方は、ジョーセフ・ハレーヴィと私の共著論文「The Global Minotaur」(*Monthly Review* 55, July-August 2003, 56-74, 未邦訳)をご参照ください。この論文から派生した質疑応答は「Questions and Answers on the Global Minotaur」(*Monthly Review* 55, December 2003, 26–32, 未邦訳)にまとめられています。

次は活気溢れる別分野に目を向けたいと思います。金融と人生のつながりを想像力豊かに発見し、なおかつ美しい文体で書かれた作品が二冊あります。どちらも読めば笑顔になるような心躍る作品です。その意味では、著名な小説家が作者であるという点も偶然ではありません。一冊目はマーガレット・アトウッドの『負債と報い——豊かさの影』(佐藤アヤ子訳、岩波書店、二〇一二年)。二冊目はジョン・

ランチェスターの『Whoops! —— Why Everyone Owes Everyone and No One Can Pay』(London, Allen Lane, 2010, 未邦訳)です。

危機に関する文学作品を推薦したからには、ジョン・スタインベックの『怒りの葡萄』を挙げないわけにはいきません。未読の方はぜひ一度手にとってみてください。危機が人間に与える影響、吹き荒れる恐慌の掌で踊らされる感覚の表現としてこれに比肩する作品は——経済学の作品も含めて——他にないからです(訳者注:邦訳は七種類ある)。

二〇〇八年金融崩壊に関する書籍の推薦に移る前に、まずは二〇〇八年以前の時代に関する優れた入門書として、ジェームス・ガルブレイスの作品を三冊挙げておきます。一冊目は『現代マクロ経済学』(塚原康博・臼井邦彦・太田耕史郎・駒村康平・馬場正弘訳、阪急コミュニケーションズ、一九九八年)。二冊目は『Predator State: How Conservatives Abandoned the Free Market and Why Liberals Should Too』(New York, The Free Press, 2008, 未邦訳)。三冊目は『格差と不安定のグローバル経済学——ガルブレイスの現代資本主義論』(塚原康博・鈴木賢志・馬場正弘・鐵田亨訳、明石書店、二〇一四年)です。

最後に二〇〇八年金融崩壊に関する書籍を二冊紹介します。数ある良作の中から私が選んだ二作の内、一作は有名なマルクス主義者によって、もう一作は有名な金融家によって書かれています。両作品の議論は驚くほど一致しており、異なるイデオロギーをもつ人々が危機を契機に論理の力で結束するさまが表れています——人々の心の中に真実への渇望があり、目の前で演じられる劇物語にうちのめされる覚悟がある場合の話ですが。一冊目はリチャード・ウルフの『Capitalism Hits the Fan —— The Global Economic Meltdown and What to Do about It』(Northampton MA, Olive Branch Press, 2010,

未邦訳)。二冊目はジョージ・ソロスの『ソロスは警告する——超バブル崩壊＝悪夢のシナリオ』(徳川家広訳、講談社、二〇〇八年)です。

第一章　序論

覚醒の二〇〇八年

人間を人間らしくする究極の材料、それは「アポリア(1)」です。あらゆる信念が打ち砕かれてしまったとき。ものごとが行き詰まり、目に見えるもの、肌に触れるもの、耳に聞こえるものがすべて謎に包まれてしまったとき。そのようなときにやってくる深い困惑、それがアポリアです。この稀有な瞬間、理性が感覚器官の声を必死に汲み取ろうとする中、アポリアは人を謙虚にし、苦い真実を甘受するための心の準備を施してくれます。そして、アポリアがさらに広がり、人類全体を包み込んだとき、人は歴史的な場面の到来を悟ります。二〇〇八年九月はまさにそのような場面でした。

一九二九年以来の衝撃が世界に走ります。数十年間刷り込まれ続けてきた信条も一瞬にして消し飛

(1)　aporia　ギリシア語を語源とする言葉。難題を追究した末に行き詰まった瞬間の当惑の感情を表す。そのため「当惑（アポリア）」という訳も当然ありえるが、哲学思想との響きを強調するためにあえてカタカナのみの表記とした。なお「訳者あとがき、『世界牛魔人』翻訳方針」でも述べたように、基本的に外来語のキーワードは「漢字＋カタカナルビ」という形式で訳していく。「アポリア」はいきなりだがその例外である。

ばされました。全世界のエクイティ四〇兆ドル（四〇〇〇兆円）、米国世帯財産一四兆ドル（一四〇〇兆円）、米国雇用月々七〇万件、幾多の住宅差押等々、天文学的な数字で表される被害は枚挙に暇（いとま）がありません。

各国政府の反応によって、共同のアポリアはさらに深まってゆきます。二〇世紀最後の大衆イデオロギーともいえる「財政保守主義」を政府が謳（うた）うかたわら、金融制度側は絢爛たる利益をあげ、世界に架かる虹の麓に金貨の壷を掘り当てたぞと豪語していました。そのたった数ヵ月後には政府が兆単位でドル、ユーロ、円等々を制度へ注入しました。それですら不十分であることが判明すると、今度は大統領や総理大臣がこぞって銀行や保険会社、自動車会社の国有化を始めます。反国家主義・新自由主義の鏡である人物たちが、一九一七年以後のレーニンですら真っ青になるような動きに出たのです。

過去にも危機はありました。二〇〇一年のＩＴバブル崩壊、一九九一年の不況、暗黒の月曜日（ブラックマンデー）、一九八〇年代のラテンアメリカの惨劇、第三世界負債の悪循環の深刻化、一九八〇年初頭の英国・米国の絶望的な不況。しかし今回は違います。対象となる地理や階級、産業部門が限定できないからです。二〇〇八年以前の危機は、どれもある決まった範囲に収まるものばかりでした。権力者側は被害者の終わりなき苦しみをほぼ完全に無視できましたし、（暗黒の月曜日（ブラックマンデー）、一九九八年のＬＴＣＭヘッジファンドの失態、その二年後のＩＴバブル崩壊等のように）権力者に火の粉が降りかかってきたときにも諸機関が速やかに救済に駆けつけてくれたからです。

二〇〇八年金融崩壊は世界規模で新自由主義の本丸を直撃しました。その余震は今後もずっと人々を苦しめるでしょう。英国では裕福な南部地方が打撃を受けましたが、これは現代史上おそらく初めてのことです。広大な大陸を領土とする米国でも、サブプライムローン危機は貧しい地域から発火し、銀の匙をくわえた中産階級へと燃え広がり、ゲーテッドコミュニティ[2]や緑あふれる郊外をも炎上させ、旨味(うまみ)のある地位に就こうと金持ちが列を作るアイビーリーグ[3]までをも焼き尽くしました。欧州では大陸全体が危機の残響に震え、耳鳴りは止まず、六〇年間守られてきた欧州の幻想に亀裂が走りました。ポーランド人やアイルランド人の労働者がダブリンやロンドンを発(た)ち、こぞってワルシャワやメルボルンに移り住む。移民の逆流です。衰退に喘(あえ)ぐ世界を尻目に健全な成長を続けて不況を免れた中国でさえも、消費支出が所得に占める割合が下がる一方で、政府出資事業への依存度を高め、破裂寸前のバブルを膨らませています。どちらも不吉な予兆です。中国の貿易黒字を持続的に処理する能力が世界にあるかどうかも疑わしく、局面は不穏を極めています。

大衆のアポリアという火に油を注ぐように、エリートたちもまた、現実世界の万華鏡は不可知だと言い出しました。「現代の預言者マーリン[4]」と名高い連邦準備制度元議長[5]、アラン・グリーンスパン

(2) gated communities　直訳すると「鉄の柵で囲まれた共同体」で、住民が個々に自分の敷地を鉄の柵で囲って、他の人の侵入を防いでいる地域社会のこと。富裕層の暮らしの象徴。

(3) Ivy League universities　アメリカの八大私立大学の通称。イェール大学、コロンビア大学、コーネル大学、ダートマス大学、ハーバード大学、ブラウン大学、プリンストン大学、ペンシルベニア大学から成る。

(4) Merlin　一二世紀の偽史『ブリタニア列王史』に登場する魔術師・預言者。ブリテン王ユーサー・ペンドラゴンを導いた賢者であるとされている。

は、二〇〇八年一〇月に「世界を支える上で必要不可欠な構造であると私が見立てたモデルには、実は欠陥があった」[ii]と懺悔します。その二ヵ月後には、クリントン元大統領の財務長官かつオバマ新大統領のチーフ経済顧問（米国国家経済会議委員長）のローレンス・サマーズも、「今回の危機では行動を慎むリスクの方が動きすぎるリスクよりも高い」と発言します。偉大なる魔術師が世界の仕組みにそぐわないモデルに基づいて魔法の呪文を書いていたことを認め、歴代大統領の経済顧問の頭目が「慎重」の二文字を辞書から消すよう呼びかけるとき、公衆は事態の真相を悟ります。未開の危険海域に突入した船、途方に暮れる船員、不安に怯える船長。

こうしてアポリアは実感され、浸透してゆきます。知性の怠惰が衝撃と不安に変わり、権力者からは権力の色彩が褪せてゆく。政策もその場しのぎの域を出ない。公衆は混乱したまま四方八方にアンテナを張り巡らせ、我が身に起きた一大事の説明を渇望する。需要が高ければ供給はついてくるという説を証明するかのように、出版社が狂喜乱舞を始める。書籍、記事、長編論文、ひいては映画までもが矢継ぎ早に発表され、諸悪の根源を暴く論説が増殖の一途を辿る。動揺する世界は自らの悲劇を語るための言論を生み出すのが常ですが、説明が過剰生産されたからといって、必ずしもアポリアが解消されるわけではありません。

なぜ悲劇は起きたのか――六通りの説明

一　「制度全体が抱えるリスクへの理解が欠けていた。頭脳明晰な人々の想像力の欠如が主因だ」

ロンドン・スクール・オブ・エコノミクスに集い赤面する教授の一団に向けて、女王陛下は「なぜ先が読めなかったのですか」と問いかけました。回答として、二〇〇九年七月二二日、英国学士院は書簡を提出します。英国屈指の経済学者三五名の返答は、「いやはや、『超巨大バブル』を『すばらしい新世界』[6]と取り違えてしまいました。うっかりはいけませんな！」というものでした。その趣旨はこうです。彼らは国の脈拍を取り、データをしっかりと監視してはいたが、二つの相関する誤診に陥っていた――誤った推論と、自らの雄弁に騙されるという（より悪質な）錯誤です。

飛び交う数字の異常さは誰の目にも明らかでした。金融部門の負債が米国の国民所得（GDP）に占める割合は一九八一年の二二％（すでに十分大きい数字です）から二〇〇八年夏には一一七％にまで急上昇。他方で、世帯負債が国民所得に占める割合は一九九七年の六六％から一〇年後には一〇〇％に上昇。二〇〇八年米国負債総額はGDPの三五〇％超、一九八〇年の時点ですでに一六〇％まで肥大していました。英国に目を向けると、シティ・オブ・ロンドン（一九八〇年代以降の急速な脱工業化を受けて英国社会の集中投資先となった金融部門の名前）は英国GDPの二・五倍もの負債を抱え、英国世帯は追加でGDP一年分以上の負債を背負う始末でした。

目がくらむような負債の蓄積が破裂寸前の世界にリスクを注入し続けた。では、崩壊が予測されな・・・

（5）the Federal Reserve（the Fed）　FedはFRBと訳されるのが慣習だが、本書では以下「Federal Reserve」「Fed」共に「連邦準備制度」で統一していく。

（6）Brave New World　オルダス・ハクスリーのディストピア小説。皮肉交じりの諧謔的な文体で技術官僚主義の地獄世界を描いた。

かったのはなぜでしょうか。これこそ女王のあの至極もっともな問いでした。英国学士院は返答の中で温泉気分の雄弁と単純な推論[7]を練り合わせた罪を渋々認めました。パラダイムシフトが起きたのだ、金融界は安全でリスクフリーな負債を無制限に創造できるようになったのだというおめでたい信念を助長した罪です。

　第一の罪は、数式化された雄弁という形をとり、制度内からリスクは除去された、新商品のおかげで負債は水銀のごとき新形態を得たのだ[8]という誤った信念を諸機関や学者たちに植え付けました。一度行われた融資はすぐさま切り刻まれ、リスクの度合い別に団子（だんご）にされ、[iii] 世界中で取引されます。金融リスクを分散させれば、仮に一部の債務者が不履行に陥っても単一の主体が全被害を引き受ける心配はなくなるのだと流暢な弁舌は続きます。金融部門には「リスクなきリスク」を創造する力があるのだというニューエイジ的な信仰は、世界所得の何倍もの負債（及びこれを原資に繰り広げられる賭博）を地球に背負わせても大丈夫だという信念に到達します。

　この神秘的な信仰を支えたのは凡庸な経験主義でした。二〇〇一年にいわゆる「新経済（ニューエコノミー）」が崩壊し、ＩＴバブルやエンロン式の詐欺が生み出した紙屑（くず）同然の富がほぼ抹消されたとき、制度自体は持ちこたえました。二〇〇一年の新経済バブルはその六年後に破裂することになるサブプライムローン・バブルよりも悪質でしたが、諸機関が効率良く後始末をしてくれたのです。（とはいえ雇用は二〇〇四年から二〇〇五年のあたりでやっと回復し始めたのですが）。これほど大きなショックでさえもしっかりと処理できたのだから、二〇〇七年から二〇〇八年のサブプライムローン損失五〇〇〇億ドル（五〇兆円）というより小規模なショックが制度を揺るがすことはありえないだろうという考えがこうして広まりました。

英国学士院の説明（通説にもなっている説明）はこうです。巧みな分析の専門家からなる天才集団でさえ見落としていたことがある――リスクなきリスクと呼ばれていたものは実はその全く逆のものだった。これが二〇〇八年金融崩壊を招いた。「リスク管理者（マネージャー）」を四〇〇〇人雇っていたロイヤルバンク・オブ・スコットランドを始めとする諸銀行が「リスクの悪性化」というブラックホールにのみ込まれた。昨日と同じ明日が未来永劫続くのだと思い込んで雄弁の自己陶酔に浸ったツケを世界は払ったのだ。金融にどっぷりと浸った世界は、リスクの発散に成功したと思い込んだまま湯水のごとくリスクを垂れ流し、そのせいでしまいには溺れてしまったというわけです。

二　規制の虜（とりこ）(9)

レモンの価格を決めるのは市場です。大抵の買い手には自らレモンの優劣を判断する力があるので、

（7） linear extrapolation　厳密には「線的外挿法」だが、要するに過去に起こったことが未来にもそのまま「線的に」継続されるだろうという推論のこと。この文脈では「linear」には専門的な意味というよりも「単純すぎる」という意味が込められている。

（8） a new form of debt with properties of quicksilver　「quicksilver」は水銀。比喩としては「目まぐるしく形を変える」という意味になる。負債が通貨の基盤となっていることも加味すると、形態を絶えず変え続ける金属の比喩は味わい深い。

（9） regulatory capture　規制機関が規制対象の機関に事実上支配されてしまう状況のこと。

諸機関の助言は必要とされません。ところが債券や（より厄介な）合成金融商品の場合は話が違います。買い手は「現物」を味見したり、軽く手で握って熟し加減を調べたり、香りを嗅いだりできません。代わりに諸機関から来る情報や清廉潔白な諸官庁の厳密な規則に頼るしかない。規則の立案施行こそ信用格付機関や政府規制機関の任務だとされています。実際にはどちらの機関にも不徳のみならず過失すらあったのですが。

例えば「債務担保証券」（CDO）――多種多様な債務の破片を合成して作られた紙券資産[10][iv]――にはトリプルA格付けの太鼓判が押され、米国短期国債比で一％の純利がつきました。[v] これには二重の意味があります。まず、商品がまがい物ではないという安心感を買い手に与える。次に、銀行が買い手である場合は証券という紙を現金通貨同然の（追加のリスクが一切ない）ものとして扱ってもよくなる。こうした建前のおかげで、諸銀行は空前絶後の大儲けをしたのです。そのからくりは二つあります。

1. 新品のCDO――同じ額面価値のドル札と同等だと諸官庁が太鼓判を押したトリプルA格CDO――は諸銀行の資本収益計算[11]の対象にすらなりません。[vi] そのため、諸銀行はトリプルA格CDOの購入に顧客の預金を堂々と使うことができ、しかも他の顧客や銀行への新規融資能力は全く下がりません。原価よりも高い金利が請求できる限り、トリプルA格CDOの購入は、融資能力を一切制限せずに諸銀行の利益を伸ばしてくれます。CDOは銀行制度の自己破壊防止ルールを事実上ねじ曲げる商品でした。
2. CDOには銀行の金庫に保管する以外にも担保として中央銀行（例えば連邦準備制度）に質入れ

するという使い方もあります。それと引き換えに得た資金の用途は銀行次第。顧客や他銀行への貸付にも、CDOの追加購入にも使えます。重要なのは、トリプルA格CDOを質入れして得た資金には中央銀行の微々たる金利しかつかないという点です。CDOが満期に達すると、中央銀行の請求金利の一％の上乗せ分は諸銀行の懐に入るのです。

以上二点により、CDOの発行者には次の動機が生じます。

（a）物理的に可能な限り多くのCDOを刷ること。
（b）他の発行者のCDOを購入するために可能な限りお金を借りること。
（c）大量の紙券資産を帳簿に記入すること。[vii]

つまり、**各自の裁量で通貨を発行する許可**が下りてしまったわけです。ウォーレン・バフェットがCDOという流行商品を「大量破壊兵器」と呼んだのも頷けます。焼夷的（インセンディアリー）な動機構造（インセンティブ）でした。トリプルA格CDOを買うための借金をすればするほど、金融機関の儲けも大きくなったからです。民間金

（10）　paper asset　通貨や証券等の「紙券」をベースとする資産の総称。「ペーパーアセット」とカタカナ表記されることが多い。不動産や金等の「実物資産」（リアルアセット）と対比される。

（11）　capitalization computations　資本の運用による損得の勘定のこと。特に、資本にレバレッジをかけて商品を購入した際の資本対商品価値の比率が問題となる。原注にもあるように、CDOはそもそも計算の対象にすらならないので、CDOの購入は資本の使用例とはみなされない。

融諸機関とその重役たちは、ATMの私物化という夢を叶えたわけです。

以上の事実をふまえれば、二〇〇八年金融崩壊は密猟者に猟場の番を任せた当然の報いであるという結論に至るのも自然です。血も涙もない権力者たち、新たな富とパラダイムを創造するポストモダンな魔術師たち、対抗勢力の不在……。銀行家たちは自前のCDOにトリプルA格付を施すよう信用格付機関にカネを払い、（中央銀行を含む）規制諸機関はこの格付を法に適うものとして認め、野心あふれる若い職員たちは規制機関での安月給の仕事をこなしながらもリーマン・ブラザーズやムーディーズへの転職を思い描く。管轄を担う財務長官・財務大臣の一団も、ゴールドマン・サックスやベアー・スターンズ等々の出身の者、若しくは政界引退後に魔道師倶楽部に入会希望の者ばかりです。

シャンパンボトルの栓が弾け、ポルシェやフェラーリのエンジンがうなる。ただでさえ裕福な地域に銀行ボーナスが洪水のごとく流れ込む。ロングアイランドやロンドン・イーストエンドから上海の高層ビル街まで、不動産ブームに拍車がかかり、新たなバブルが肥大し始める。紙券財産が自己増殖するかのごとき環境では、英雄的な（若しくは勇み足ともいえる）人格者でない限り警鐘を鳴らして不都合な問いを発し、リスクなきトリプルA格CDOという幻想に疑問を投げかけることはできません。規制機関職員やトレーダー、熟練銀行家がロマン主義者よろしく警鐘を鳴らしたとしても、八つ裂きにされた挙句に悲劇のヒロインとして歴史の排水溝に棄てられるだけです。

グリム童話に産業化社会黎明期の夢を体現する魔法の壺の話があります。人類の欲望を未来永劫自動的に満たし続ける豊穣の角（コルヌコピア）。それは産業化の夢が悪夢に豹変する過程を描いた荒涼な訓話でもありました。物語の終盤、不思議な壺は暴走し、村全体がオートミールの海に沈んでしまいます。テクノロジーの反乱です。メアリー・シェリーの天才博士、フランケンシュタインも、自ら創造した生物に逆襲されます。同様に、ウォール街と信用格付機関が規制諸機関と共謀して編み出したバーチャルＡＴＭも、「近代のオートミール」の海に金融制度を沈め、地球全体を窒息させました。二〇〇八年秋、ＡＴＭが停止するや否や、合成オートミールに依存し切った世界もまた歯車をきしませて急停止したのです。

三　抑制不能な欲望

第三の説明は「獣の本能」に注目します。人間とは強欲に突き動かされる生き物であり、文明など上辺だけ。好機と見れば泥棒や略奪や暴虐に走る。暴力の規制に協力してくれる賢い暴力者が出てくる可能性など微塵も感じさせないような、暗鬱とした人間観です。仮に協力が得られたとしても、一体誰が規制を施行するのでしょうか。暴力者を押さえ込むには、リヴァイアサンのごとき巨大権力が必要です。すると今度はリヴァイアサンの扱いが問題となります。

新自由主義のこの精神の運動からは、危機は必要悪であり、経済の溶解を人為的に防ぐことはできないという結論が引き出されます。ルーズヴェルト大統領の一九三三年以後の銀行規制を皮切りに、リヴァイアサン的解決策は数十年間広く採用され続けてきました。強欲を制御し、ある程度の礼節は守らせるというホッブス的役割を担う能力や義務が国家にあった時期です。最も有名な例として、一九三三年グラス＝スティーガル法があります。[viii]

しかし、この規制構造も一九七〇年代以降徐々に廃れ、最高度に高潔な意志すら壊すのが人の性（さが）だという運命論が復活します。この「運命論への回帰」は、新自由主義と経済金融化が醜い頭をもたげ始めた時期と重なります。こうして、昔ながらの運命論は修正されます――リヴァイアサンの圧倒的権力は暴力者を戒める上では必要だが、同時にそれは成長を妨げ、革新を阻み、創造的な金融業の邪魔をしている。テクノロジー革新が私たちを発展と繁栄の高みへと導きつつある今、世界をローギアのまま走らせていてはいけないというわけです。

一九八七年、レーガン大統領は（カーター政権が任命した）ポール・ボルカーを連邦準備制度議長から降板させます。新議長に選ばれたのはアラン　グリーンスパン。そのわずか数ヶ月後、金融市場に史上最悪の日が訪れます――悪名高き「暗黒の月曜日（ブラックマンデー）」です。グリーンスパンは絶妙な手捌（さば）きで状況を乗り切り、金融市場崩壊の後始末ができる人物として一躍有名になります。[ix] 二〇〇六年に引退するまで、彼は似たような「奇跡」を何度も何度も起こしました。[x]

規制の効能や威力は過大評価されているとするグリーンスパンの立場は、レーガン政権の新自由主義者たちにとって障壁となるどころか、むしろ彼を抜擢する絶好の理由になりました。連邦準備制度を含む政府諸機関が人間の本性を制御し強欲を押さえ込もうとすれば、創作性や革新性、果ては経済成長までもが阻まれてしまう、とグリーンスパンは心から信じていました。この信念は、その後一九年間世界を支配したある単純な戦略へと帰着します――人間の強欲の統制にかけては需要と供給という決然たる主（あるじ）の右に出るものはいない。市場の成り行きに任せよ。政府は来るべき惨事の後始末をする準備と意志を整えて待機せよ。子どもを放任する両親のように、グリーンスパンもまた悪因悪果の黙許を善としつつ、陽気な宴の後片付けや負傷者の救護のための介入準備態勢を保ちました。

グリーンスパンは任期中に何度不景気が起きても初志貫徹の構えを崩さず、戦略の素となる世界像を一切変えませんでした。好景気時には黙認を決め込み、神託のごとき激励演説をする以外はほぼ全く手出しをしませんでした。ひとたびバブルが弾けると果敢に介入し、金利を一気に下げ、市場に現金の洪水を送り込み、沈没船を浮上させようと手段を尽くしました。戦略はうまく機能しているようにみえました――夢の退職生活を始めて一年半が経ち、二〇〇八年が訪れるまでは。

自分は資本主義を誤解していた、とグリーンスパンは公言しています。立派なものです。この懺悔に免じて、歴史家は批判の声を和らげるべきです。権力者が過ちを認めるのはただでさえ稀なことですが、下僕らが否認を決め込む現状ではより一層稀有な出来事であるといえるでしょう。事実、グリーンスパンの世界像は彼自身がそれを否定した後も悠々と存続しており、いまや復活しつつあります。二〇〇八年以後、有効な規制の阻止に全力を挙げるウォール街。その幇（ほう）助を背景に「人間の本性の制御は我々の自由と長期的繁栄を脅かす」という見解が再来しています。患者の幸運な体調回復を口実に犯罪的な職務怠慢を覆い隠す医師のように、二〇〇八年以前の体制もまた資本主義の生還を口実に釈明を試みているのです。それでもなお二〇〇八年金融崩壊の責任追及が続くなら、人間の本性を非難すれば良いではないか。誠実な内省が示す通り、人はみな誰でも心に闇を抱えている。その闇をより大きな画布に投影したという一点のみを、ウォール街は自分の罪として認めたのです。

四　文化的起源

二〇〇八年九月、欧州の人々は対岸の火事を悠々と眺めていました――アングロ・ケルト人[12]にとうとう天罰が下ったかという自己満足な考えに浸りながら。アングロ・ケルト的世界像の優位性について、欧州はもう何年も説教を受けてきました。柔軟な労働市場の利点。世界化(グローバリゼーション)の時代に寛容な社会安全網(ソーシャル・セーフティネット)を維持できるなどと考える欧州諸国の甘さ。飽くなき個人主義を基盤とする起業文化の魔力。ウォール街の魔術。「ビッグバン」[13]以後のシティ・オブ・ロンドンの卓越性。金融崩壊のニュースが流れ、その阿鼻叫喚が全世界に響き渡ったとき、欧州の心には隣人の不幸の蜜の味(シャーデンフロイデ)が恐怖の苦味と混ざり合って満ちあふれました。

危機はほどなくして欧州にも渡り、欧州人の想定をはるかに超える極悪非道なうねりへと変貌してゆきます。それでもなお欧州の人々の大半はアングロ・ケルト文化こそ危機の元凶であると信じて疑いませんでした。英語圏の人々は全てをなげうってでも住宅を所有せよという考えの虜になっているからいけない。住宅所有ではなく賃貸を選んだ（大家さんに首輪をつけられた）人々への軽蔑が滅茶苦茶な住宅価格を生み、（銀行家への負債という、より窮屈な首輪をつけた）似非住宅所有者が称賛される。この経済像が欧州人には理解できないのです。

欧州人もアジア人もアングロ・ケルト圏の金融部門の醜い肥大を目の当たりにしました。産業を食い物にして何十年も太り続ける金融部門を見て、世界資本主義はついに狂人の支配下に置かれたかと悟ったのです。金融溶解(メルトダウン)がまさにこうした場所（米国、英国、アイルランド、住宅市場、そしてウォール街）から始まったとき、欧州やアジアの人々は正当感に浸りました。欧州のこの感覚はその後のユーロ危機によって大きく揺さぶられましたが、アジアの人々は相変わらず温泉気分を味わっています。アジアの多くの国々で二〇〇八年金融崩壊及びその余波が「北大西洋危機」と呼ばれているのもそのためです。

五　有毒な理論

一九九七年ノーベル経済学賞は「ストックオプションの評価方法としての先駆的な方程式」を開発したロバート・マートンとマイロン・ショールズに贈られました。ノーベル委員会はプレスリリースで高らかにこう宣言しています。「この方程式は多くの分野で新しい評価法を開拓した。新たな金融商品の開発にも貢献し、社会的リスクのより効率的な管理を可能にしてくれた」。運が悪かったとしか言いようがありません。たった数ヵ月後には、数十億ドル（数千億円）規模の壮観な瓦解、大手ヘッジフ

(12)　Anglo-Celts　アングル人やケルト人の子孫のこと。イギリスやアイルランドの人々よりも、その他の英語圏の国々でのアングロ・ケルトのディアスポラ（移民の子孫）を指す場合が多い。例えばアメリカでは全人口の60％がアングロ系、10％がケルト系の子孫であるという推計もあるほど。本書の文脈ではイギリスとアイルランドも含まれており、アングロ・ケルト社会と欧州大陸社会を分けて扱うような欧州イデオロギーの構図が批判されている。

(13)　Big Bang　機関投資家の成長を背景として、サッチャー政権下の一九八六年一〇月二七日にロンドン証券取引所が実施した金融改革のこと。

ァンド会社の倒産（マートンとショールズが名誉を賭けて支持したあの悪名高きロングターム・キャピタル・マネジメント〈LTCM〉の倒産）、そして毎度お馴染みの頼れる救世主・米国納税者による救済が、かの誉れ高き「先駆的な方程式」によって引き起こされたのですから。

LTCM破綻は二〇〇八年金融崩壊への序曲にすぎず、その原因の真相は至って単純です。理論モデルの範囲内ではそもそも起こりえない・理論化できないものとして最初から無視される類の出来事があるのですが、そのような出来事の発生可能性でさえ推計できるという検証不能な仮定に基づいて巨額の投資が行われたのです。論理的に矛盾した仮定を理論に組み込んだ時点ですでに問題ですが、そのような仮定に世界資本主義の行方を賭けるなど犯罪的という他ありません。では、経済学者たちは一体どのような手口を使ったのでしょうか。モデル内では推計不能と仮定されている出来事（例えば債務者の連鎖的デフォルト）の発生可能性を推計できるなどと、世界中の人々やノーベル委員会をいかにして説得したのでしょうか。

答えは経済学ではなく大衆心理学に見出すことができます。経済学者たちは無知を暫定知の一形式に改名して巧みに普及させたのです。無知の改訂版を土台に、金融家たちは新種の負債を積み上げ、リスクの心配は無用だという仮定に基づいてピラミッドを建造しました。投資家の説得が進むにつれて参加者の利益も増え、経済学者たちは根本的仮定に対する疑問の声をもみ消しやすくなりました。こうして有毒な金融業と有毒な経済理論は相互補強関係に置かれたのです。

金融界のマートン軍団がノーベル賞を総なめにしつつ途方もない利益を懐に入れるかたわら、経済学界の大御所たちは経済学理論の「パラダイム」変革にあくせくしていました。一流の経済学者が事象の説明を使命としていた時代は終わり、代わりに単なる改名が流行し始めたのです。無知を暫定知に、不確定性をリスクなきリスクにそれぞれすり替える金融家の戦略を真似て、経済学者たちは未解明の雇用喪失（五％で横ばいを続ける実測値等）を自然失業率と改名しました。絶妙な新語です――自然なものはそれ以上説明する必要がないという印象を与えたのですから。

経済学者たちの精巧な詐術をもう少し入念に分析しましょう。想定範囲から逸脱する人間行動[14]が観察されて説明不能におちいったとき、彼らは該当する行動に「均衡外」というラベルを貼り、これは無作為(ランダム)[15]であると仮定してモデル構築を行いました。「逸脱行為」が抑制状態にある限り、モデルは機能し、金融家は利益をあげることができました。しかし一度混乱が生じ、金融制度内に取り付け騒ぎが勃発すると、「逸脱行為」は少しも無作為ではなかったということが判明します。当然ながら、このモデルはそこから派生した市場と一緒に崩れ去りました。

一連の事象を公平に観察すれば、（銀行業部門、ヘッジファンド、連邦準備制度、そして欧州中央銀行を含む多くの機関の）大御所たちの思想を支配した経済理論も知的詐欺にすぎず、ウォール街が「金融革新」の真相を「科学的に」覆い隠すために使ったイチジクの葉だったという結論が導かれるでしょう。効率的市場仮説、合理的期待仮説、そして実物的景気循環理論といった大層な命名が行われ、本当は

（14）　deviations of human behaviour　ここではdeviationが「逸脱」と「偏差」の二重の意味で用いられている。統計学的な意味を強調するならば「偏差」と訳すべきところだが、本節ではモデルが金融家に与えた心理的効果を強調するために人間行動に寄り添った「逸脱」を選択した。

（15）　random　ここでも意図しない＝想定外という意味での「無作為」と統計学的な「ランダム」の二重の意味が込められている。ここでは二重性を訳出するために漢字＋カタカナルビを用いた。

貧弱な理論が複雑な数式という煙幕を纏（まと）って大々的に流布されていたわけです。

二〇〇八年以前の主流思想の基盤となった三つの有毒な理論

効率的市場仮説——市場との頓智比べに勝って利益をあげるのは不可能であるとされています。理由はこうです。金融市場では各人が個々にもつ情報が最新価格に完全に反映されるよう手段が尽くされる。最新情報に過剰反応する参加者も、同じ情報を過小評価する参加者も市場にいる。すなわち、仮に参加者全員が誤った判断をした場合でも、市場は必ず「正しい」判断をすることになる……。これほど過度に楽観的な理論が他にあるでしょうか。

合理的期待仮説——人間行動理論が正確な予測を長期的に行うためには、そもそも理論自体が誤解を生んだり無視されたりするものとして設定されていてはいけません。例えば、天才数学者がポーカーのブラフ理論を構築し、あなたにそれを伝授したとしましょう。それが機能するためには、対戦相手がその理論を知らなかったり誤解していたりする必要があります。仮に対戦相手も同じ理論を理解していたならば、お互いにブラフを見透かすことができるようになり、そもそもブラフが成立しなくなってしまうからです。そうなってしまえば、あなたも相手もこの理論を使うのを止めるでしょう。合理的期待仮説では、そのような理論は人間行動の予測には使えないとされています。一度看破されてしまえば、理論から得られる指示や予測は裏切られる運命にあるからです。一見すると非常に謙虚な結論にも思えるでしょう。一般人よりも優れた知識を自分は持っていると信じる理論家には、社会の動向が把握できないと言っているのですから。残念ながらこの好印象は裏切られる運命にあります。合理的期待仮説には（インフレーション率、麦の価格、デリバティブや証券の価格等の経済的変数を人々が予測した際の）錯誤（エラー）は必ず無作為でなければならない、そこにはパターンや相互関係、理論化可能性などは一切あってはならないという前提条件があるからです。少し考えれば分かることですが、合理的期待仮説は、特に効率的市場仮説とセットで採用した場合、危機はおろか不況すら起こりえないという立場に行き着きます。不況とは定義上体系的でパターンをもった出来事だからです。発生時こそ意外性を帯びるものですが、事態が展開していくにつれてパターンが浮き彫りになり、各段階は前段階と密接な関係を持っていたのだということが明らかになります。それでは、効率的市場仮説＝合理的期待仮説の信奉者は「不況だ、金融崩壊だ、瓦解だ」と五感が叫び声をあげたときには一体どう対応するでしょうか。心安らぐ説明を求めて実物的景気循環理論にすがりつくのです。

実物的景気循環理論――効率的市場仮説と合理的期待仮説を出発点とするこの理論は、資本主義制度を健全に機能する自然界（ガイア）に見立てます。行雲流水を旨とする間は調和が保たれ、（二〇〇八年のような）発作も起きない。ところが（政府介入、連邦準備制度の恣意、労働組合の悪行、アラブ圏の石油生産者、移民（エイリアン）等々の）「外因性」ショックに「襲われた」際には対処と適応が必要となる。巨大な隕石衝突に反応する慈悲深き地母神（ガイア）のごとく、資本主義もまた外因性ショックに効率良く対処する。余波の吸収に若干の時間がかかることもあり、その過程で被害者が出ることもあるが、それでもなお危機への最善の対処法は資本主義の成り行きに任せることであり、（公共善への奉仕を建前に裏で別の計略を練る）私利私欲に駆られた政府公務員や関係者が新たなショックを加えてはいけないというわけです。

まとめましょう。有毒なデリバティブの土台である有毒な理論は、理論的正当性を渇望してさまよう亡者の妄想であり、金儲けという信仰にそぐわない事実はすべて無視する原理主義的聖典です。立派な名前と洗練された技術という体裁をとっていても、こうした経済モデルは結局のところ「市場の万能性」を激動期にも平穏期にもかたくなに信じようという根深い迷信の数理版にすぎないのです。

六　制度的失敗(16)

金融崩壊は人間の本性や経済理論では説明できないのかもしれません。銀行家の強欲（実際に彼らは強欲的です）でも有毒な理論（実際に用いられた理論です）でもなく、資本主義が自前の罠にかかって自滅したのかもしれません。資本主義は「自然な」制度ではなく、制度的失敗を潜在的に含む一制度にすぎないのかもしれません。

マルクスを始祖とする左派は、資本主義制度には人間を自動機械化して市場社会を映画『マトリックス』的な暗黒郷（ディストピア）に変える衝動が内包されていると警告し続けてきました。その実現に近づけば近づくほど資本主義の自滅もまた加速します――ちょうどイカロスの神話のように。ただし崩壊が起きても（イカロスとは異なり）すぐさま再生し、我が身を清め、同じ道を再び歩き始めるのですが。

この説明によると、資本主義社会は定期的な危機が発生するよう設計されており、生産過程から人的労働力を、公的議論から批判的思考をそれぞれ排除すればするほど危機は悪化してゆきます。人間の貪欲や強欲、利己心を恨む考え方に対して、マルクスならば次のように答えたでしょう――思想の筋は良いが着目点が悪い。資本主義の成功の秘密は矛盾への飢えであり、巨万の富と凄惨な貧困、高尚な自由と最悪の隷属、輝く奴隷機械と堕落した人間労働者を同時に生み出す能力である。

解説はこう続きます。人間の意志は複雑怪奇にちがいないが、資本の時代においては原動力[17]ではなく派生物と化している。意志を含む世界形成の原動力の座を奪取したのは資本である。起業家から労働者まで、人間の意志は資本の自己参照的推進力にもてあそばれている。生命も精神も持たないが、資本――機械、通貨、証券化デリバティブを含む富の結晶の総称――は独立独歩の相を呈する形態へと足早に進化し、人間を（銀行家、重役、労働者のいずれも等しく）駒のように扱う。潜在意識のように、資本もまた人の心に幻想を植え付ける。その頂点には、資本への奉仕こそ人間に価値と優越性と力を与えてくれるのだという幻想がある。人は資本との関係に誇りを抱くようになり（たった一日で数百万単位の資本を「創造する」金融家、多くの労働者階級家庭から頼られる雇用主、輝く機械装備や不法移民にはないささやかなサービスという特権的恩恵にあやかる労働者）、本当は資本こそが人間を所有しており、人

（16）　systemic failure　制度の構造に端を発する失敗のこと。原因も結果も制度全域を範囲とすることが多い。

（17）　prime mover　アリストテレス神学の「τὸ πρώτη ἀκίνητον」（第一に動くもの）への参照も含む。マルクスは資本主義（特に商品の概念）には形而上学的・宗教的な側面があると言ったが、バルファキスはこの洞察をてこにして資本主義分析に巧みにギリシア文化への参照をちりばめている。

間が資本に隷属しているのだという悲壮な現実から目をそらす。

　ドイツ人哲学者ショーペンハウアーは、自分は信念や行為を意識的に決定できるという自己欺瞞に陥った近代人を酷評しました。ニーチェもこれに賛成し、人の信念は真実ではなく力への服従を反映していると説きました。マルクスは経済学をこの文脈に移植し、資本の飽くなき自己増殖運動に人間の思想は征服されたという現実から目をそらす人々を叱責しました。資本は鉄の論理に従って無機的な進化を続けます。資本主義は人為的に設計されてはおらず、全速力で前進を続けるこの制度をいまさら文明化することなど誰にもできません。

　誰の承諾も得ずに自ずと進化した資本主義は、人間を原始的な経済社会の組織形態から速やかに解放しました。地球の支配を可能にするような（物質的・金融的）機械や器具が培養され、獰猛な自然界に怯えずに生きる道、貧困なき未来を思い描く力を与えてくれました。しかし、モーツァルトとエイズが同じ自然法則から生み出されたように、資本もまた不和、不平等、兵器戦争、環境破壊、そして金融暴落を誘発する壊滅的な力を生み出しました。富と危機、発展と欠乏、進歩と後退を一挙に——そして無作為に——産出したのです。

　結局のところ二〇〇八年金融崩壊は資本への人間の意志の隷属の度合いを実感する契機にすぎなかったのでしょうか。資本は「人を圧伏する力」となり、「あらゆる限界や関係を破りつつ自らを唯一の政策、唯一の普遍体、唯一の限界、唯一の関係として打ち立てる、世界主義的かつ普遍的なエネルギー」[xi]を生む力となった——この現実を人に直視させるための起爆剤だったのでしょうか。

視差的探究（パララクス・チャレンジ）

川の水に浸った枝は曲がって見えます。周りを歩けば角度が変わり、地点の差異が視点の差異を生み出します。水流が緩やかに枝を動かせば、「曲がった」枝の「現実」と私たちの認識も絶え間なく変移するでしょう。物理学で「視差（パララクス）」と呼ばれる現象です。二〇〇八年金融崩壊に関する洞察の多くは正確かつ虚偽であるという点を強調するうえでぴったりの比喩ではありませんか。

客観的事実を否定しようというわけではありません。枝は曲がっていませんし、金融崩壊の後にはまぎれもなく危機が残りました。[18] ただ異なる視点から「真なる」観察を得ても研究対象の真相の解明が進まないこともあると言いたいだけです。ここでは枝の本質に迫るための説明や視点を列挙する以上の一手が要求されています。物理学者の例にならって理論的跳躍を行い、比較不可能な観察を跳び越えて全体を鳥瞰できる概念空間へと着地する。この「跳躍」を視差的探究（パララクス・チャレンジ）と呼びましょう。

二〇〇八年金融崩壊と折合いをつけるには、最高難度の視差的探究にとりかかるしかありません。もちろん、経済学者やリスク管理者による制度的リスクの誤算は否定できません。ウォール街及び金融部門全体が陰湿な胴欲（どうよく）に駆られ、犯罪まがいの行為に走り、まっとうな社会ならば即禁止されるべき金融商品を駆使して肥大したのも動かぬ事実です。信用格付機関は利害相反の典型例でしたし、強欲

（18）Crisis　大文字の「危機」（Crisis）と小文字の「危機」（crisis）をバルファキスは区別して用いている。本書では大文字の方には傍点をつけて区別した。

はたしかに新たな人徳として奨励されました。規制機関も銀行家と「良好な」関係を結ぶ誘惑に見事に負けました。他の社会に比べアングロ・ケルト社会が新自由主義の文化的策略にはまりやすく、「良心の呵責」など無視せよ、利己心こそ唯一の方針・動機であるという言説を世界に普及させる旗振り役を担ったのも事実。二〇〇八年金融崩壊がいわゆる新興経済よりも先進国をひどく襲ったのも事実です。制度としての資本主義には自壊の種が埋め込まれているという明解な命題も反論の余地がありません。

単純な視覚的視差では観察者の立ち位置次第で全ての視点が同等に真となる。同じように、ここに列挙した各説明も二〇〇八年に起きた事件の諸側面をうまく照らし出しています。それでもなおわだかまりが残るのはなぜか。何か重大な見落としがあるという違和感。金融崩壊の表面こそ何度も目にしてきたが、それでも本質は把握できていないという感覚。本当の原因は何だったのでしょうか。高い技能と深い情熱を兼ね備えた市場分析家の一団でも予測不可能だったのはなぜでしょうか。金融崩壊と後続の危機の原因が強欲や放蕩ではなく、道徳の腐敗や規制緩和ですらなかったのだとすると、一体何だったのでしょうか。資本主義の内包する矛盾は必ずや再燃するという単純なマルクス主義的観測では二〇〇八年に至るまでの一連の出来事を説明しきれないのであれば、欠落を埋める部材はどこにあるのでしょうか。

比喩を使って答えます。二〇〇八年金融崩壊は、私が「世界牛魔人（グローバル・ミノタウロス）」と呼ぶ魔獣が致命傷を負ったから起きたのです。無慈悲な鉄の拳をふりかざして冷徹に惑星を統治する支配者。[19] 峻抜雄健（しゅんばつゆうけん）でいる間は世界経済を安定的不均衡状態に保ち、それなりの安心感をもたらしてくれました。しかし運命の残酷さには抗えず、魔獣が二〇〇八年に昏睡状態へ陥ると世界は一触即発の危機へと叩き落されます。牛魔人なき世界に暮らす準備ができるまでは、私たちの日常も根源的不審、恒久的停滞、そして底無しの不安で満たされ続けるでしょう。

世界牛魔人の入場

一九九一年の共産主義圏崩壊によって終幕した悲劇。古典の色調を帯びた運命の逆転劇。社会主義革命家たちの崇高なる意志が権力に飢える狂信者たちに乗っ取られ、犠牲者と悪者に満ち満ちた持続不可能な産業封建制が敷かれました。アリストテレス風に言うならば「転落（ペリペティア）」です。対照的に、二〇〇八年金融崩壊は前古典的な雰囲気を醸す荒々しい神話の構成です。本書の題名が悲劇の発明以前の時代を参照する理由もここにあります。

『世界掃除機』という書名もありえたでしょう。一九七一年以降の戦後第二フェーズを表す言葉として優れているからです。当時米国諸機関は大胆な戦略に乗り出しました。一九六〇年代後半に蓄積された二重赤字（ツイン）[20]（米国政府の財政赤字と米国経済の貿易赤字）を減らす代わりに、米国の最高政策立案者たちは両方の赤字を**わざと**増やしたのです。では赤インクの対価は誰が支払うのか。答えは簡単、米国

（19）　balanced disequilibrium　バルファキスの造語だが、主流経済学への痛烈な批判にもなっている。力学が物理的変化を時間の関数で表すことを目標としているように、主流経済学モデルは市場における取引を均衡状態へと収束するアルゴリズムとして表すことを目標としている。そもそも世界が「安定的不均衡状態」なのであれば、こうしたアルゴリズムも現実の記述ではなく単なる数式遊びであることが露呈する。

以外の国々です。二大大洋を渡って絶えず押し寄せる資本の大波が米国二重赤字を恒久的にまかなうというわけです。

こうして米国経済の二重赤字は数十年間巨大な掃除機のように機能し、他所からの余剰商品や余剰資本を吸収し続けました。想像を絶する最悪の不平等で地球を包む「取り決め」であり、ポール・ボルカーが鮮烈に描いたあの「世界経済の計画的解体」が要請されたわけですが、そこから世界の均衡（グローバル・バランス）のようなものが芽を出したのもまた事実です。この国際制度では金融や貿易の一方的な循環が急加速を続け、そこから安定や成長のようなものが生じてきたわけです。

米国二重赤字を背景に、（ドイツ、日本、そして後の中国等の）世界最高の黒字経済は商品を量産して米国の食欲を満たし続けました。米国を除く世界全体の利益の七〇％はウォール街への資本流入という形で米国に再送金されました。ウォール街はこうして流入した資本を何に使ったのでしょうか。答えは直接投資、株式発行、新型金融商品、新旧様々な融資、そしてもちろん銀行家への「ささやかな贈り物」です。この見地から把握すれば、経済金融化の促進、強欲の勝利、規制諸機関の撤退、そしてアングロ・ケルト的成長モデルの一人勝ちも全て納得がいくでしょう。時代を象徴する諸現象も米国二重赤字を肥やすための巨大な資本循環の副作用として立ち現れてきます。

「世界掃除機」という言葉は本書のテーマを正確に言い当てています。家電製品に基づく平凡な比喩であるという点では少々インパクトに欠けるかもしれませんが、それだけで却下するわけにはいきません。問題は象徴（シンボル）としての弱さです――悲運の二〇〇八年まで私たちを翻弄してきた国際制度設計の、劇画的で神話的とさえ呼べる側面が表現できていないからです。その不安定性ゆえに永続されることこそなかったものの、数十年もの間世界に平穏をもたらし続けてきた制度。その肥やしとなったのは周縁から帝国の中心へと絶えず流れる貢物であり、そのおかげで米国の二重赤字と黒字諸国の物品やサービスへの需要との間には相互補強関係が維持されました。

一九七〇年代からほんの数年前まで咆哮を続けた世界魔獣（グローバル・ビースト）の特徴は以上です。家事を連想させる言葉よりも「牛魔人」の方が比喩として適当であると私は思いますが、いかがでしょうか。

1・1　クレタ島の牛魔人

牛魔人は悲劇の神話の登場人物です。この物語にも強欲、天罰、復讐、そして多くの苦難が満ち満ちています。天下を統べる特別な経済社会的平衡状態の象徴でもあったわけですが、脆い地政学的均衡は魔獣の退治によって崩れ去り、新たな時代が到来します。

神話の主流版はこうです。クレタ島の王ミノスは当時最強の権力者でした。神々の傾慕の証として一級の牛を授けよ、そうすれば貴方を讃えてそれを生贄に捧げようとミノスはポセイドンに

（20）　twin deficit　貿易赤字と財政赤字が同時に発生している状態を表す言葉。経済学では「双子の赤字」という直訳がなされた上で専門用語として扱われているが、「twin」を「双子の」と訳すのは「ツインルーム」を「双子の部屋」と訳すようなもので、意味不明かほぼ誤訳である。「twin deficit」は「double deficit」と同義語であり、後者は「二重赤字」と訳せる。よって本書では日本語としてより自然な「二重赤字」の方を採用した。

願います。ポセイドンは願いを聞き入れますが、ミノスは牛の荘厳華麗な容貌に見惚れて無謀にも獣を生かしておこうと企てます。神々は残忍な報復を行う機会を逃さないものですが、ミノスに対しても面白い罰を思いつきます――アフロディーテの特殊能力を使い、ミノスの妻パーシパエに牛獣への愛欲を植えつけたのです。女王は伝説の工匠ダイダロスの秘儀を借りて妊娠し、半人半牛の牛魔人（ミノタウロス）を出産します。（「ミノタウロス」はギリシア語で牛を意味する「タウルス」を語源とし「ミノスの牛」を意味します）。

牛魔人は成長し、日に日に粗暴になってゆきます。ミノス王はダイダロスに迷宮の建造を命じ、巨大な地下迷宮に牛魔人を閉じ込めます。普通の食事では満腹できない牛魔人は、人肉を貪り食うようになります。ミノスにとってこれはアテネ人への復讐の絶好の機会でした。ミノスの息子はパナテナイア祭の各競技で優勝したときに嫉妬深き敗北者、アテネの王アイゲウスによって処刑されていたからです。戦争があった後、アイゲウスは七名の若者たちと七名の未婚の娘たちを牛魔人の食料として毎年（九年に一度という解釈もあります）送るよう強制されます。神話ではこうして牛魔人への外国からの貢物に基づく「クレタ島の平和（パクス・クレターナ）」が大陸や海をまたいで結ばれます。

神話以外でも、ミノス王統治下のクレタ島はエーゲ海の経済的・政治的覇権を握っていたとする歴史家もいます。アテネのような力の弱い都市国家（ポリス）は服従の印としてクレタ島に定期的に貢物を納めていました。牛の仮面をつけた僧侶による生贄の儀式のために若者たちが運ばれていたとしても不思議ではありません。

神話の世界に戻りましょう。アテネの王アイゲウスの息子テセウスは、牛魔人を退治してクレ夕島の覇権からアテネを解放し、新たな時代の幕を開くことになります。
アイゲウスは危険な任務を胸にクレタ島を目指す息子の出航を渋々認めます。そしてピレウスへ帰港するときには黒い追悼の帆を白い帆に取り替え、任務の完了と子の栄光ある帰還を父に告げよとテセウスにお願いをします。牛魔人を退治して有頂天になっていたテセウスは、不運にも白い帆をあげ忘れてしまいます。黒い帆を遠くから認めたアイゲウスは、息子は牛魔人に殺されたのだと思い込み、海へ飛び込んで水死します。こうして海にはエーゲ海[21]という名前がついたのです。

古代神話（1・1参照）を一読すれば牛魔人の比喩としての良さが解るでしょう。一方的な貢物によって維持されていた権勢。大洋をまたいで覇権を誇示し、遠大なる平和と国際貿易の護衛役を演じつつ、その対価として魔獣の飼料になる貢物を徴収したわけです。

クレタ神話の霞（かすみ）にたたずむ魔獣は物悲しく、忌み嫌われていて獰猛です。命がけで勝ち取った平和を維持するためには、若者を貢物として生贄に捧げるしかない。魔獣のこの支配に終止符を打つために、勇敢なる王子テセウスは剣を血に染めて牛魔人の息の根を止めます。新時代の幕開けです。対して、私たちの住む複雑な世界では英雄行為は一切必要とされません。米国二重赤字が魔獣の役を演じ、物品とサービスの流入が貢物の機能を担う。世界牛魔人も、生身の戦士が剣をふりかざすまでもなく急逝しました。銀行制度の卑俗極まりない崩落が致命傷となったからです。打撃自体は神話さながら

（21）「エーゲ」（Aegean）は「アイゲウス」（Aegeus）の形容詞形。

の威力を持ち、世界資本主義の戦後第二フェーズを一気に終局させましたが、新時代の幕は一向に上がる気配がありません。新たな日の出を迎えるまで、私たちは二〇〇八年がもたらしたアポリアの暗がりをこれからもさまよう運命にあるのです。

第二章　未来の実験室

二つの大躍進[1]

人類最初の大躍進は危機から生まれました。人口が自然界の許容量を超え、過酷な食糧不足が起きたわけですが、これこそ農業革命の引き金であるとみて間違いありません。[i] 私たちには機器や機材を参照しつつ文明の進歩の度合いを計る癖がついていますが、自然の力だけで飢えをしのげないならば自分の手で食料を栽培するぞと決めた先史の狩猟採集民族の剛勇に比べれば、工業化社会が誇る成果など取るに足らないものです。ハイスペックな精密機器の革新性も（往々にして自分よりも強力な）野獣を手なずけて毎朝乳を飲もうと決心した初期の人間の大胆不敵な閃(ひらめ)きには到底敵(かな)いません。

飢餓に匹敵する食糧危機は自然界への斬新な介入を促し、約一万二〇〇〇年前に**社会的農業生産**への道をひらきました。大地や種子、水を使ったこの社会労働こそ**余剰＝黒字**[2]の起源です。一定期間内の消費や使用に対する補充量よりも多くの食料や衣類などが生産されるようになり、その後余剰は「文

（1）　great leaps forward　中国の「大躍進政策」を彷彿とさせる。真の大躍進は共産党などではなく太古の人類社会において起こったのだという暗示が込められており味わい深い。

明」の土台や歴史記録の脊柱（バックボーン）となりました。

余剰はさらに多くの発明を可能にしました。食糧生産への従事からの解放という特権を得た強大（ラージ・）なる少数派（マイノリティー）による官僚制や組織宗教。氏族や家族内で誰が何を作ったのかを勘定するときの記憶の補助を起源とする文字。開墾や牧畜、ひいては余剰生産物の番人の武具までを用途とする洗練された鉄器。バイオマスの急増に伴い生じた新型の致死細菌から生まれた大量破壊生物兵器。農耕民族が農業なき渓谷や島々、ひいては一つの大陸を丸ごと植民地化する上で無敵を誇る理由となった高度な免疫系——それは米国先住民族（ネイティブ・アメリカン）や豪州先住民族（アボリジニ）が細菌まみれの欧州入植者と対峙した暗黒の日を想起させます。

人類第二の大躍進は産業化をもたらしました。これもまた混沌たる辛苦遭逢（しんくそうほう）を伴い、別の危機から——今回は自然界とは無縁の危機から——生まれました。その根は深く、一五世紀以前にまで溯（さかのぼ）ります。当時は航海や造船の技術の向上が世界初の国際貿易網を確立させたばかりでした。スペイン、オランダ、英国、そしてポルトガルの商人たちは、英国製の羊毛を中国製の絹と、絹を日本製の刀と、刀をインド製の香辛料と、そして香辛料を始めよりも多くの羊毛と取引するようになりました。物品は**商品**となり、ひいては**国際通貨**となりました。

貴族階級の富は農民階級からの徴収や敗戦隣国からの収奪という形をとりました。対して新生の商人階級の懐を肥やしたのは遠距離裁定取引（アルビトラージ）でした。地元市場で過小評価された商品を遠方市場にて高値で売却したわけです。悲劇的にも、商品売買は別種の取引によって拡大されます——奴隷売買です。残酷な無償労働によって（アメリカ大陸における木綿のような）国際商品[3]が大量生産されました。時が経つに連れ、英国の地主たちも潤沢な世界貿易網への参入を企てるようになります——当時の英国諸島が輸出しえた唯一の国際商品、羊毛を生産し始めたのです。牧羊地を確保するために農民の大半は先祖代々の土地から追放され、二度と帰れないよう柵で囲い出されました。「囲い込み」です。

　こうして土地と労働は一挙に商品化されたのです。土地の値段は季節ごとの羊毛生産高の世界市場価格を基準としてエーカー単位で設定されました。肝心の労働には、放逐された元農民の日雇い賃金という微々たる値段がつけられます。通貨増殖の機会をうかがいつつシティ・オブ・ロンドンに積み上げられた商人の巨富。放逐された後に一斤のパンを乞うて働く元農民から成る労働者階級の原型。英国の国土の表面近くに豊富に存在した石炭。世界化(グローバリゼーション)の進展による市場開拓が生んだ蒸気エンジンや織機等の秀逸な技術革新。一連の条件が整ったとき、新たな生産の場が誕生します——工場です。工業化の熱が時代を席捲しました。

　歴史が民主主義を尊重するものであったならば、農業や産業革命はありえなかったでしょう。二つの大躍進はいずれも筆舌に尽くし難い災難、当時の人々に過去への回帰を切望させるような災難から生じました。**私たちの**危機を落ち着いて理解するにあたって、危機は歴史における未来の実験室の機能を果たしてきたのだという点を覚えておくと良いでしょう。

（2）　surpluses　本書のキーワードであると共にマルクス主義経済学の主要概念でもある。先史から現代に至るまでのあらゆる事象を包括して広義に使われているため、ここではなるべく曖昧さを残した訳語として「余剰」を選択した。「余剰価値」「余剰生産」といった訳語がより一般的か。また、後で「黒字再循環装置」へと話が広がっていくが、そこでもsurplusが使用されているので、ここでも「黒字」とのつながりを設置した。

（3）　global commodities　世界的に需要のある商品のこと。擬似通貨としての機能を担うこともあった。

資本の時代におけるコンドルセの秘密

危機が歴史の実験室だとすると、その原動力は「承諾」[4]です。水面下に暴力がちらつく中、少なくとも第二の大躍進が現代市場社会へと結実するまでの期間では歴史的緊張が一貫して承諾の力で乗り越えられてきました。これは驚くべきことです。組織的殺戮（別名「戦争」）や民族単位の暴力的奴隷化があったにも関わらず、荒廃を招くような露骨な暴虐行為はほとんどなく、ほんの一部の支配者が失墜間際の悪あがきとして暴れるにとどまりました。

人を動かす力、共同生産された余剰の大半を私有化して世論を誘導する力は暴力のみで維持できるようなものではありません。一七九四年、フランス革命が新たな圧政へと転じる前夜、フランス思想家のコンドルセ侯爵は新たな歴史的激変に際してさきの論点を巧みに言い表しました。彼の言い分はこうです。「暴力には世論のような持続性が欠けている。分割統治を座右の銘とする暴君があくまで暴力をふるい続けるためには、抑圧する側ではなくされる側にこそ真の権力があるのだという秘密を人民に悟られないように絶えず帝国を拡大しなければならない」。ウィリアム・ブレイクの詩にある「精神が鍛えた枷」[5]は手が鍛えた枷と同じくらい生々しいものなのです。

コンドルセの秘密と私が命名するこの達識は社会を動かす力の正体を明示しています。王宮の統治を支えた豊穣の農地。アンデス地方の余剰生産物を原資とした玲瓏たる都市。壮麗たるバビロンの庭。黄金期のアテネ。高峻たるローマ。偉大なる大聖堂を建造した封建制経済。今日私たちが「文明」と呼ぶものの中には、支配者が暴力にうったえて余剰とその使い道を統制した実例はほとんどありません。代わりに用いられたのは、法の遵守の不可避性（及び魅力）を印象付ける力、巧みな分割統治戦術、既存体制の維持への（特に貧困層からの）道徳的熱意、そして死後の世界における褒賞の約束です。

機動的（ダイナミック）な社会の成就の基盤には並行する二つの生産過程が必ずあります——余剰の製造と（余剰の分配に関する）承諾の製造です。[6] 両過程の相互作用（フィードバック）は資本の時代の到来と共に絶頂を迎えます。商品化の台頭は金融の殷富（いんぷ）をもたらし、さらに巧妙かつ強力な承諾装置へと合流します。味わい深い逆説（パラドクス）ではありませんか——暮らしの経済の金融化が進めば進むほど承諾も強化されていったのですから。金融界の重要性が増すにつれて、社会の経済危機への耐性も弱まりました。近代社会には承諾と危急存亡状態とを同時に量産する傾向があるという面白い洞察がここから得られます。

理由は何でしょうか。封建制では余剰の生産及び分配はわりと明快なものでした。額に汗して生んだ作物の一部を領主が兵を使って奪っていく。農民はそれを傍観するしかありませんでした。[7] そこでは分配が収穫の後で行われています。各人への配当量は露骨な権力や暴力、そして慣習が決定しまし

（4）　consent　本節のキーワード。

（5）　mind forg'd manacles　『ロンドン』より。原文は以下のとおり。「I wander thro' each charter'd street. / Near where the charter'd Thames does flow / And mark in every face I meet / Marks of weakness, marks of woe. / In every cry of every Man, / In every Infants cry of fear, / In every voice: in every ban, / The mind-forg'd manacles I hear」

（6）　manufacturing of consent　ノーム・チョムスキーとエドワード・ハーマンの共著『Manufacturing Consent』（『マニュファクチャリング・コンセントⅠ・Ⅱ　マスメディアの政治経済学』中野真紀子訳、トランスビュー、二〇〇七年）への参照を含む。

た。ところが農地や工房を市場が侵略し始めたとき、大きな変革が訪れます。新興商業社会は「わかりにくさの衣[8]」を纏（まと）うようになり、承諾と危機の新形態が（例えば純粋に経済的な災難という形で）誕生します。

この変化の素は何だったのでしょうか。また市場社会はなぜ経済溶解（メルトダウン）に弱いのでしょうか。分かれ目は、数世紀前に土地と労働が単なる資源ではなくなったときです。そのとき土地や労働は商品となり、浮動する価格に基づいて市場で取引されるようになりました。大きな反転です——分配が生産の後ではなく前に発生するようになり、収穫期の前に労働者へ賃金が支払われました。支払いを行う側は「雇用主」と呼ばれました。命令ではなく雇用によって労働者を動かし、一九世紀に資本家の名を冠することになる人たちです。

興味深いことに、最初期の資本家の多くは意図してこの道を選んだわけではありません。人類最初の大躍進で狩猟採集民族が意図的にではなく飢餓にさいなまれて農業を始めたように、元農民や元職人の多くも（特に囲い込みの後では）地主から土地を借りて利益を生む他に道がなかったのです。賃料、種苗、そして賃金の支払いには金貸しから借りたお金を当てることになります。金貸しは銀行家へと変身し、千差万別な金融商品が余剰の生産と分配において重要な役割を担うようになりました。こうして金融業は「産業の大黒柱」、経済活動の潤滑油、そして社会の余剰生産への貢献者という神話的な地位を得ます。

地主階級とは異なり新生の資本家雇用主たちは必ずしも裕福ではなく、昼想夜夢の不安を抱えていました。たくさんのリスクを引き受けていたからです。作物の収穫量は地主や銀行家への負債返済に十分だろうか。出荷の後で自分や家族の取り分は残るだろうか。天候は優れるだろうか。お客さんは商品を買ってくれるだろうか。雇用主、地主、銀行家、そして労働者への余剰の分配を決定する社会力(9)もリスクという煙幕のせいで見えにくくなっていました。

中世の領主が経済的・軍事的威力を背景に余剰を生産者から自覚的に収奪したのに対し、不安まみれの資本家は不眠に耐えること自体が余剰の生産に貢献しているのだと本気で信じ込み、生産体制を整えて数々の心配事を乗り越えた自分には褒賞として利益を得る権利が当然あるのだと思うようになります。金貸しも資本家への信用供給回路（クレジット・ライン）が可能にした経済的奇跡に自分は貢献したのだと自慢話を始めます。シェイクスピアが『ヴェニスの商人』で示したように、融資業には危険も伴いました。他者の活動を支えるうえで金融家が背負うリスクは、シャイロックの悲劇が象徴する通りです。しかし、資本の時代が進歩するにつれて金融業は実践の場においてもイデオロギーにおいても地位を確立してゆきます。

他方で、労働者たちは史上初の形式的（フォーマル）な自由(10)を味わいつつ、新たな自由に付随する別の自由と折合いをつけるために闘争を続けていました――飢餓による孤独死の自由です。賃金労働にありつけた人

（7）visible power and customs that everyone understood quite well　直訳するならば「みながよく理解していた可視的な力や慣習」となるが、ややぎこちないので「みながよく理解していた可視的な」という部分を「露骨な」と同義と解釈して訳した。社会の「骨組み」が「露わ」になっていたという含みもある。

（8）veil of obfuscation　普通の人々には社会全体の仕組みがもはや把握できなくなったということだろう。

（9）social power　日本語にするとややぎこちない言葉だが、原語のもつ意味の広さを保存するためにあえて直訳した。

たち（決して多数派ではありません）も職場が農場から工房や工場へと移りました。雑音や煙であふれる灰色の産業施設の厚い壁によって先祖代々の郷土から締め出され、蒸気機関や織機のような魔法の技術からくる機械労働に練り込まれる人間活動。生産過程への支配権なき参加。労働の実りにあやかることもできぬまま、労働者は多種多様な製品を次々と産出する巨大な機械の歯車と化したのです。

一九世紀マンチェスターから二〇世紀深圳（シンセン）まで広がるこの煌（きら）びやかでいて過酷な世界では、コンドルセの秘密から逃れる術はもはやありません。社会力の行使を阻む霧はあまりにも濃く、合理的思考の限界を超えています。雇用主と労働者。金貸しと職人。無一文の農民と茫然自失の地主。誰もが変化の速さについてゆけず、万人が途方に暮れています。個人の支配力や理解力の限界を超える力にもてあそばれているかのような感覚が人々の心を満たしているのです。

二〇〇八年金融崩壊は困惑という名の海原に世界を漂流させました。その根因は産業市場社会の夜明けにあります。商品化や金融化とその過程に伴う不可避な危機の前進が生み出す困惑。私たちのアポリアはその一変種にすぎないのです。

成功の逆説（パラドクス）と危機による贖罪

市場が支配的になってから純粋に経済的な危機というものが登場してきたわけですが、危機一般の仕組み自体はそのはるか以前から解明されていました。自然界を注意深く観察すれば一目瞭然です。獲物が豊富な時期には捕食動物が増え、獲物側に淘汰圧がかかります。獲物の個体数が減り始めると捕食者の数も減少します。しばらくすると頭数減少は危機を生み、獲物の個体数が再び増加します。こうして循環が続くのです。

獲物と捕食者の力関係（ダイナミック）を政治社会へと丁寧に投影させてみせた最初の人物はおそらく一四世紀の学者イブン・ハルドゥーンです。スペイン及び北アフリカのアラブ諸国の歴史の詳細な研究に基づき、ハルドゥーンは各統治体制の盛衰の物語を紡ぎます。支配層は捕食者の役割を担うもので、捕食者側には「アサビーヤ」と呼ばれる性質があると説いたのです[ii]。アサビーヤとは共通の要請（ニーズ）や危険に対する協働意欲から小規模集団が得る連帯感、集団意識、そして結束であると定義されます。アサビーヤが根付いた集団は衆力と栄耀を手にし、都市中心部で権力の座に就いて偉大な都市国家を築いてゆきます。ただし、捕食者の場合と同じようにここでもまた成功には破滅の種が内包されているのです。ハルドゥーンいわく、時とともに支配者と臣民の間には乖離が広がり始め、アサビーヤも弱まり始めます。主従関係の維持のための儀式、絶対権力に伴う自信過剰、そして巨富がもたらす快楽はそれぞれ支配者から活力を搾り取ります。アサビーヤは褪せてゆき、権威と勢力の弱体化を支配者たちも自覚するようになる。ほどなくして闘争と混沌が噴出し、希望は失われ、楽観主義も雲散霧消するのです。すると今度は他所でアサビーヤを蓄積した別の集団が支配権を奪取する。こうして循環は続きます。

商業社会においても獲物と捕食者の力関係（ダイナミック）は健在です。自由主義経済学の第一人者ヨーゼフ・シュ

（10） formal freedom　「形式的」（フォーマル）という言葉には「公に認められた」という肯定的な意味と「形だけ」という否定的な意味が両方含まれている。現代の労働者の「自由」にも通ずる問題がこの皮肉交じりの一語に凝縮されている。

ンペーター（興味深いことに、マルクス経済学に深く影響された人物です）は、過酷な危機の定期的生成は資本主義の本質であると説きました。資本には独占力をもつ巨大企業へと結晶する傾向があるからです。成功企業は巨大化した後でイブン・ハルドゥーンが示唆したような自己満足に陥り、汗馬の労も惜しまない創造性豊かな新参者の登場によって失墜させられます。喪亡が痛苦を生む一方、恐竜の絶滅はより活発な「新種」の事業をもたらしもする。その意味で、危機は資本主義の発展の物語において必要不可欠な贖罪の役割を果たしています。[11]

興味深いことに、以上の筋書きは資本主義を危機生成制度とするマルクスの批判に根ざしています。ケンブリッジ大学経済学者のリチャード・グッドウィンは、マルクスの見解を次のように要約しました。

- 資本主義は並行する二つの力学に支配されている。
- 第一の力学は賃金比率（賃金総額が国民所得に占める割合）を決定する。雇用があるしきい値Eを超えると労働力が不足し、労働者の交渉力が増大し、賃金比率が上がる。
- 第二の力学は雇用成長を決定する。賃金比率が別のしきい値Wを超えると雇用が打撃を受ける。

二つの力学の組み合わせが定常景気循環を生成するまでのからくりを見てみましょう。まず、経済と雇用は成長しているものとして仮定します。第一の力学に則し、雇用がしきい値Eに達すると賃金も上がります。賃金がしきい値Wまで上がると、第二の力学が発動し、雇用が減少します。いずれ雇

用はしきい値Eを下回りますが、そうすると今度は第一の力学が逆向きに作用し、賃金が下がります。ここが循環内で最も不景気な時点です——賃金が下がり、失業率が最大値に達したのですから。賃金がW以下となったため、今度は第二の力学が逆向きに作用し、雇用が再び成長します。再度Eに達すれば、賃金もまた上がります。経済は回復を始めますが、すでにそこには次の危機の萌芽があります。

通貨や金融には一切触れずに景気循環が「生成」されたという点に注目してください。金融を導入すると循環の変動性（ボラティリティ）が上がり、新種の制度的リスクが地平線に出現します——（不況による漸進的な景気下降ではなく）天変地異のような崩落と堅固で長期的な恐慌のリスクです。

賭け金の競上げ——崩壊、危機、そして金融の役割

共同体のもつ資源や個性、関係性には薄らぐ傾向がある——これが成功の逆説（パラドクス）の基本前提です。必然的危機は**贖罪**の役割を果たし、「制度」の転覆や危機の誘発の原因となった当のものを結果的に復活させるのです。自然界における獲物や捕食者の個体数の増減からアラブ都市国家における政治権力や現代市場社会における賃金・雇用の力学まで、危機は懲罰と贖罪を同時にもたらします。捕食者の飢餓は獲物の個体数の回復に役立ち、政治崩壊は過去の結束力を再燃させ、失業は賃金低下を通じて雇用創出へとつながります。天罰（ネメシス）が新たな破戒（ヒュブリス）を生み、危機という名の必要条件が満たされると景気好転や権力、富、そして支配力から成る「生態系」全体の活性化が起きる。回避可能な事故ではなく定

（11）dinosaurs　大きくて力強いが同時に古くて時代遅れでもあるものを表す比喩。ここでは肥大した大企業を指す。

期的な危機こそが奈落の底への「自然な」転落の正体であり、歴史の進歩に寄与する力なのです。

このような循環は自然界にも歴史にも深く浸透しています。とはいえ、危機は必ずしも循環の一段階であるとは限りません。時折正真正銘の危機が到来し、既存の循環が破壊されます。例えばイースター島の文明を見て下さい。考古学が示す通り、この島は歴史上何度も循環的危機を潜り抜けてきましたが、島に終焉をもたらした危機は重厚長大でした。島民が最後の一本まで樹を切り続けた結果、日常活動をつかさどる生態・経済循環が悲劇の最期を迎えたのです。その跡には壮麗たるモアイ像だけが残り、危機が有する破壊力と爆発力を静かに伝えています。

通常の危機と真正の危機の違いは何でしょうか。答えは、自己治癒が根本的に不可能であるという点です。危機には贖罪が伴わないと言い換えても良いでしょう。要するに、通常の危機が循環の一部としてその維持に密かに貢献しているのに対し、危機は既存の循環の終焉を意味するのです。一九二九年の出来事はまさにそのような断絶でした。二〇〇八年の一件もそのような断絶である――この信念は本書の執筆の動機にもなっています。もし私が正しければ、二〇〇八年以降の世界は世界牛魔人の治世の反復ではなく現在という霧にぼんやり滲む新時代の夜明けとなるはずです。その輪郭を太線で描くためにも、次は金融を物語に加えましょう。

資本の時代の描写がすでに示したように、土地と労働の商品化は金融化を生みました。金融が経済の新たな中心となることで真正の経済危機が生成されるようになった、そのからくりを吟味しましょう。リスクを大幅に膨張させる力が金融にはあります。これが理解の鍵です。日給で競馬を楽しむのはけっこうなことですが、金融商品を駆使して競馬に生涯賃金を賭けるとなると話は全く異なります。

借入（レバレッジ）投機のおかげで燦爛たる利益と惘然たる損失とが同時に可能となるからです。ジョン・メイナード・ケインズは『一般理論』の名で知られる（世界大恐慌に触発されて執筆した）一九三六年の作品において同じ議論をより鮮やかに展開しています。

実業という大河の泡沫（バブル）でいる間は投機家も人畜無害である。問題は実業が投機という渦潮の水泡（バブル）と化した時に深刻となる。一国の資本発展は、賭場（カジノ）の派生物と化した時、粗悪に遂行されるようになるだろう。

慧眼の持ち主らしい至言です。

一九七〇年代にハイマン・ミンスキーはケインズの論点をさらに深め、成功の逆説（パラドクス）から生じた循環の物語にケインズ論を合流させました。ミンスキーの見解では、金融安定と成長の時期には融資の債務不履行率が低下し、銀行は融資返済の期待値を上げます。すると金利が下がり、投資家は利益率の向上を目指してリスクをより積極的に引き受けるようになります。リスクの増加はバブルを形成しますが、バブルが弾けると今度は経済の多方面で災難が起きます。金利は急上昇し、金融市場の針は狂ったようにリスク回避の方向へと振れ切り、資産価格が暴落して安定的不況すなわち景気低迷が訪れます。この物語では、危機はいつもどおり贖罪の役割を果たします。リスク回避の風潮が広がった後では「優良な」投資企画にしか資金が渡らなくなるからです。金融家の神経はこうして鎮静され、安心が回復され、循環の歯車が再び勢いをつけて動き出します。

稀にではありますが、膨張し過ぎて肥大した金融バブルが破裂すると循環そのものが消滅します。最後の樹木が伐採された途端に奈落の底へと急転直下したイースター島のような、変動の起伏が激しい[12]経済活動が好例です。嵐が過ぎて静穏が訪れる頃には経済全体が廃墟と化し、枯木竜吟の望みもほぼ皆無。[iii] 使い古された比喩ですが、こうした展開は自動車の安全性の向上がもたらす変化に似ています。まず、スピード違反がより頻繁になる。些細（ささい）な事故が安全運転の推進力となる一方、自動車の能動的（ハンドリング、ブレーキ）及び受動的（エアバッグ）安全機能の改善は平均速度を引き上げてゆく。すると事故の頻度こそ減りますが、事故に巻き込まれた際の生存率はぐっと下がります。一九二九年及び二〇〇八年の金融崩壊もまさにこのような形で起きたのです。新たな金融商品は急成長の燃料となり、無鉄砲な投資をいまだかつて無いほど安心して実行できるような雰囲気を作り出した。大事故が起こるのも時間の問題でした。

一九二九年金融崩壊

一九〇三年一月某日、極寒のコニー・アイランドのルナ・パークにニューヨークの人々が集結しました。理由は乗り物遊びやポップコーンではなく、グロテスクな演目を目撃するためです。監禁に耐えかねて反抗的になった象のトプシーを、偉大なる発明家トーマス・エジソンが感電死させるという演目。しかし、世界屈指の大天才ともあろう人物がなぜ象の公開処刑などに興じていたのでしょうか。

エジソンは市場社会の発展の新段階を象徴する新型起業家の典型でした。独占力を求めて革新を生み出し、富ではなく純粋な栄誉と権力への渇望に突き動かされた発明家です。エジソンは過労気味の

従業員からは底無しの忠誠を、競争相手からは憎悪を同等に感化する起業家でした。友人のヘンリー・フォードも、普通の人々の日常に機器を導入しつつ、労働者を限りなく機械に似せたことで有名です。トプシーの処刑は、産業界の二人の巨人による頂上決戦の一幕でした。発電所や電線網を整備して米国全土の家庭へ送電をし、エジソン所有の工場で量産された電球を点灯させる。電球の発明はその長い道のりの第一歩にすぎなかったのです。電力の生産と分配の支配なくしてはエジソンも「電子の王」[13]にはなれなかったでしょう。こうして、宿敵ジョージ・ウェスティングハウスとの「電流戦争」が幕を開けます。

標準方式(スタンダード)の座を巡る激闘において、エジソンとウェスティングハウスはそれぞれ異なる送電方式に賭けます。直流送電のエジソンが交流送電のウェスティングハウスとぶつかり合う。勝者独占型のゲームであることを承知していた二人は死に物狂いの戦いを繰り広げます。巻き添えとなった哀れなトプシーをはじめ多くの動物たちを感電死させることで、エジソン陣営は死に至る危険性すらあるものとして交流電気の評判をおとしめ、より高価ではあるが安全性も高い直流電気への支持を盛り上げたのです。

エジソン、ウェスティングハウス、そしてフォードのような人たちは新時代の先駆け(アヴァン・ギャルド)でした。革新が起きるたびに小国のごとき新規産業部門や新企業が生まれたわけですが、この革新ゲームは今もな

（12）　volatile　ここでは「激しく変わる」という意味に加えて「起伏」をモアイ像の輪郭になぞらえた言葉遊びも読み取れる。
（13）　King of the Electron　バルファキスの造語である可能性が高い。

お淡々と続いています。例えば、スティーブ・ジョブズの成功のきっかけとなったiTunesを考えてみてください。オンライン音楽ストアとして始まったサービスが、終いにはMP3プレイヤーやスマートフォン市場における巨大な独占権をアップル社に付与したのですから。[iv]

困ったことに、影響力を宏大無辺に張り巡らせた企業には市場の規則を捻じ曲げる怪力があります。方法は二通り。第一に、価格の役割がほぼ無効化されてしまいます。例えば、地元の農場市場でレモンへの需要が下がった場合には、売り切れになるまでレモンの価格も下がり続けます。売れ残りを処理してくれる価格柔軟性はいわば資本主義の衝撃吸収装置(ショック・アブソーバー)です。需要が下がっても価格柔軟性のおかげで生産物が廃品とならずに済みます。対して、巨大企業には需要の低下への新たな対応手段があります。価格を下げるのではなく、生産量を一気に落として価格をほぼ一定に保つことができるのです。エジソンの時代以降、価格の「硬直」が進むにしたがって資本主義の衝撃吸収装置も錆びついてゆきました。

2・1　一九二九年以前の危機

急成長がバブルを生む――資本主義の黎明期からある現象です。企業金融資本主義の隆盛期には節目ごとに金融危機が起きました。一八四七年には英国の第一次鉄道建設ブームの終わりが大規模な銀行制度内破を引き起こしました。一八七三年にはその後六年間続く恐慌が米国を襲いますが、原因はアメリカ南北戦争終結後の鉄道建設投機バブルの崩壊です。米国経済が回復したわずか三年後の一八八二年には大不況が再び到来して三年間猛威をふるい、某大手投資会社や（ピッツバーグ州）ペンシルベニア銀行を含む企業一万社が波にのまれます。一八九〇年には「本国」でもベアリングス銀行によるアルゼンチンへの融資が不良債権化し、ロンドン銀行を破綻寸前に追い込みます。イングランド銀行の介入によって救済されたものの、ベアリングス銀行への事業の信頼喪失は世界を揺るがしました。三年後、米国の過剰な鉄道建設の上に新たな金融バブルが発生します。金準備への取り付け騒ぎが起こり、失業率が四%から一八%にまで急上昇。産業ストライキの連鎖が発生し、米国の労使関係情勢は一変。恐慌は一八九六年まで続きますが、新たなゴールドラッシュが経済活動の速度（テンポ）を上げ、急成長をもたらします。しかしそれも一九〇七年に新たな金融危機がニューヨーク証券取引所を襲うまでの話であり、大衆の混乱、大規模失業、事業閉鎖等々が再燃します。一九〇七年金融危機こそ、一九一三年に米国中央銀行が創設されたそもそものきっかけです。連邦準備制度がこのような危機の予防を使命に掲げている理由もこれです。

第二に、（発電所や電線網の建設のような）壮大な事業は相応の巨額投資を要します。それからというもの、諸銀行は提携、団結（シンジケート）、合併、そして相互買収などの手段を尽くしてカネの大河を作り出し、企業側の借入需要に対応するようになります。企業顧客は潤沢な利益期待値を背景に魅力的な金利を支払ってくれたからです。金融界の成長が企業のそれを追い越したのも頷けます。

一九二〇年初頭には新たな好景気段階（フェーズ）の兆しが現れ始めました。歴史上初めて米国労働者は貧困へ

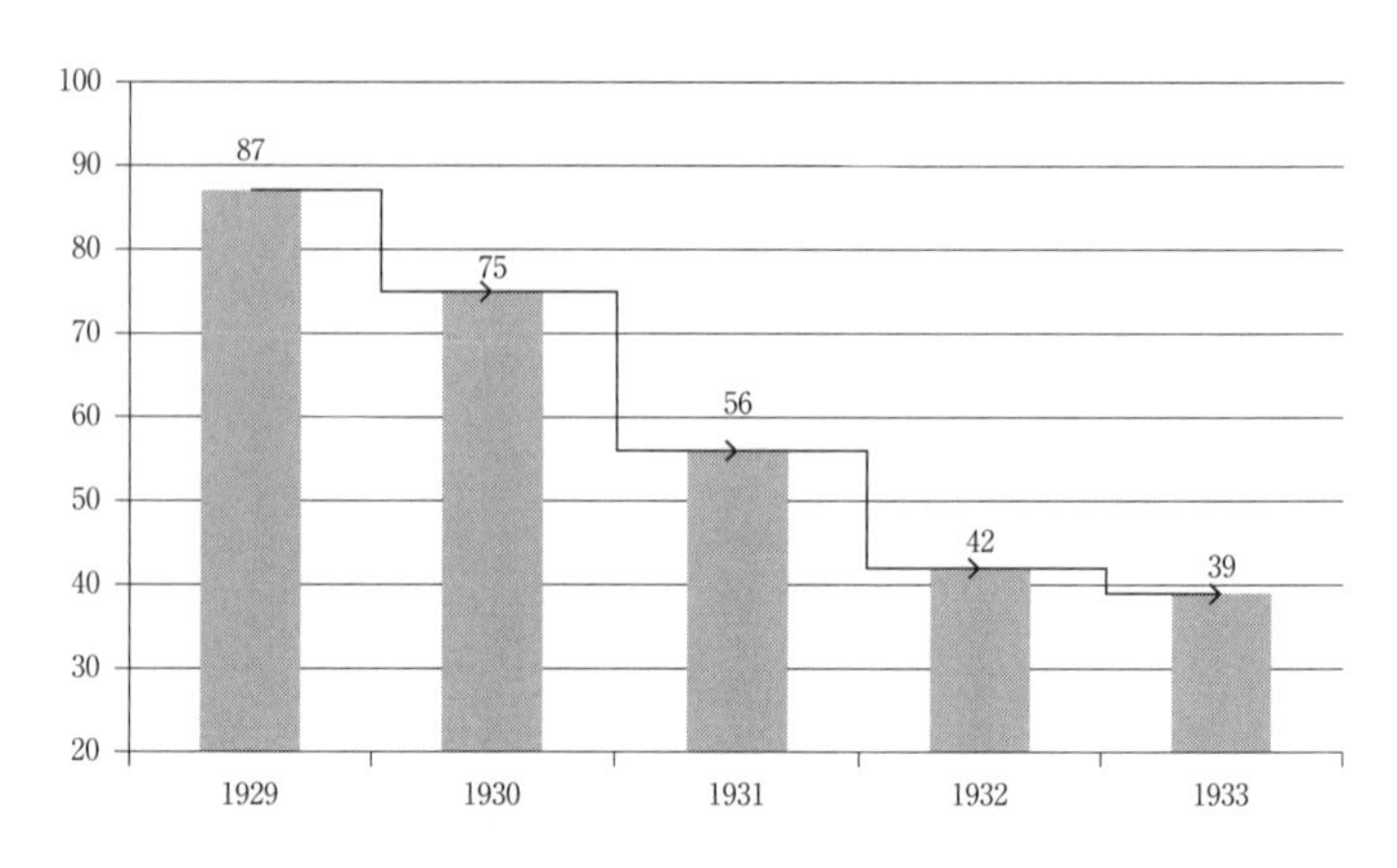

図2.1　米国国民所得（GDP換算、単位：十億米ドル）

の万能薬を約束されます。企業金融資本主義の楽隊車に相乗りすれば前途洋々だ。真面目に働き、ウォール街を信頼し、株式会社を拠り所とせよ……。

この夢が現実味を帯びた時期もありました。労働者は一九二一年から週一五ドル（一五〇〇円）を優良株に投資してゆけば（一九二一年から一九二九年までの業績に基づいて）一九四一年までには八万ドル（八〇〇万円）相当の株式一式（ポートフォリオ）と月四〇〇ドル（四万円）の配当を期待できたのです。まやかしの期待ではありません――倹（つま）しい労働者の手元では、一九二六年の時点で（累計三九〇〇ドル〈三九万円〉の）貯蓄金が七〇〇〇ドル（七〇万円）近くに化けていたのですから。[14] 三年後、バブル崩壊直前には（累計六二四〇ドル〈六二万四〇〇〇円〉の投資から得た）株式が二万一〇〇〇ドル（二一〇万円）という痛快無比な金額となります。

結局はこれも栄華（えいが）の夢でした。四〇〇億ドル（四兆円）がある日突然ウォール街から消えたのです。

我らが賢明な労働者諸君の持株も値下がりの坂を転がり落ちてゆき、一九三二年にはわずか四〇〇ドル（四〇万円）の価値となってしまいました。同じ一一年間で週一五ドル（一五〇〇円）の貯金を箪笥の奥にしまっておいたならばこの二倍以上の貯金ができた計算になります。

初期ショックの残響が遠のくにつれて、早期回復への期待が高まりました。一九二九年の出来事はいつもの循環の一段階にすぎないと誰もが信じたがっていた。しかし経済は贖罪を伴う復旧には至らず、米国の国民所得は自由落下を続けます。一九三〇年にはドル建てで一四％も減少、一九三一年には二五％の暴落。どん底状態に達したかと思いきや、明くる年には追加で二五％の減少。一九三三年を迎える頃には企業資本主義の黄金時代に築かれた富は砂上の楼閣のごとく霧消します。諸銀行も四年連続で窮地に立たされました。一九二九年には六五九件が破産し、一九三〇年には一三五〇件が後に続きました。一九三一年、大衆が固唾をのんで回復を望む中、二二九三件もの銀行が追加で永久閉鎖となりました。一九三二年に至ってもなお一四五三件が破産。生存者がほぼ皆無の状況で、一九三三年には三九件が最後の喘ぎと共に潰えます。米国経済の砂漠化、静かなる荒廃です。

世に新たな果実を生み出した人々には、収穫物を自ら頬張ることが認められるような制度は生み

（14）構文の関係で少しわかりにくいかもしれない。整理すると、まず労働者は毎月自分の給料の一部を貯金する。一九二一年から週当たり一五ドルくらいのペースで貯金をしてきた労働者は、一九二六年の時点で三九〇〇ドルを貯金することになる。しかしこれは単なる貯金ではなく優良企業株への投資だったので、株価の上昇に伴って利益がつく。バルファキスの計算では利益額は三一〇〇ドル（三一万円）に及ぶ。よって、一九二六年の時点で「（累計三九〇〇ドルの）貯蓄金が七〇〇〇ドル近くに化けていた」ことになる。

出せない。人々の失態が暗雲のごとく州の空を覆う。人々の眼には失態の実感が、飢餓者の眼には空腹の怒りが沸々と湧き上がる。人々の魂の核からは怒りの葡萄が重い蔦を繁茂させ、完熟の季節へと向かっている。[v]

貧困の逆襲です。一九二〇年代の希望が木っ端微塵（みじん）にされた今、苦しみも一層耐えがたいものになりました。連邦政府（ワシントン）も途方に暮れている。経済学者の（市場経済の自動修正安定装置が間もなく起動されるはずだと言う）空虚な言葉が耳に鳴り止まぬ中、ハーバート・フーヴァー大統領は不安に駆られた商店主のような反応をみせました。いかにも、フーヴァー政権は経営困難に陥った商店主ならば誰でも思いつく策を講じます——財布の紐を締めたのです。残念ながら、一九二九年は普通の危機ではありませんでした。真正の危機においては、市場への信仰、節約、そして通貨物神崇拝（フェティシズム）は破滅を意味します。

ミダスが手捌（さば）きを失う(15)——金本位制の崩壊

国家の通貨独占権を活用して危機を鎮圧するなど、エリート階級には想像不可能なアイデアでした。欧州通貨圏（ユーロゾーン）加盟一七カ国がユーロを基盤とするように、一九二九年金融危機の頃の資本主義経済も事実上の世界通貨を基盤としてまわっていました。ただし二〇〇八年金融崩壊後のG20各国政府には許されていた行為が「金為替本位制」のもとでは禁止されていました——混沌たるデフレスパイラルを防止しようと経済に通貨を注入するという行為です。

金本位制の大義名分はいたって単純です。政府に通貨発行権を与えても、誘惑に負けて濫用するだけだろう。通貨量は上がり、一定量の商品めがけてより多量のドル、ポンド、フラン等が出動することになる。物価は高潮のように上がり、インフレーションにも拍車がかかり、輸出品の競争力が落ち込み、人々が額に汗して稼いだ貯金の価値も台無しになるというわけです。自国通貨の弱体化を防ごうと政治家たちは架空の帆柱に己の身体を縛り付けます——神々の島へ上陸する誘惑に負けずにセイレーンの魅惑の歌を聴こうとしたオデュッセウスさながらです。その帆柱こそが金本位制でした。

仕組みはこうです。各国政府はドル対ポンド、ドル対フラン等々の為替相場の固定及び各通貨の金オンス単位の価値の固定に合意する。また、通貨の発行量を共通の金の量に合わせることにも合意する。金は（少量が毎年発掘されるだけで）恣意的には産出されえないので、金本位制は参加国の通貨の安定的かつ定常的な供給を保証したかのように見えました。

第一次世界大戦中の一時中断をはじめ、金本位制は多難を極めましたが、物価安定という初志は貫徹されました。インフレーションの脅威は撥ねのけられ、経済成長と雇用の弱まりを代償に物価の安定が実現されました。そこへ一九二九年金融危機が直撃すると、金本位制は各国政府の身動きを封じる枷に豹変してしまいます。政府は銀行破綻、事業倒産、大量解雇、そして税収激減に応じて追加の通貨を一切発行できず、労働も資本も嵐から守ることができなかったのです。

一九三一年には英国と北欧諸国が金本位制から離脱し、恐慌による国民への打撃が緩和されます。

（15）Midas loses his touch　触れたものを全て金に変えるミダス王の呪いに「気品を失う」（lose one's touch）を掛けた言い回し。

それでもフーヴァー大統領は頑として離脱を拒否しました。インフレーションの到来を確信していたからです。背水の陣となった統率者のご多分に漏れず、大統領もまた矛先を外国人に向けます。国内生産物への内需を回復しようと、連邦議会は一九三〇年六月に無謀な輸入関税増額法案を強行採決します。他国は当然反発し、世界貿易の歯車が狂い、事態は悪化の一途を辿(たど)りました。

一九三二年大統領選挙では、ニューディール政策を掲げたフランクリン・デラノ・ルーズヴェルトが権力の座に就きます。新大統領は早速米国を金本位制から離脱させました。一世を風靡した世界通貨はこうして解体され、ニューディールが具体化してゆきます。しかし多くの良案――そしてあふれんばかりの善意――も虚しく、ニューディールは世界恐慌を終結できませんでした。(第二次世界大戦という名の)死の量産、そしてその規模に見合う「公共投資」[16]を経て初めて世界経済は不調(スランプ)を乗り越えたのです。

二匹の子鬼(グレムリン)――労働市場と通貨市場[17]

一九二九年金融崩壊後の訓戒を今一度思い起こしましょう。資本主義という機械には二匹の子鬼(グレムリン)が棲みついており、危機への――場合によっては真正の危機への――脆弱性の素となっています。子鬼の正体は通貨と労働です。通貨も労働も、初見にはチーズやトンカチのようなただの商品であるように思えるでしょう。例えば、住宅購入資金を借りるに際しては費用(利息)[18]を引き受けて価格(金利)を支払えばよい。労働者を雇うにも費用が発生するが、発電機を借りるときに費用が発生するのと同じではないかというわけです。しかし実のところ両者は同じではありません。

ある日私の友人は豪華な別荘を売却できないと愚痴をこぼしていました。そこで私は、ならば喜んで買おうと言って一〇ドル（一〇〇〇円）札を友人に渡しました。問題は売却自体ではなく希望価格での売買があるという至極当然（かつほぼ無意味）な論点を強調したかったからです。同じことは、倉庫で埃（ほこり）をかぶっている発電機にも言えます。使用料金を下げてゆけば、いずれ必ず借り手が現れるからです。この「論点」は――友人の豪邸や発電機に関しては明々白々に思えますが――通貨の融資や人間の雇用には適用できません。理由を考えてみましょう。

大企業を船頭とする経済では、各産業の船長が経済全体の航路を左右する意志決定を行います。主要企業が積極的に投資をすれば、大型の鮫の後を追って残り物を食べるブリモドキのように、小規模企業もそれに追随します。通貨や労働への需要は企業投資の波に乗るのです。では企業殿の御意志を決定するものは何なのか。答えは「楽観性」です。

工場新設や新商品開発への巨額投資を検討する際、最高経営責任者（ＣＥＯ）は未来予測に昼想夜夢となり、製品への需要が十分に生まれるか否かを見極めたいと切望するようになります。そのとき決定打となるのは、他のＣＥＯが全員一斉に投資をする確率です。多人数が同時に投資をすれば、注

（16） industrial-scale carnage . . . and similarly sized public 'investment' in mega-death　戦争と工業生産の比喩で語ることで、バルファキスは産業革命の負の側面に光を当てている。特に「公共投資」という言葉は、恐慌からの回復の手段として通貨発行ではなく戦争を選んだ各国政府への責任追及を含んでいる。

（17） money markets　「金融市場」と訳すのが一般的だが、ここでは商品としての通貨が論じられているため、文脈を考慮して「通貨市場」を選択した。

（18） hiring　「雇う」と「借りる」を同時に意味するhireを使って語呂遊びをしている。

文票が埋まり、雇用が成長し、人々の手にお金が渡り、市場に期待の新商品が上陸する頃には経済が十分に潤います。反対に投資が十分に行われなかった場合、注文量は抑えられ、雇用も低迷し、最終需要も低くなってしまいます。

CEOが陥るこの状況は「預言の逆説（パラドクス）」と呼ばれています。各人が明るい未来を予想した場合、未来はたしかに明るくなり、楽観的な予測が現実のものとなります。暗い未来を予想した場合は、未来も暗くなり、初めの悲観主義が実証されます。予言が自己達成されるわけです。したがって、企業の重役はこうした決断をするときに合理的思惟や市場の科学的分析などには頼れないのです。このジレンマを表す簡単なゲームをコラム2・2に用意しました。

2・2　理性が期待に従うとき

簡単なゲームを考えてみましょう。参加者は太郎さん、次郎さん、そして三津子さんです。三人はそれぞれ個室に移動し、連絡がとれない状態に置かれます。そして一人あたり一〇〇ドル（一万円）を渡されます。ルールは単純です。このお金はそのまま自分の懐に入れても良く、共同の「基金」に入れても良い。ただし、基金に入れる場合、金額は一〇〇ドルか〇ドルの二択しか許されない。ゲーム終了時に基金が三〇〇ドル（三万円）に達していた場合、総額は一〇倍され、参加者全員に均等に分配されます。三〇〇ドルに満たなかった場合、基金は全額失われ、参加者は手元に残ったお金を持って（基金に投資した場合は〇ドルを、投資しなかった場合は一〇〇ドルを持って）部屋から出ます。

最善の進行では、全員が一〇〇ドルを基金に投じ、三〇〇ドルが一〇倍されて三〇〇〇ドル（三〇万円）となり、太郎さん、次郎さん、そして三津子さんはそれぞれ一〇〇〇ドル（一〇万円）ずつを持って退室することになります。問題は、全員が一〇〇ドルを投じる決心ができるかどうかです。例えば、決断を迫られた三津子さんはこう考えるはずです。「太郎さんと次郎さんが二人とも一〇〇ドルを基金に入れるなら、私も当然一〇〇ドルを投じるべきだわ。でも、一〇〇ドルを手持ちにしようと思う人が一人でもいた場合は、〇ドルよりは一〇〇ドルの方が良いのだから、私も一〇〇ドルを手元に残しておくべきね」。

三津子さんが一〇〇ドルを投じる決断をするためには次の二点を確信する必要があります。第一に、太郎さんが「次郎さんと三津子さんは基金を選ぶだろう」と予測すること。第二に、次郎さんも「太郎さんと三津子さんは基金を選ぶだろう」と予測すること。他の二人は一〇〇ドルを基金に投じるはずだと三人が全員予測すれば、楽観主義の勝利となります。それ以外ならば、悲観主義の勝利となります。他の参加者の楽観度をどう見るかによって、最善策が変わるわけです。

このゲームは哲学者が「無限後退」と呼ぶ現象の好例です。無限後退が起きると次の一手の合理的な決定が不可能となります。つまり仮に太郎さん、次郎さん、そして三津子さんが全員このうえなく合理的であり、なおかつ互いの知的能力をしっかりと認め合っていても、最善策の決定はなお不可能であり続けるのです。未来予測を阻む「予言の逆説」が用意した舞台上でこそ真の人間劇が演じられるのだと言えるでしょう。

コラム2・2のゲームは予言の逆説を簡潔に表しており、複雑で機動的（ダイナミック）な企業資本主義の実感と深く共鳴しています。不況の予兆を察するや否や、資本家は一斉に投資を渋る。すると不況が起き、不吉な予想は現実のものとなる。投資判断を「一般世論についての一般世論を予測するための熟考」[vi]と表現したジョン・メイナード・ケインズの言葉の余韻が聞き取れるでしょう。

成長と危機のこの物語からは重要な要素が抜け落ちています。お気づきでしょうか。そう、賃金と金利です。この二つは完全に度外視されています。CEO、雇用主、産業家等々は賃金や金利の最小化を当然望むものですが、巨額投資決定の判断基準にはしません。あくまで事業情勢が決め手となるからです。環境が前途洋々で良好ならば、巨額投資が決行されます。そうでなければ、賃金や金利がどれだけ下がっても投資は行われない。議論終了です。

危機から不況へと至った場合、事態は一段と悪くなります。賃金と金利の下落は企業側を心慌意乱させ、従業員の解雇や投資計画の中止へと走らせる危険性もあります。一見すると不思議に思えるでしょう。賃金や金利の低下は雇用や借金の増加につながると考えるのが普通だからです。現実はその逆。繰り返しますが、CEOは新商品に買い手がつくかどうかを、つまり将来需要だけを重要視します。よって、今日の賃下げは明日の需要の低迷として解釈されます。労働組合や個人事業主が賃下げを甘受するような環境そのものが財界首脳（ビジネスリーダー）を落胆させるのです。こうして需要への期待が下がります。金利に関しても話は同じです。中央銀行による金利引き下げは（事業側の出費が軽減されても）CEOの胸に希望の火を灯すこともなく、むしろ恐怖で背筋を凍りつかせます。「中央銀行が必死になっている。事態は深刻にちがいない」と思わせるからです。

まとめましょう。一九二九年に私たちは貨幣と労働という商品の特殊性を学んだはずでした。価値創造力の価格が下がったとき、買い手はむしろそれを買い渋る。資本主義という機械に巣食う悪戯好きな二匹の子鬼（グレムリン）は万人が私有を拒む商品であり、むしろ深い嫌悪の対象なのです。この唯一無二の特異性を了解すれば、さきほどの逆説（パラドクス）も解消されるでしょう。『資本論』第二巻でマルクスはこう語っています。

> 生産過程は、金儲けをする上で避けては通れない中間点・必要悪として立ち現れる。資本主義的生産様式を有する国にはみな、生産過程を介さずに金儲けをする道を一心不乱に渇望する時期が訪れる。

借金が好きな人もいませんし、従業員数やそれに伴う管理業務を増やしたいなどと思う雇用主もいないでしょう。融資や労働者は必要悪であり、利益という唯一の目的へ「貢献」するからこそ事業者の眼を引くのです。利益の期待値は将来需要の総量に依存します。未来予知ができる人などいませんが、賃金と金利の低下が需要の弱体化を招くという観測は事業者の間ではもはや常識です。結果として悲劇的かつ興味深い難問が生じます――労働と貯蓄が有り余っていても、不況時の賃金と金利の引き下げは効果がない。むしろ不況に拍車をかけてしまうのです。

機械に宿る幽霊[19]

大衆文化において、創造物による創造主の逆転支配という物語への恐怖は人々を虜にしてきました。グリム兄弟の「甘いオートミール」の童話やゲーテの「魔法使いの弟子」、ユダヤ文化における「ゴーレム」伝承やメアリー・シェリーの『フランケンシュタイン』、そして『ブレードランナー』や『ターミネーター』シリーズなど、人工物(アーティファクト)への憂惧を示す証拠は枚挙に暇がありません。現在のポストモダンな窮境の最大の逆説を示す好例として、ウォシャウスキー姉妹監督の一九九九年映画『マトリックス』も特筆に価します。

『マトリックス』における人工物(アーティファクト)の反逆は単なる「殺主」ではありません。フランケンシュタインの「怪物」が実存的不安に駆られて人間を不条理に攻撃し、『ターミネーター』の機械が地球征服を目指してひたすら人間を滅殺するのに対し、『マトリックス』で台頭する機械帝国は目標達成のために人類を保存します。機械社会の成長を促す燃料を生むために、人間を天然資源として生かすわけです。

人類の反乱を軸とする魅力あふれる脚本はさておき、サイエンス・フィクションへの寄り道は重要な論点を浮き彫りにします。既存の経済制度に宿る幽霊が私たちの経済の安定を脅かす様子が解るからです。幽霊の正体は何か。人間の労働です。

そもそも『マトリックス』の経済に登場する機械は価値を創造しているのでしょうか。手掛かりとして、価値とはそもそも何であり、価格とどう異なるのかを考えてみましょう。平常市場状態[20]における実価格の極限[21]という価値の定義はありえます。真の生産費用の総計から導く定義もあります。分析に基づく定義の明述こそ難しいのですが、愛、詩、春画（ポルノ）、そして美と同様に、価値もまた「見ればそれとわかる」ものなのです。

『マトリックス』をご覧になられた方ならば、各機械が集団ごとに役割分担をして多面的かつ伸び盛りの機械経済を持続する光景をご記憶でしょう。機械たちが分業体制をとって「機械の世界」に必要不可欠な部品を産出するわけです。これは価値の産出と呼べるでしょうか。答えは否です。

理由は何でしょうか。ここで関連する他の問題を考えてみましょう。例えば、古い懐中時計の小さなゼンマイや歯車は価値を産出しているのでしょうか。コンピューターに搭載された精密ソフトウェアは（人間の手を借りずに）自立して価値を産出するものでしょうか。総じて人間なき世界（又は人間が己の精神を統御する力を完全に失った『マトリックス』のような世界）において価値創造の概念は成り立つのでしょうか。答えは全て明らかに「否」であるように思えます。

そもそも人間なき体制を語る上で価値という「複雑怪奇な」概念を用いる意味はあるのでしょうか。「機能」さえあれば事足りるのではないでしょうか。時計職人は輪、小歯車、そしてゼンマイについて語る際に各部の機能を取り上げます。完全自動装置を語るコンピューター技師も装置の各部の出力を表す上で価値などという概念は使いません。代わりに機能、出力、入力等々について語るのです。価

(19)　The ghost in the machine　含み豊かなフレーズ。アーサー・ケストラー『機械の中の幽霊』を参照する他、心身二元論における精神の物質界への干渉法を示すフレーズとしても使われる。

(20)　normal market conditions　投資家が融資活動に投資をするような市場状態を指す。

(21)　the price towards which the actual price tends under normal market conditions　「極限」という言葉こそ使われていないが、「実価格が収束する値」＝「実価格の極限」と解釈した。

値という言葉は不要であり、余計な混乱を生むだけです。各種機械が生む部品の相対的価値について語るなど支離滅裂です。単なる言葉遊びであるならば話は別かもしれませんが。

　思索を進めましょう。人間の主体性が価値の必要条件であるということは、不安定性の源泉は市場社会の根幹に潜んでいるのです。精密機械による人間労働の代替を促進し、労働者に機械のごとき効率性を強制するほど、社会が生む価値の総量は下がります。万人が欲しがるような物品や煌(きら)びやかな人工物は大量に産出されるでしょう。そのかたわら、雪崩のように押し寄せる物品の価値はゼロへと収束します。機械的労働がモノを大量生産しているにも関わらず『マトリックス』の機械経済に価値が不在であるのと理屈は一緒です。

　私たちの「機械」（企業・金融市場社会）に宿る幽霊を暴く準備が整いました。喰うか喰われるかの競争に駆り立てられて、企業は労働者を機械同然の製造ユニットに無理矢理変身させ、発電機を借りるような感覚で労働者を雇うようになります。人間を機械に限りなく近づけて（馬から馬力を、発電機から電力を抽出するように）ありったけの生産物を「労働」から抽出しようと万策尽くすわけですが、それも徒労に終わります。労働者には人間らしさ、反抗心、そして不確定性を完全に捨て去ることが絶対にできないからです。捨て去りたいと心から願ったとしても無理です――生産過程への貢献を不安定にしている諸要素こそが人間を人間たらしめているのですから。本人の意志とは関係なく、人間は怠け者になったり（機械にはついぞ理解できないような）秀逸な創作者になったりするものです。

　人間性の払拭は叶わぬ望み。疲労困憊の我が身にのしかかる「意識」の重みを除去しようと（『マトリックス』の冒頭で主人公に差し出される）あの青い錠剤(ブルー・ピル)を飲むこともできない。こうして人間労働者は市場に立ちはだかる最後の砦となります。「人間らしさ」を売ろうにも売れない。この執念こそ労働契約が今も健在な理由です。資本と労働が結ぶこの全く頼りない合意こそ不安定性の根源であり価値の源泉なのです。

　市場がなぜ時計仕掛けのように滑らかに作動できないのかを不思議に思ったことはありますか。この謎を解く鍵は人間の本性にあります。人間の完全なる商品化は、たとえ本人がそれを望んでいても不可能なのです。既存の経済制度が自然界と異なり（真正の）危機を含む理由もこれではっきりします。企業が労働者を機械的集中作業員にすればするほど、長期的な価値の産出量が落ち込み、市場社会全体が危機の瀬戸際へと追い詰められます。

　成功の逆説（パラドクス）と予言の逆説（パラドクス）が水面下で織り成す皮肉なまでの共謀。経済成長や富の創造には機械の有効利用、新たなテクノロジーの開発、そして労働生産性の強化が欠かせません。商品化、金融化、そして技術革新の三拍子が揃って初めて市場社会は繁栄するのです。生産過程の効率化と機械化が進めば進むほど人間の貢献度や労働価格は下がります。裏返すと、人間の創造性豊かな入力（インプット）から出力（アウトプット）が搾取されればされるほど出力の単位価値は下がります。携帯電話その他の電子機器の価格低下には生産の自動化や人間労働の無用化が反映されています。利益幅も下がり、底を割ると倒産が始まります。和やかな細雪も降り積もれば雪崩を起こす。危機の勃発です。制度内に巣食う子鬼（グレムリン）たちは、世代荒廃という形で人類が犠牲を払うまで社会への鉄の掌握を緩めてくれません。

　まとめましょう。社会は人間労働が完全な商品化を拒む限りにおいて価値を産出できる。すなわち危機が起きる可能性は価値産出の条件でもあるのです。それは一九二九年や二〇〇八年のような危機へと高まることもあります。

終幕(エピローグ)――世界計画の培養

古(いにしえ)の循環を再起動することで危機の周期は過去を不朽のものにします。対して真正の危機は過去を弔う死の鐘、未来を培養する実験室であり、農耕や産業革命、科学技術や労働契約、致死性細菌や抗生物質などの発明品を生み出します。危機の襲撃後、過去はもはや未来予測の確実な指針ではなくなり、「すばらしい新世界」が幕を開けます。

ここ三〇〇年間で世界は急変しました。農民の先祖代々の土地からの囲い出しを起源とする商品化の波は、追放されし農民が労働者として工場に箱詰めされたときに加速します。人間の労働力が蒸気機関や織機の労働力と融合されたとき、商品群がドロドロと滲み出て地球の果てまで弥漫(びまん)してゆきました。こうして商品化の概念は世界を席捲します。今やその触手は微小生態系(ミクロコスモス)にまで伸びており、ゲノムを「特許」の対象に、混成生物を「所有物」にしてしまっているほどです。ゆくゆくは月や惑星、太陽や星まで民有化されるでしょう。とはいえ、商品化が社会に最も深く介入したのはこれよりもはるか以前のことだったのですが。

当初より商品化は生産＝分配サイクルを逆転させていました。過去には生産が完了した後で収穫物が――額に汗して作物を栽培した労働者と強力なエリート階級との間で、社会慣習に基づいて――分配されたのに対して、土地と労働の商品化は（賃金という形で）労働者の取り分があらかじめ支払われることを意味しました。収穫が始まる前に分配が行われたわけです。

この反転の影響は大筆特書に値します。新生の市場社会の安定化と不安定化を同時に成し遂げたからです。おかげでコンドルセの秘密の最新版が導入され、新秩序が恒久的安定を得たかたわら、幼き資本主義に金融という爆薬が注入され、果ては悪戯好きな子鬼やおぞましい幽霊が連れ込まれたのですから。

フォースタス博士が身をもって学んだように、金融の有用性は成功を有頂天の歓喜に、失敗を耐え難き苦悶に変えます。[vii] また人間なき労働[22]という幽霊が憑くと市場には非道な動態（ダイナミック）が宿り、利益のために人間活動を機械化するようになりますが、ねらいを実現すればするほど生産物の価値は下がってしまいます。

市場社会や資本主義の特異性がもたらした壮大なる進歩には節目ごとに大小様々な危機が含まれています。最初の危機は時間をかけて醸成され、巨大企業の登場や大規模金融化の幕開けを待って噴出しました。エジソンやウォール街諸銀行等の機関が覇権を握り、「貧困の撲滅」という良い知らせを流布し始めたまさにその時、一九二九年金融危機が人類を直撃し、大いなる期待[23]を打ち砕きました。それは地殻変動のような一大事でした。

一九三二年大統領選挙に勝利したルーズヴェルトのニューディール政策の奮励努力も虚しく、世界

(22)　human free labour　文法的には「無償の人間労働」という訳も十分にありえるが、ここでは文脈を考慮してより自然な「人間なき労働」を選択した。

(23)　great expectations　ディケンズの小説から派生した慣用句。日本語訳は『大いなる遺産』となっている。「Expectation」は正確には「相続される遺産への期待」という意味である。

恐慌は猛威をふるい続けます。公共事業や銀行規制、大規模職業安定事業や住宅保有者救済、医療保険や社会保障——全てそれなりの成果を挙げましたが、当初の期待ほどではありませんでした。むしろ一九三八年には二度目の危機が火を噴きます——一九二九年金融危機にも匹敵する出来事です。第二次世界大戦の大量殺戮が無かったならば、一九二九年金融崩壊は一九四〇年代後半にまで食い込んでいた可能性すらあります。

戦争は国家金融をあらゆる制約から解放しました。政府は湯水のごとくカネを使い、連邦負債は倍化しましたが、自己成就型悲観主義の循環はついに断ち切られました。ドイツと日本が背水の陣となるはるか以前から、予言の逆説は各地の重役会議で超克されていたのです。錆びついていた工場は再起動され、新たな工業地帯がそこかしこに出現し、革新は絶頂を迎え、生産量も最高潮に達し、事業が潤いました。政府は数百万人もの死亡者が出て初めて適切かつ十全たる行動へと駆り立てられたわけですが、悲惨としか言いようがない史実です。

戦火が弱まり平和の訪れが予感されると、米国政府当局はうろたえ始めます。終戦と共に（千辛万苦を伴う）危機が再びあの醜い頭をもたげるのではないかという恐怖心に毅然と対処しようと、当局は早速仕事にとりかかりました。こうして彼らは人類史上最大の社会改造（ソーシャル・エンジニアリング）を企てた——「世界（グローバル・）計画（プラン）」の誕生です。

第三章　世界計画（グローバル・プラン）

千載一遇の好機

第二次世界大戦を切り抜けた米国は（スイスと並んで）世界随一の債権国となりました。資本主義の歴史上初めて、世界貿易はたった一つの通貨（米ドル）に依拠するようになり、たった一つの発生地（ウォール街）から資金を供給するようになったのです。赤軍が国土の半分を支配する欧州では資本主義制度の正当性に人々が深い疑念を抱き始めていました。対して一九三二年以降連邦政府（ワシントン）の舵を取ってきたニューディール派は千載一遇の好機の到来を悟ります。戦後の新世界秩序を構築し、米国の覇権を不動のものとする旅へ意気揚々と出航したわけです。

歴史的偉業のご多分に洩れず、この大胆な構想もまた恐怖と権力という風を受けて進みました。戦争のおかげで米国は前代未聞の軍事力と経済力を手中に収めていました。同時にそこには日本軍が真珠湾を爆撃するまで一九二九年の遺産と向き合えずにいた米国の失敗が刻印されてもいました。ニューディール派は世界大恐慌のもつ意外性や「治療」への抵抗力を肝に銘じていたのです。手元の権力が重みを増すほど、新たな一九二九年型金融危機がそれを焼き尽くし、灰が指の間から飛んでいってしまうのではないかという恐怖が深まりました。

欧州で銃声が鳴り止まず、ソ連との竜虎相搏(りゅうこそうはく)も始まらないうちに、米国は世界資本主義の再創造という神のごとき任務をすでに自覚していました。多極的資本主義を一九二九年金融危機が襲ったときに資本の支配が終焉の一歩手前まで追い詰められたのだとすれば、米ドルを基軸とする一極集中型の世界資本主義を一九二九年型の危機が襲ったときに何が起きるのかも容易に想像がつきます。

ニューディール派は不安に駆られて一九四四年のブレトン・ウッズ会議をひらきます。新世界秩序の設計は偉業というよりもむしろ死活問題だったのです。ブレトン・ウッズ会議では新たな通貨体制が設計され、米ドルの中心性が承諾される一方、米国経済の浮き沈みに備えて国際規模の衝撃吸収装置(ショック・アブソーバー)が構築されました。合意の施行には実に一五年の歳月がかかりましたが、この準備期間に米国は世界計画というパズルのピースを丹念に揃えていくことになります。ブレトン・ウッズ協定はその重要な一部分でした。

ブレトン・ウッズ

欧州や太平洋で戦火渦巻く一九四四年七月、ニューハンプシャー州の街ブレトン・ウッズにそびえるマウント・ワシントン・ホテルに七三〇名の会議参加者が集い、戦後世界通貨体制を細部まで練ろうと三週間にも及ぶ集中交渉が行われました。

ブレトン・ウッズの参加者は有志で会議に出席したわけではなく、ルーズヴェルト大統領の要請で召集されたのです。世界恐慌との闘いで敗北寸前まで追い詰められたルーズヴェルトのニューディール政権はなんとしても平和を勝ち取ろうと躍起になっていました。資本主義は国家レベルで制御できるようなものではない――ニューディール派が過去から学んだ苦い教訓です。開会の挨拶でルーズヴェルトは「一国の経済の健全性は隣国・遠国を含む全ての諸外国の関心事でもある」と明言しました。建前上の中心課題は戦後通貨制度の設計と欧州及び日本の戦後経済復興でしたが、会議の真の争点は新たな世界恐慌を防止するための機関体制とその支配権を巡るものでした。この問題のおかげで会議は一触即発の相を呈し、ハリー・デクスター・ホワイト[i]に代表される米国とジョン・メイナード・ケインズ率いる英国の大同盟にも亀裂が走ります。後日ケインズはこう振り返りました。

出席者はみな幾つもの役割を同時に担わざるを得なかった――経済学者、金融家、政治家、ジャーナリスト、宣伝活動家（プロパガンディスト）、法律家、そして為政者のみならず、預言者や神官までをも演じるよう定められたのだ。

ブレトン・ウッズで創設された機関には、今もなお存続して議論の的になっているものが二つあります。国際通貨基金（ＩＭＦ）と国際復興開発銀行（ＩＢＲＤ）略して世界銀行です[ii]。ＩＭＦは世界資本主義制度における「消防団」に任命されました。国家という家の財政が「火の車」になったときには一目散に駆けつけ、収支赤字の早急な是正と融資の完済を条件に資金提供を行うこと。一方世界銀行は国際規模の投資銀行の役割を担い、戦後復興を要する国々に生産的投資を誘導する任務を与えられました。

戦後史上最重要の機関は「ブレトン・ウッズ体制」と呼ばれる為替相場制度です。もはや現存していませんが、一九七一年の体制消滅は世界計画から世界牛魔人への移行の起爆剤となりました。米ドルを基軸通貨とする固定相場制度であり、そこでは各国通貨が一定の比率で米ドルに固定されます。為替変動は一％前後という狭い領域に留められ、各国政府は領域内に値動きを抑える目的で準備ドルを売買しました。米ドルとの交換比率の再交渉は、国庫に残された準備ドルでは貿易収支や資本循環収支が持続不可能となることを示した国のみに許されました。米国はというと、国際的な信用を確立するために金一オンス当たり三五ドルという固定相場で米ドルを金に固定（ペグ）し、米国国籍の有無に関わらず希望者全員にドルと金の交換を完全保証したのです。

新体制の設計に関する議論の最中に、ジョン・メイナード・ケインズは重要国際会議という舞台では後にも先にも比肩するものがないほど型破りな提案を行います。資本主義圏全域を対象にバンコール[1]という名の単一の通貨を国際通貨同盟（ＩＣＵ）[2]と共に創設し、専属の国際中央銀行やその他の機関を設置しようと言ったのです。ケインズの提案は見た目ほど破天荒ではなく、むしろ時間の試練に耐えた良案と言うべきです。当時のＩＭＦ専務理事ドミニク・ストロス＝カーンは最近のＢＢＣインタビューで、二〇〇八年以後の世界経済の諸問題への唯一の解決策としてケインズ案への回帰を提唱しました。[iii] ケインズの構想の核心には、共通通貨がもつ数々の利点（貿易の促進と円滑化、価格安定、国際取引動向の予測可能性）を生かしつつ、異質な経済圏を通貨政策で束ねようとするときに出てくる主な問題を回避しようという考えがあります。

逸機

通貨同盟のアキレス腱は、一九九〇年後半のアルゼンチンや二〇〇八年金融崩壊後の欧州でみられたように、貿易や資本の潮流が数十年間、場合によっては数世紀もの間、制度的に不均衡を保つ可能性です。国家の特定の地域（ドイツのシュトゥットガルト圏、英国のロンドン圏、中国の上海圏等）は他の地域（東部新連邦州（レンダー）、ヨークシャー州、中国西部各省等）に対して必ず貿易黒字を生むものですが、連邦でもそれは同じです。カリフォルニア州がアリゾナ州と貿易均衡を達成することは不可能ですし、タスマニア州はヴィクトリア州やニューサウスウェールズ州に対して常に赤字を抱えるでしょう。この種の貿易不均衡は恒常的なので、何らかの調整や譲歩が必要になります。

行政区ごとに独自の通貨があった頃は貿易不均衡の緊張を為替相場の緩やかな変動で吸収できまし

（1）bancor　正確には国際通貨ではなく、国際貿易の清算を行ううえで貿易国間の為替相場の調整を担う国際会計単位である。つまりバンコールによる独立の経済圏が生まれるわけではなく、あくまで国際貿易がバンコール建てで行われるようになるにすぎない。対して「米ドル本位制」は国際貿易の決済手段が同時に独立した経済圏（この場合は米国）や国家と結びついているため、他国と比べ米国に圧倒的な決定力が与えられた制度となっている。

（2）International Currency Union　おそらく「国際清算同盟」（International Clearing Union）の誤り。欧州の通貨同盟を念頭に置いて執筆を進めたために生じた凡ミスだろう。とはいえ、ＩＣＵのおかげで世界各国の通貨の為替相場の決定やそれによる貿易がより公正になるのだとすれば、「通貨同盟」という呼び名も単なるミスとは言い切れないかもしれない。

た。ユーロの創設以前はギリシアやイタリアに対するドイツの恒常的貿易黒字を受けてドラクマやリラの対ドイツマルクの価値が徐々に下がりました。貿易不均衡の伸びは相当の為替相場不均衡の伸びが帳消しにし、均衡が保たれました。

経済圏が（米国やユーロ圏のように）共通通貨の下に統合されると、貿易や資本の潮流の不均衡が生む緊張を解消するための新たな手段が求められます。黒字地域（ロンドンやカリフォルニア州）から赤字地域（ウェールズやデラウェア州）へ貿易黒字を再循環させるための仕組みが必要となるのです。単純な財政移転（サセックスの税収でヨークシャーの失業保険をまかなう等）という形式はありえます。また赤字地域への生産的かつ潤沢な投資（イングランド北部やオハイオ州における工場建設の促進等）という、黒字・赤字問わず全地域にとって望ましい形態もあります。

米ドル圏（＝米国）が通貨統合に成功したかたわらでユーロ圏が危機に苦悶する理由は、黒字再循環装置が米国には少なくとも二つあるのに対して欧州には一つもないからです（コラム3・1参照）。黒字再循環装置なき通貨同盟は地殻変動に耐え切れず、いずれは地割れが起きて粉砕されてしまうのです。

戦後世界秩序の青写真を巡るブレトン・ウッズ会議でケインズは心配を募らせていました。戦前の金本位制がそうだったように、固定相場に基づく国際制度もまた重度の衝撃（ショック）には耐えられないことを知っていたからです。小規模の危機ですら深刻な危機の引き金になってしまうだろうとケインズは予言しました。それへの対策として新国際制度に世界黒字再循環装置（グローバル・サープラス・リサイクリング・メカニズム）（ＧＳＲＭ）を搭載すべきだと彼は論じます。特定の国々に制度的黒字が、他国に恒久的赤字がそれぞれ過剰蓄積されるのを防ぐためです。

貿易不均衡がこれほど顕著な不安材料となった理由は何でしょうか。特定の（米国のような）国々が大きな黒字に浸かる一方で他国が赤字に溺れ、世界貿易の秤（はかり）が傾き過ぎると、辺地の危機がいとも容易（たやす）く世界的大惨事に発展しうるとケインズは確信していました。貿易赤字には政府の財政赤字が付き物です。ブレトン・ウッズ体制内の一部で危機が発生したとする。すると需要の低下が赤字国家という下流域まで干上がらせてしまう。結果として地獄絵図が完成するのです。

黒字国家から発生した危機さえも必ず赤字国家へと波及します。わずかな景気後退でも債務国は負債の加重に悲鳴をあげ、痛みを少しでも和らげようと必死に支出を抑えるでしょう。国家規模の経済では社会全体の総需要が民間・公共部門支出の総量に等しい。したがって多くの事業が負債の減少を（支出の削減という形で）目指した場合、総需要が減り、売り上げが落ち、事業倒産が進み、解雇が増加して物価が下がります。物価が下がると消費者はさらなる値下げを待って高額商品の購入を保留にする。負債＝デフレ悪循環の完成です。

赤字国家では政府も（税収が支出をまかないきれないため）相当な財政赤字と公共部門負債の重荷を背負いつつ統治を行います。不況は税収の枯渇や財政赤字の悪化を生み、膨らむ負債を管理する上でより高い金利の支払いを政府に強要します。政治家は不況の渦中にあって公共部門支出を削減するという本能任せの対応をとるでしょう。民間・公共両部門における支出が急速に落ち込めば当然内需が枯渇します。

深手を負った政府は公共部門支出を自力で増やすことができないため、海外から需要を「輸入」する道を探ります。いかにも紋切型の反応です。政府はここでブレトン・ウッズ体制のルールを意図的に破るだろうとケインズは予測していました。理由はこうです。「制度」の要請に従うと、負債＝デフレ危機における自国通貨の値下がり傾向に対抗して、政府は準備ドルを駆使して当初の一％前後という範囲内に通貨の値動きを抑える必要があります。しかし政府は不況への唯一の対抗策として輸出を可能な限り増やしたいと考えているため、制度の要請に従う動機をもたない。代わりに政府は準備ドルを箪笥（たんす）の奥にしまいつつ、ブレトン・ウッズ体制官僚に自国通貨の平価切下げの許可を哀訴嘆願するのです。

3・1　黒字再循環装置――資本主義の必須条件

黒字再循環は市場を介して生産活動を統御する社会の骨組みです。封建制時代には不要でした。農民が大地を耕して収穫をした後、兵が領主のために収穫物の一部を持ち去ったからです。その頃は分配が生産の後に行われました。時代が進むと領主の取り分は市場で売買されるようになり、売り上げが貴族を潤すようになります。利益の一部は融資されることもありました。現代の資本市場の萌芽です。

農民を農地から追放した「囲い込み」以降、生産活動は小作人のような起業家の手で組織されます。賃金労働者の雇用と地主への賃料支払いの始まりです。起業家たちは（賃金の前払いや天然資源の購入に際して）借金をし、将来収益の上向き（すなわち融資、金利、そして賃料の総額を上回る

金額への成長）に期待しました。信用制度の強化という追い風を受けつつ、所得分配は収穫の前に決定されるようになります。

　こうして「モノ」の生産前の価値や生産後に期待できる余剰価値は未来から現在へと循環し始めます。黒字再循環が資本主義の屋台骨であるという意味はこれです。形態は二つ。先述の未来から現在への循環と一地域から他地域への循環です。マンチェスターで生じた黒字はインド等の遠地で再利用され、亜麻糸等のマンチェスター産工業生産物の市場を開拓する投資に当てられました。

　一般に経済制度は黒字傾向の部分と赤字傾向の部分とを両方包摂するものです。均衡を保つには黒字再循環装置が制度内に必要となります。未来から現在へ、都市部から地方へ、先進地域から発展途上地域へ、黒字の水路を造るわけです。

　諸地域が共通通貨等の固定為替相場制度で結ばれている場合、黒字再循環の必要性は一段と高まります。通貨統合圏内の恒久的赤字・黒字は犇く地殻プレートさながらであり、通貨平価切下げという選択肢がない状況で緊張が高まると、貿易不均衡の拡大から生じる力が地震の連鎖を引き起こして同盟を脅かします。連合の「険悪な関係＝貧しい親族」(3)から来る累積貿易赤字を通貨平価切下げで処理できないため、固定為替相場や共通通貨の緊張は高まる一方となり、終いには

（3）　poor relations　ギリシア等の赤字国家を揶揄する目的で欧州メディアに頻出した表現。核となる意味は「貧しい親族」だが、ここでは「険悪な関係」という響きとかけた表現として用いられているため、和訳も趣向を凝らした。

制度全体が決壊するのです。一九九〇年後半のアルゼンチンがその好例です——黒字再循環装置の欠如が災いして貿易赤字が自国通貨と米ドルの固定為替相場に大打撃を与えたのですから。同様の「負の力学」はユーロ圏にも現在進行形で存在しています（第八章参照）。

第二次世界大戦以降の米国には一九三〇年代後半に設立されたニューディール式の単純な財政移転同盟と一九四〇年代に発展した複雑な軍産複合体という二刀流の黒字再循環装置がありました。[4] 第一の装置は単純であり、連邦政府（ワシントン）はカリフォルニア州やニューヨーク州等の黒字州から徴税して赤字州における失業保険や健康保険をまかないます。第二の装置も政治構造に依拠しています。ボーイング社のような大手複合企業が新型戦闘機やミサイルシステムの製造契約を国防総省と結ぶとき、製造施設の一部を不況赤字州に置くよう取り決めがなされるわけです。ここでは融資や財政移転ではなく赤字地域への生産的投資という形で黒字地域の余剰価値が有意義に再循環されています。

嘆願の口実は（国庫の準備ドル不足等々）色々とありえます。いずれにしてもケインズは危機下で赤字国家に協定の遵守を強要するのは不可能であることを見通していました。他の赤字国家も将棋倒しになった場合、固定為替相場制度そのものが崩壊するでしょう——ちょうど一九七一年八月一五日のときのように。

ケインズは諸々の懸念事項をふまえた上でＩＣＵを設計・立案しました。制度的貿易不均衡の解消と資本主義諸国が（一九二九年に似た）将来危機に対処する上で必要な柔軟性の付与という二つの潜在

的課題の一発双貫をねらったのです。ＩＣＵは当座貸越権を（すなわち国際中央銀行からゼロ金利で借金をする権利を）加盟諸国に与える。簡潔でいて大胆不敵な案です。赤字国家の（バンコール建ての）平均貿易高の五〇％を超える融資は固定金利で提供。自国通貨の平価切り下げではなく内需の充実で負債＝デフレ悪循環を回避する道が赤字国家にひらけます。

制度的黒字は制度的赤字と表裏一体であるという見識に基づき、過剰貿易黒字にも罰金が設けられます。ケインズ案では貿易総量に占める貿易黒字の割合が一定以上となった国には金利が課され、通貨が値上がりします。罰金は赤字国家への融資の資金源となり、いわば自動的な世界黒字再循環装置として機能します。

ロンドン・スクール・オブ・エコノミクスの隆盛を先駆した英国経済学の重鎮、ライオネル・ロビンズは、ケインズ案が会議参加者に与えた衝撃について書いています。「政府諸機関の間をくまなく駆け抜けた電撃のごとき思想覚醒は筆舌に尽くし難い。これほど想像力豊かで野心に満ちた案は古今無双である」。ケインズ案は綿密に練られており、知的価値と技術的洗練を兼ね備えてもいましたが、米国の関心との調和を欠いていました。[iv]

戦争を経て世界の覇権を握った米国には、他国から大規模かつ制度的な貿易黒字を得る機会を放棄するなど論外だったのです。ジョン・メイナード・ケインズに敬意を表しつつも、ニューディール派は代案を用意していました。米ドルを事実上の世界通貨とし、米国が商品と資本の両方を欧州や日本

（4）simple transfer union　成熟した「財政同盟」（fiscal union）と異なり、単純な送金や再投資に基づく同盟のこと。

に輸出し、見返りに直接投資と政治的便宜を得る。米国の貿易黒字と引き換えに海外の資本主義拠点に直接資金を提供することで成立する覇権[v]——世界計画（グローバル・プラン）です。

零落国の蘇生

国際貿易の始動、米国輸出品の市場開拓、そして米国民間企業による国際投資不足の解消を初志とした世界計画は、瞬く間により大規模でより優れた（とされる）形態へと進化します。

ニューディール派はブレトン・ウッズ体制の基盤強化に乗り出します。米ドルを補強するためにブレトン・ウッズ固定為替相場制度の枠内で強力な他国通貨を少なくとも二つ追加で設け、次の国内経済不況に備えて衝撃吸収装置（ショック・アブソーバー）を用意したのです。不況の際に連邦政府（ワシントン）が対策を練る時間を稼げるよう、衝撃を和らげる方法を作る。弥帆(5)なきブレトン・ウッズ体制の脆さを危惧しての応手です。

もちろん「強い通貨(6)」は気まぐれに創設できるようなものではありません。重工業による裏打ちに加え隣国との貿易圏——製造物への需要の源泉となる生存圏（レーベンスラウム）——の形成が必要不可欠です。ニューディール派は自分たちがこの任務遂行の適役であることを自覚していました。これほど遠大かつ野心あふれる任務を引き受けたのも、戦時経済を四年間にもわたって管理した経験があったからこその決断と言えるでしょう。

想定外の展開を必然の因果関係へと昇華するのは歴史思想の性（さが）。終戦時、燻煙立ち上る荒廃の国ドイツは、世界中から非難を浴びつつ占領区へと分断されます。降伏の屈辱に強張り、広島・長崎への原爆投下の傷跡癒えぬ日本も、東アジア及びポリネシアの膨大な戦死者数に呆然としつつ米国占領下

で復興を始めます。戦後の物語のゆくえをこのとき誰が予測しえたでしょうか。

3・2　世界計画の設計者

ニューディール派には世界計画構想の中心人物が四名います。彼らは冷戦の設計者でもありました。世界恐慌の斜陽から生まれて世界大戦中に鍛え上げられた実践的精神の持ち主たち。「自由市場資本主義」は連邦政府（ワシントン）が入念に計画すべきだという信念を胸に、戦時経済の統治とさほど変わらない手つきで、彼らはあのとき米国を景気低迷から救った戦略を今度は世界規模で展開しようと目論んだのです。「平和の掌握[7]」を一心不乱に目指して、ニューディール式の政治介入と軍産複合体発の技術革新の二刀流で米国国内事業の活性化を図ったのです。

（5）　supporting pillars　「支柱」と訳すのが一般的だが、ここでは先述のオデュッセウスとセイレーンの話につなげるためにあえて「弥帆」という語を選択した。ちなみに弥帆とは船の本帆に重ねてかける補助的な帆のこと。

（6）　strong currencies　価値保存媒体として信の置ける通貨のこと。大規模な産業等の価値創造活動を基盤とすることが多い。「交換可能通貨」という訳もあるが、金本位制との関連が強すぎるため、ここではより曖昧な「強い通貨」という訳語を採用した。

（7）　win the peace　「戦争に勝つ」（win the war）に掛けた慣用句。戦後の平和状態における勝者になろうという意味。原文・和訳共にあえて少しぎこちない言い回しとなっているが、当時の戦略家の精神が良く表現されたフレーズと言えるだろう。

● ジェームズ・フォレスタル　国防長官及び元海軍長官。
● ジェームズ・バーンズ　国務長官。
● ジョージ・ケナン　外交政策立案者。ソビエト連邦「封じ込め」政策の匿名提唱者としても有名。
● ディーン・アチソン　主な戦後構想（ブレトン・ウッズ協定、マーシャル・プラン、冷戦計画等々）を全て主導した要人。一九四九年以降は国務長官。

栄達落魄（えいたつらくはく）の国々がわずか数年後に演じることとなる役割を当時は誰も想像できていませんでした。ドイツと日本が新世界計画の二本柱となるだろうなどという考えは異様に思えたにちがいありません。ところがニューディール諸派は一九四七年頃まさにこの考えへと収斂してゆきます。決断に至るまでの道のりは「紆余曲折」と言わざるをえないものだったのですが。

当初は英国が世界計画の柱に選ばれないなど（少なくとも英国人には）全く信じられないことだったでしょう。とはいえ、米国政府（ワシントン）が英国政府（ロンドン）を戦後国際構想の中心地として保持する可能性は初めからほぼ皆無でした。すでに戦前からルーズヴェルト大統領は英国の帝国主義的態度に唖然（あぜん）としていました。英国から戦中に巨額の資金を抽出した米国は、戦後に中東石油資源の支配権をロンドンに与えないよう直ちに動いたのだという議論も成り立つでしょう。同時に連邦政府（ワシントン）は終戦直後の英国への資金提供を渋りつつ英ポンドの兌換性を要求。英国排斥の条件は整っていました——英国政府の財政脆弱性の明白化、ロンドンへ必要歳入を供給できなくなった衰勢産業、一九四五年の労働党による政権奪取、帝国時代の終焉という現実を飲み込めない英国エリート階級。止めの一撃は非兌換性へと着地した英ポンドの衰退でした。ニューディール派は晴れて英国を世界計画の隅へと押しやることができるようになったのです。しかし一九五六年スエズ危機と一九五〇年代キプロス植民地統治へCIAから継続的妨害行為を受けるまで、英国は米国側の思想転換に気がつきませんでした。[vi]

英国に「却下」の烙印が押されると、ドイツと日本という選択肢はいよいよ妥当に映り始めます。両国共に（駐留米軍の威力のおかげで）信頼性が高く、大規模産業基盤が整っており、高度技術を備えた労働人口が不死鳥のごとく灰から蘇る機会に飢えていたからです。ソビエト連邦に対する地政戦略上の利点も見逃せません。

抵抗の声があったのもまた事実。「ドイツと日本を罰せよ。脱産業化と牧歌的国家への後退を迫り、大量殺戮戦争を二度と起こせないよう制裁せよ」という衝動です。現にブレトン・ウッズ会議米国代表のハリー・ホワイトはドイツ産業の事実上の解体を推進し、発展途上の隣国と同程度の生活水準にまでドイツを引きずり下ろそうとしました。一九四六年に連合国側は連合国管理理事会（ACC）の後援を受けて鉄鋼工場の解体を命令し、ドイツの鉄鋼生産量を戦前の七五％である六〇〇万トン以下にまで下げようと試みます。自動車生産についてもポーランド侵攻以前の一〇％にまで生産量を落とすことが決定されました。

日本の場合は事情が少々異なります。被占領国として連合国軍最高司令官ダグラス・マッカーサー元帥の単独支配を受けており、（ドイツの場合とは異なり）他の連合国国家との協議を経ずに直接米国政策を導入することができたからです。マッカーサーは日本にはドイツのような脱ナチ化は必要ないと判断し、天皇及び日本の政治・軍事・経済エリートの免責に手段を尽くしました。それでもなお占領後二年間はマッカーサーですらも連邦政府（ワシントン）の政策立案者と激論を交わし、産業基盤の破壊や大幅縮小による日本への制裁に全力で反対するよう強いられたのです。

米国・ソ連間の緊張が高まると、ドイツ・日本産業の転覆という提案への風向きが一気に変わります。一九四六年二月にジョージ・ケナンがモスクワから打った「長文電報」[8]は冷戦精神の到来を告げ、ドイツへの心変わりの契機となりました。機運の高まりは一九四七年に絶頂に達します――（一九四五年ルーズヴェルト大統領没後の後継者）ハリー・トルーマン大統領はかの悪名高き「政策方針（ドクトリン）」[9]を発表し、ソビエト連邦の「封じ込め」を米国の最優先課題として位置づけたからです。

トルーマン政策方針（ドクトリン）の最初の実地演習は（火付け役の英国が中途半端に放置した）野蛮極まるギリシア内戦への介入でした。ギリシア山岳地帯で数ヶ月にわたって代理戦争が繰り広げられた後、西ベルリンの西洋側占領者が東ベルリンのソ連側占領者とぶつかり合い、直接対決寸前にまで事態は激化。乱戦（メレ）の後遺症として、西ドイツから赤軍戦線をまたいで西ベルリンへと物資の緊急空輸が長期間継続されます。

冷戦の幕開けです。世界計画にとって、トルーマン政策方針、ギリシア内戦、そしてベルリン危機は、西ドイツへの復讐心や日本への怨恨に基づく計画の無理を意味していました。被征服産業国家ドイツと日本を世界計画の二本柱へと変身させる道がひらけたのです。

マーシャル・プラン――欧州の米ドル化・ドイツの復興

トルーマン大統領は一九四七年三月一二日の演説でこの政策方針を公表したわけですが、そこには確固たる金融データが織り込まれていました。現代にまで影を落とすあのギリシア内戦に米国は四億ドル（四〇〇億円）を投じます。数ヵ月後の六月五日、トルーマン政権の国務長官ジョージ・マーシャルはハーバード大学の聴衆に向けて演説を行いました。欧州を一変させた大規模総合援助計画「マーシャル・プラン」の始動です。

正式名称は欧州復興計画。世界計画の設計者四名（コラム3・2参照）による創案です。マーシャルの演説のキーワードに注目すれば、本案が新世界計画の樹立をねらう起死回生の勝負手だったことが判然とするでしょう。「商品取引の基盤である近代分業体制は崩壊の危機にさらされている」。一言で言うと、将来的な一九二九年型危機からの世界資本主義の救済こそマーシャル・プランの本質だったのです。

マーシャル・プラン初年度の総額は五三億ドル（五三〇〇億円）でしたが、これは当時の米国ＧＤＰの二％強に相当します。その後、終了日の一九五一年一二月三一日までに計一二五億ドル（一兆二五〇〇億円）の出資が行われました。結果として欧州産業の生産量は約三五％という飛躍的な伸びを見せたうえ、政局の安定や欧州産・米国産の生産物への需要安定という重要な成果もあがりました。

（8）‘Long Telegram’ 当時トルーマン政権内で回覧された電報であり、後の「封じ込め」政策の土台となった。

（9）‘Doctrine’ 本文にもあるとおり、米国の自由主義思想に賛成する国々を外圧から守ることを宣言し、共産主義の「封じ込め」（containment）を目指す新政策方針。

もちろんニューディール派は満場一致でトルーマン政策方針やマーシャル・プランに賛同したわけではありません。例えば、冷戦の行動原理を巡る意見の相違でトルーマン政権から解雇されたヘンリー・ウォレス元副大統領・農務長官は、マーシャル・プランを「戦争計画（マーシャル・プラン）」[10]と呼びました。米国の大戦同盟国だったソビエト連邦を敵に回してはならないと警鐘を鳴らし、マーシャル・プランへのソ連の参加条件はスターリンから拒否反応を誘発するよう意図的に工作されたものだと指摘したのです。（実際、スターリンは参加を拒否します）。ポール・スウィージーやジョン・ケネス・ガルブレイスを始めとするニューディール世代の学者もトルーマンの冷徹無比な戦術を否定しましたが、ほどなくしてジョセフ・マッカーシー率いる下院非米活動委員会による「魔女狩り」によって口を封じられます。

マーシャル・プランには巨額の資金に加え重要な機関も含まれていました。トルーマンは一九四八年四月三日に「経済協力局」を設立。その一三日後には米国及び欧州側連合国が「欧州経済協力機構」（OEEC）を創設し、資金給付の対象・条件・目的の決定をそこへ託します。OEECは一九六一年にお馴染みの経済協力開発機構（OECD）へと発展した組織です。OEEC初代議長はロバート・マージョリンでした。[vii] 蔑（さげす）まれし敗戦国ドイツを欧州統合機関へと迎え入れたことは、マーシャル・プランの遺産の中でも特に偉大な功績であり、不当に低い評価を受けているのが残念です。

米国はGDPの約二％を寄贈する見返りとして欧州圏内の貿易障壁を取り去り、ドイツ産業復興の鍵となる経済統合の手続きを開始します。マーシャル・プランはある意味今の欧州連合（EU）の産みの親であるとも言えるでしょう。一九四七年以降、米軍（特に国防総省（ペンタゴン）の統合参謀本部）は「ドイツ産業の完全再生」を鼓舞し、特に米国の安全保障の観点から「炭鉱部門の再生」が重要であると宣言しました。

とはいえ、ドイツの産業力の再活性化が戦略目標として堂々と掲げられるまでには時間がかかりました。マーシャル・プランが着々と展開される間もなおドイツの工場は将棋倒しになっていたからです。一九四九年にドイツのコンラート・アデナウアー首相は「工場閉鎖の波をせき止めてほしい」と連合国側へ懇願していますが、当時の情勢を象徴する出来事だと言えます。

戦後ドイツの産業化というアイデアに最も強く抵抗した連合国は案の定フランスでした。フランスは一九四六年三月二九日の協定――ドイツ産業生産力の五〇％（一五〇〇件の工場解体を含む）を破壊せよという連合国側の裁定――の実施を要求。実際この協定は少なくとも部分的には実施されます。一九四九年までに七〇〇件以上の工場が解体され、西ドイツの年間鉄鋼生産量は六七〇万トンも激減しました。

では、ドイツの産業復興を支持するようフランスを説き伏せたものは何だったのか。端的に言うと、答えは「アメリカ合衆国」です。一九四七年頃にニューディール派は、米ドルを補強するために欧州から新通貨を芽吹かせるべきであり、具体的にはドイツマルクをここに抜擢すべきであるという見解に到達しました。ドイツ産業破壊計画の撤廃も時間の問題だったのです。マーシャル・プランの恩恵に与りつつＯＥＥＣを介してプランの管理・遂行を主導する対価として、フランスは米国の新世界計画によるドイツの着実な復権を受け入れるよう迫られたわけです。

（10）　Martial Plan　「Marshall」と「martial」を掛けた言い回し。前者は人名、後者は戦争を意味する単語である。

以上の文脈から、マーシャル・プランは世界計画の礎石として理解するのが良いでしょう。一九五一年にプランが凋衰（ちょうすい）し始める頃にはすでに米国式欧州改造計画の第二段階が始動していました――市場と重工業の統合です。これは欧州連合の前身である欧州石炭鉄鋼共同体（ＥＣＳＣ）として知られるようになります。ニューディール派の思惑通り、新設機関はドイツ産業再興の土壌を周辺経済環境に即刻整備したのです。

欧州連合と日本の奇跡（ジャパニーズ・ミラクル）

欧州統合の研究者ならば誰しも欧州連合はＥＣＳＣから出発したと教わるものです。対して、ＥＣＳＣ構想を進めるよう欧州国民を鼓吹、威圧、脅迫、そして諂諛（てんゆ）したのは米国であるという事実はあまり知られていません。

厳密に言うと、ＥＣＳＣは西ドイツ、フランス、イタリア、ベルギー、ルクセンブルグ、そしてオランダを結ぶ共通鉄鋼市場でした。加盟国間における鉄鋼製品の貿易障壁の全面撤廃のみならず、生産量や価格変動の管理を目的とする超国家的な機関連携も構築。宣伝内容（プロパガンダ）とは裏腹に、加盟六カ国は事実上の鉄鋼カルテルを形成したのです。

ロバート・シューマン（ＥＣＳＣ創設の主導者）を始めとする欧州統率者たちは、新たな欧州戦争の防止やいくばくかの政治連合の形成という（核心的な）視点から連携の重要性を強調しました。フランスと西ドイツを主軸とする共通重工業圏を築けば、紛争の芽をむしるだけでなく両国が互いを攻撃する道具そのものをも無効化できるだろうとシューマンは正しく見極めをつけたのです。

こうして西ドイツに救済の手が差し伸べられ、産業復興が徐々にフランスにも受け容れられるようになります。ニューディール派の世界計画にとって欠かせない進展です。米国の誘導なくしてＥＣＳＣあらずと言っても過言ではありません。欧州側の自画自賛の物語では、大陸を席捲した暴力の過去を超克しようという鉄の意志が欧州式の国際対話力と合わさったおかげで、欧州統合という「欧州の夢（ユーロピアン・ドリーム）」が実現したのだということになっています。現実は全く逆です。欧州統合は米国の偉大なる構想であり、米国による秘術を尽くした国際交渉によって実施されたのです。なるほど米国の戦略にはシューマンのような聡明な政治家が組み込まれていましたが、ことの本質は変わりません。

ことの本質を見抜いた政治家が一人います――シャルル・ド・ゴールです。後のフランス大統領は一九六〇年代に米国と熾烈な鬩（せめ）ぎ合いを繰り広げ、なんとフランスを北大西洋条約機構（ＮＡＴＯ）軍から離脱させます。ド・ゴールはＥＣＳＣ結成に対しても欧州統合を閉じられたカルテルという形でしてはいけないと批判。連邦政府（ワシントン）が主導した米国の発案であり、あくまで米国の世界計画にとっては好都合かもしれないが、新生欧州の基盤形成には相応しくないという重要な問題点を指摘します。こうしてド・ゴール派はフランス議会においてＥＣＳＣ設立に反対票を投じました。

米ドルの第二の弥帆へと話を進めるために、今度は北半球の反対側へ目を向けましょう。日本を産業大国へと復興させることにニューディール派はドイツの場合ほど激しくは反発しませんでした。蒋介石の国民党軍に対する毛沢東の中国共産党軍の攻勢が東洋版世界計画の追い風となっていたからです。

毛沢東がかの有名な戦前の長征[11]さながらにゲリラ兵への攻撃をあしらい、蒋介石との決戦へと歩を進めれば進めるほど、マッカーサー元帥は日本産業活性化への決意を固め、日本の弱体化を叫ぶ声にあらがうようになります。ただし問題が一つありました。日本は（欧州とは対照的に）産業（及びインフラ）をほぼ保持しつつ終戦を迎えましたが、需要不足という病に悩まされていたのです。当初ニューディール派は中国大陸が日本円圏に必須の土壌を整えるだろうと算段を立てていました。ドイツの工業製品への需要を欧州各国が埋め合わせたのと同じ発想です。残念ながら、毛沢東の勝利によってこの目論みは海の藻屑（もくず）となります。

　問題を正しく理解していたマッカーサー元帥は、日本専用の第二マーシャル・プランを始動させるよう連邦政府（ワシントン）に説得を試みます。しかしニューディール派は隣国との貿易関係に頼らずに日本国内だけで十分な需要を確保するのは難しいと考えていました。いずれにせよ、どちらも当時は欧州に米ドルを注ぎ込み続けるよう連邦政府を説得するだけで手一杯でした。マッカーサーの運気が上向いたのは一九五〇年六月二五日、中国の管理下での朝鮮半島統一を目指して中国共産党軍及び北朝鮮軍が韓国を攻撃したときでした。

　トルーマン政策方針の矛先は欧州からアジアへと一瞬にして方向転換します。消費者の購買力不足から国内産業の停滞に悩んでいた日本を常に念頭に置いていたニューディール派は、金日成（キム・イルソン）の「朝鮮半島探検」のはるか前から日本国内需要の増強方法を模索していたのです。

　マーシャル・プランは一九五三年に完了する予定でした。ところが朝鮮戦争を機にニューディール派は予定変更に出ます。欧州のマーシャル・プランを縮小する一方で日本への出資を増やすことで、米軍が朝鮮と戦うために必要な物品やサービスの生産を促したのです。元敵国への間接的戦争支援としてこれほど興味深い事例は他にありません。

欧州支援に関しては、マーシャル・プラン開始後三年間で米ドル化が十分に進み、一九五一年以降は（新設機関ECSCの追い風を受けて）返り咲いたドイツ産業を中心とするカルテル構造が生む余剰価値・生産物によって欧州は独立独歩になるだろうとされました。[viii]

米国は早速日本にカネを注ぎ込み始めます。その金額は日本の貿易総額の三〇％近くにまでのぼることもありました。また欧州の場合と同様、米国の施策は資金の投入にとどまらず、新機関創設や既存機関の世界計画への帰順にまで及びます。日本国内では、米国は新憲法を執筆し、かの有名な「通商産業省」の強化によって中央計画型の強力な民間多部門産業基盤を創り上げました。海外では、ニューディール派は関税及び貿易に関する一般協定〈GATT、現行の世界貿易機構〈WTO〉の前身〉への日本の参加を巡って主に英国と対立します。この進展の重要性はどれだけ強調しても足りません。日本の生産者は米国が優良輸出先として太鼓判を押した国々へ規制を最小限に抑えつつ製品を輸出できるようになったからです。

まとめましょう。旧敵国の「世話」・養育・養成を米国の世界覇権の主軸とすることこそニューディール派の行動原理でした。ドイツと日本の製品への需要を他の資本主義国家に確保したのです。また、欧米支配下のアジア諸国にしっかりと米ドルを蓄えさせ、付加価値の高い米国産製品〈飛行機、兵器、

（11）Long March　一九三四年から一九三六年までの期間、中国共産党軍（紅軍）は一万二五〇〇キロメートルもの距離を徒歩で延々と移動し続けながらゲリラ戦を展開した。毛沢東の共産党政権では中国の歴史の転換点として位置づけられている戦いである。

建築備品等）を購入できるようにもしました。世界資本主義の安定はブレトン・ウッズ体制の維持や米国の繁栄と権力強化にとって必須の条件でした。

以上を念頭に置きつつ、米国官僚は進取果敢な策を打ち出し、ドイツマルクや日本円の経済圏を創設し、旧敵国の産業の再起動に必要な初期投資を提供し、新緑の若枝が強靭な帆柱となって米ドル圏を長期的に支えるようにと新たな政治機関の苗木を植えたのです。ついこの間打ち負かした敵国社会を今度は手厚く支援して自国の長期的権力拡大を図り、その過程で旧敵国を世界経済の巨人にまで育て上げる。戦勝国のふるまいとしては前代未聞ではありませんか。

世界計画の地政学的イデオロギー

第二次大戦後の米国は植民地側へ健全な敬意を示す一方で欧州入植者へ深い敵意を抱いてもいました。ニューディール派は英国のインドやキプロスへの態度やギリシア内戦の（一九四四年以降の）誘因を断固批判。フランス、オランダ、そしてベルギーも、戦争の残り火に焙(あぶ)られてもなお平然とアフリカ、インドシナ、そしてインドネシアの植民地支配を続けようという愚昧な野望が糾弾の的となります。

同時に世界計画の存在は米国に植民地解放運動の全面肯定を躊躇(ちゅうちょ)させました。むしろ国家独立運動の多くは米国製の欧州・東アジア圏域と利害が対立するものとされます。連邦政府(ワシントン)は欧州や日本の政治を「安定」させるには悪党との癒着が必要だと早期に判断していました。[ix] 欧州や日本に滞りなきエネルギー供給を保障し、欧州・日本製品への需要を十分に確保する必要に駆られた米国は、本来連邦政府(ワシントン)にとってどうでもよいはずの解放運動（ベトナム反植民地運動等）と衝突せざるを得なかったのです。

中国の逸失。毛沢東の勝利に感化されて高まる南東アジア諸国解放運動。ソビエト連邦に大陸侵入の機会を与えてしまったアフリカ動乱。一連の出来事は第三世界諸国の解放運動に対して好戦的な態度をとるよう米国を促しました。連邦政府(ワシントン)も欧州と日本という二人の御曹司の原料輸入コスト増の危険性をこうした出来事から感じ取りました。

要するに米国は日本や欧州西部への原料供給者という役割を周縁諸国や第三世界全域に積極的に押し付けたのです。世界計画の樹立に向けてニューディール派一門は戦争や武力政変(クーデター)を次々と嗾け(けしか)ます。選挙で組織された正統な政府でも好みに合わなければ転覆させ、あわよくば軍事介入も辞さない。極悪非道な独裁者の任命や支援も厭わ(いと)ず、朝鮮半島やベトナムでは大規模戦争も繰り広げます。冷戦の続行や世界計画の維持を巡る応酬は地政学的情勢をますます複雑にしてゆきました。物語が進むにつれて事態は乾坤一擲(けんこんいってき)の相を呈するようになってゆきましたが、勝者への褒賞もまた一段と潤沢になりました。

米国のエネルギー・採鉱部門の国際企業や国内経済の各産業部門も一連のせめぎ合いから漁夫の利を得ました。しかし世界計画の設計者たちは個別の米国企業の利益のはるか先を見据えていました。狭義の私的・政治的代償が一切期待できない遠き他国の地において資本蓄積を促進すること。なんとも独創的な政策提言ですが、設計者たちの肩にのしかかる歴史の重みを思えば説明がつくでしょう。

強調しますが、ニューディール派の倫理的野望の規模(スケール)を本当に理解するには、直近の出来事が――

ニューディール精神を培ったあの世界恐慌が――具体的な動機へと転じる様子を注視する必要があります。世界計画を作ったのは悲傷憔悴の世代であり、貧困の辛苦を味わい、深い喪失感を抱き、資本主義の半壊からくる不安に苛まれ、果ては卑劣極まる大戦を勃発させた世代だったという事実を、私たちは一瞬たりとも忘れてはなりません。

彼らは知識人であり、労働・金融市場がいかに儚く溶解するものかを身に沁みて承知していました。また資本主義の転落をやるせなく見守るなどという失態は二度とさらさないという鋼の決意を実体験によって鍛え上げてもいました。ソ連が世界計画に少しでも綻びが出たらすぐさま襲いかかろうと獣のように鎖をギシギシいわせている中、彼らは危機の回避に全身全霊を捧げたのです。

ニューディール派はジョン・メイナード・ケインズの著作物に影響を受け、繁栄と安定を実現する上で市場の自己制御は頼りにならないという訓戒を肝に銘じていました。しかし、冷戦の続行と世界計画の管理の両立や軍産複合体との癒着が視界を曇らせます。結果として彼らは協調に基づく正式な黒字再循環制度を創る必要性をケインズほどはっきりとは認識できなかったのです。

ニューディール派の精神と欧州式・英国式ケインズ主義を分かつ溝の深さは多くの批評家が指摘する通りです。帝国主義思想に基づかない世界規模の黒字再循環装置が世界資本主義には必須だと確信するケインズに対して、ニューディール派は冷戦の原則や米国覇権の拡大を主軸として世界計画を紡ぐ庶幾や責務を感じていました。

ニューディール派は企業権力との闘争を早々と放棄したという点も見逃してはなりません。虐殺が始まると、公務員は金融家や産業重役と戦争活動を介して関係を密にしてゆきます。戦争に勝利し、戦後世界秩序の創造にあたって恐慌を避ける段になると、ニューディール派は国内外で米国国際企業に米国政府と同等の実権を与え、企業を事実上の国家機関として扱おうと企てます。このような覇権のもとでは、米国黒字や米国政府の仲裁力を制限するような国際機関（例えばケインズ創案のＩＣＵ）は存在不可能です。

洗練されたケインズ主義的言論。肝の据わった発案の数々。経済計画と冷戦対策のぶつかり合い。味わい深い物語の材料がここにはそろっています。世界計画にはドイツ・日本への友好的な経済援助や政策介入によるドイツマルク圏・日本円圏の創設だけでなく、米国内需の緻密な管理やそれによる欧州・極東の経済圏への絶え間ない目配せも含まれていたのです。

世界計画における米国国内政策

第二次世界大戦の終結は新たな不況の到来を意味するかもしれない――不安に駆られたニューディール派は早速解決策を二つ打ち出します。一つ目は既述の米国輸出製品への外需を生むための世界米ドル化計画。二つ目の政策群は米国国内経済に関するもので、政府主導の大型財政出動三つから構成されます。

一．大陸間弾道ミサイル計画
二．朝鮮戦争・ベトナム戦争
三．ジョン・Ｆ・ケネディ大統領の「新境地（ニュー・フロンティア）」政策と（より重要度の高い）リンドン・ジョンソン

大統領の「偉大な社会（グレート・ソサイエティ）」政策

第一・第二の財政支出計画は米国企業を大幅に強化し、海外資本家に胡麻を擂（す）る米国政府の側に国内企業をつけておく好手にもなりました。その最大の恩恵を受けたのは、かつて司令官としても名を馳せたドワイト・アイゼンハワー大統領が「軍産体制」[12]と呼んで揶揄したものと癒着する企業でした。軍産体制とそれを優遇する政府は「宇宙航空・コンピューター・電子機器複合体」（ACE複合体[13]）の発展にも大きく貢献。ACE複合体は米国経済からほぼ完全に乖離しつつもその権力拡大において中心的役割を担った重鎮です。

世界計画が米国国内経済にもたらした利得は不均等でもありました。軍産体制やACE複合体につながりがない経済部門は、ドイツ及び日本、そして米国経済の他部門と足並みを揃えて回復することができなかったからです。米国企業の分け隔てなき活性化は、連邦政府（ワシントン）の（ねらいの一つではあっても）主目的ではなかった。米国政府は米国多国籍企業に対して不利に働く厳しい規制でも、最優先目標を――ドイツ・日本産業への援助によるドイツマルク・日本円圏の強化という目標を――達成するためならば躊躇（ちゅうちょ）なく無慈悲に導入しました。

国民の志が（所得に限らずあらゆるものごとに関して）高まる中、不均等な繁栄拡大は重大な社会的緊張へとつながります。その緩やかな解消こそ、一九六〇年代の財政出動、通称「偉大な社会」政策の目標でした。先陣を切ったケネディ大統領と後続のリンドン・ジョンソン大統領は国内財政支出計画を矢継ぎ早に繰り出し、世界計画の国内効用の大きな分配格差が都市中心部や地方の主要地域における社会的結束を損ねないように努めました。格差から生じる「遠心力」の脅威から世界計画を守るために、各種社会保障制度が独立して自転・公転を始めたわけです。

ケネディ＋ジョンソン社会保障制度の重要性を正確に捉えるために、一九五五年から一九六〇年（ケネディ当選の年です）にかけての米国の経済成長の低迷に目を向けてみましょう。成長の疲弊は貧困層や社会の周縁にいる人々を特に手酷く直撃しました。共和党政権の八年間（一九五二年〜一九六〇年）を経た後、ニューディール的政治方針を掲げたケネディ大統領が当選し、教育、健康、医療、都市再生、交通、芸術、環境保護、公共電波、人文系研究等々への支出を増やす「新境地」公約によってニューディール精神の回復を約束します。

ケネディ大統領暗殺事件後、ジョンソン大統領は一九六四年の大勝利を受けて野心あふれる「偉大な社会」宣言へと数々の（未成立の）新境地政策を組み込みます。国外ではベトナム戦争を蛮勇に進める一方、ジョンソン大統領は「偉大な社会」政策によって国内における地位を不動のものにしようと試みます。白人労働者階級の貧困の撲滅のみならず人種差別の一掃も国家の中心課題として据えることで、進歩派の称賛をほしいままにしたのです。

「偉大な社会」政策の中でも、米国の、特に南部の人種隔離政策に終止符を打ったという功績は後世に語り継がれていくでしょう。一九六四年から一九六六年までに成立した四つの法律[14]が米国社会を大

(12) military-industrial establishment　軍産複合体（military-industrial complex）と意味はほぼ同じ。

(13) aeronautic-computer-electronics complex　三つの産業部門の頭文字を使った略語。一九九〇年代・二〇〇〇年代の欧米経済学で特に盛んに議論された概念。

幅に変革したのです。また「偉大な社会」政策はケインズ主義を中核に据えてもいました。ジョンソン大統領の揺るぎなき貧困撲滅運動を見れば一目瞭然です。就任直後の三年間（一九六四年から一九六六年）で年間一〇億ドル（一〇〇〇億円）もの資金が様々な制度へ投じられ、教育の機会の充実や年長者及びその他の社会的弱者の医療保険への包摂が進められました。

「偉大な社会」の公共投資がもたらした社会的恩恵は主に貧困減少という形で実感されます。当初は米国国民の二二％が貧困線を下回る暮らしをしていましたが、制度実施後はこれが一三％弱にまで下がります。特に注目すべきは黒人米国国民に関する数値です――一九六〇年には五五％だったものが一九六八年にはなんと二七％にまで下がったのです。要因は色々と考えられますが、国家成長の時代に社会的緊張を和らげる上で「偉大な社会」政策資金が担った役割の重要性は疑う余地がありません。

結論――資本主義の黄金期

ゴア・ヴィダル(15)は「黄金期には難点がある。中からは全てが黄ばんで見えてしまうという点である」と言いました。一九六〇年代に街頭を埋め尽くして政府への抗議活動を展開した幾多の米国国民には、黄金期に生きている実感はなかったはずです。振り返ってみると、少なくとも今の観点からは、あの頃は驚くべき時代だったという他ありません。大陸間の安定、成長、そして公平性を基調とする合理的世界秩序の構築を官僚が切実に信じていた時代。それに比べ昨今の政治家は世論調査に振り回されながらウォール街、ロビイスト、そしてその他の実業利権におべっかを使うありさま。戦後第一フェーズの「世界計画時代」に哀愁を感じてしまうのも無理はありません。

世界計画は一九五〇年から一九七一年まで続きました。骨子となるアイデアは至って単純です。資本主義経済圏同士を結びつける固定為替相場制度。制度を木っ端微塵にするような「遠心力」への耐性を保証する特別な黒字再循環装置。再循環装置の形成過程はというと、まず米国は巨額の戦後貿易黒字を維持し、引き換えに海外の「御曹司国」へ直接投資や支援金、助成金という形で余剰資本（又は利益）を送り出す。こうして米国製品の継続購入を可能にしたうえで、日本やドイツがそれぞれの周辺地域で米国と似たような構図で黒字国家という立場（ポジション）をとれるよう取り計らい、そのためならば米国は多少の損失も甘んじて受けようという構えでした。

世界計画はおそるべき柔軟性を備えていました。おかげで米国官僚は政権問わず計画の一部が故障するたびに軌道修正ができました。日本との外交政策が好例です。毛沢東が予想外の勝利を収め、中国大陸を日本製品の巨大市場に変える計画がおじゃんになったとき、米国政策立案者たちは実に発想豊かな対応をとりました。

まずは朝鮮戦争を日本産業への需要を注入する絶好の機会として有効利用するところから入ります。

（14）　four pieces of legislation　一九六四年公民権法、一九六五年投票権法、一九六五年移民国籍法、そして一九六八年公民権法である。最後の法律は一九六八年可決となっており、バルファキスの「一九六六年まで」という語は凡ミスと思われる。

（15）　Gore Vidal　アメリカの小説家、文筆家、知識人。一九二五年生、二〇一二年没。洗練された文体と鋭いユーモアが有名。当時としては珍しくＬＧＢＴＱを描いた作品を多数執筆した。ヴィダル本人もバイセクシャルを公言している。また政治への関わりも深く、当選こそ叶わなかったものの民主党の国会議員候補者として二度出馬経験がある。

つづいて米国同盟国へ影響力を行使し、各国市場への日本製品の輸入自由化を進めます。三手目は米国市場自体を日本の土壌の一部とするという意外な一手。米国市場への日本産輸入製品（自動車、電子機器、各種サービス等々）の参入は連邦政府（ワシントン）の政策立案者の鶴の一声があってこその現象でした。仕上げは朝鮮戦争の後続としてのベトナム戦争の開戦であり、これのおかげで日本産業の成長にはいよいよ拍車がかかります。東南アジアの産業化は血腥（ちなまぐさ）い冒険が生んだ副産物だったわけです。こうして日本は近隣諸国に商業の土壌を完成させ、さらなる力をつけてゆきます。

国防総省（ペンタゴン）の冷徹無比な戦士たちが実はニューディール派の世界計画を遂行していたのだなどと言いたいのではありません。可能性としては十分ありえるものの（マーシャル・プランへの軍部の深い関与が示す通りです）、当然ながら国防総省には独自の地政学的計略がありました。将官たちが国防総省や国務省と共に冷戦戦略を練るかたわら、連邦政府（ワシントン）の経済計画立案者たちは朝鮮戦争やベトナム戦争を全く別の視点から評価していた――肝心なのはこの点です。

安価な原料を欧州や日本へ継続供給する上で戦争は欠かせません。他方で、毛沢東が台無しにした「御曹司」日本の経済的土壌を**戦費提供によって**新たに醸成する好機を連邦政府は見逃しませんでした。繰り返しますが、米国出資の二つの戦争なくして東南アジアの「虎の経済（タイガー・エコノミー）」の出現はありえない。この点はどれだけ強調しても足りません。米国が日本製品の唯一の主要市場となりそうな気配が濃厚な中、韓国、タイ、マレーシア、そしてシンガポールは、ドイツに対するフランスやスペインのような位置づけを日本に対して獲得してゆきます。

思い返せば、世界計画は大規模な人為的設計物としては空前絶後の成功例だったと言えます。第二

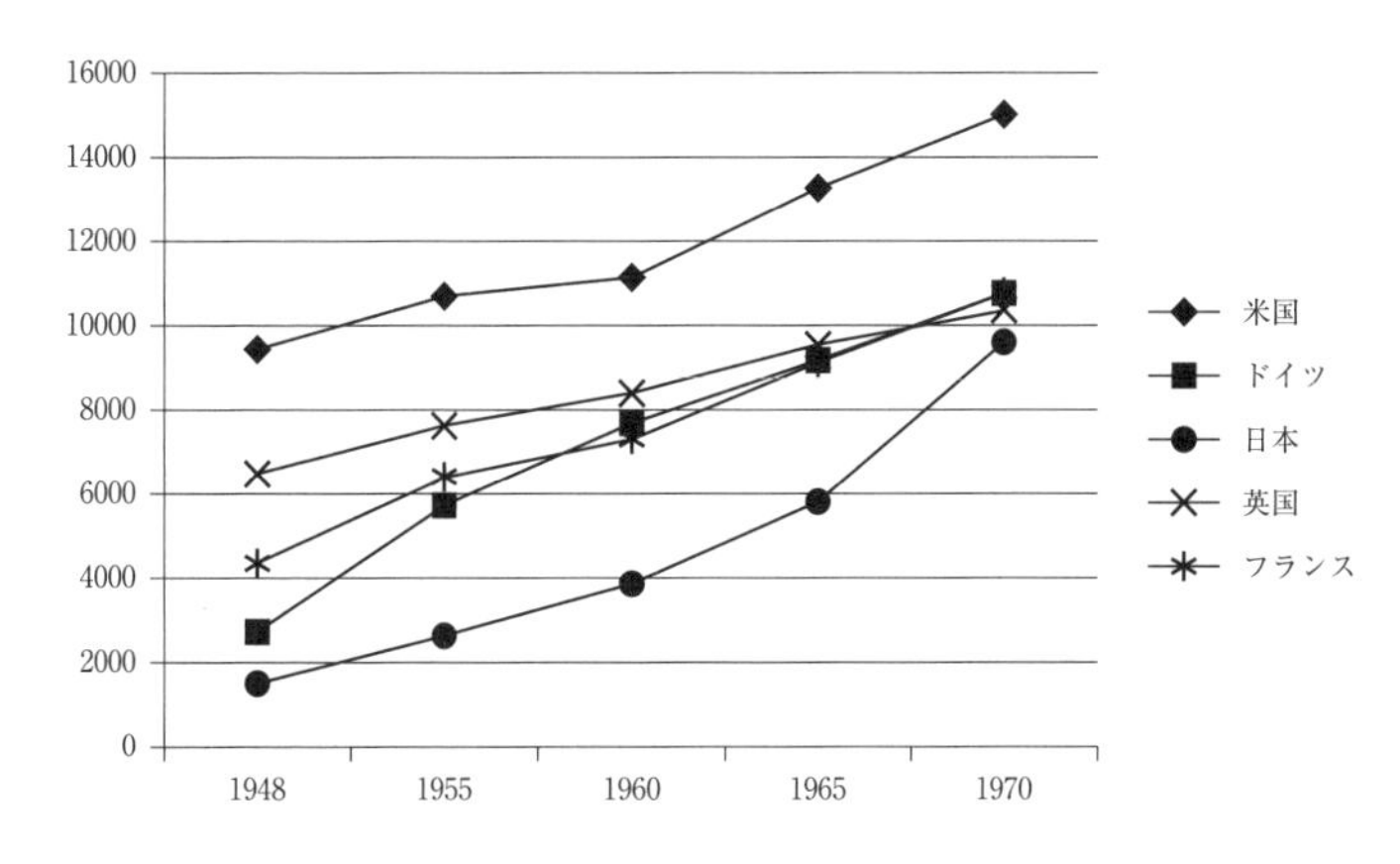

図3.1　世界計画期における一人当たりの実質GDP（単位：米ドル）

次世界大戦が終戦して戦争支出が減っても米国や西洋諸国は新たな恐慌に見舞われずに済み、むしろ世界は後世に語り継がれるような成長を遂げます。図3・1からも黄金期の輝きを垣間見ることができるでしょう。先進国は戦勝国も敗戦国もうなぎ登りの成長をみせたのです。

欧州や日本は出発点こそ米国よりも低かったものの、より急速な成長のおかげですぐに遅れを取り戻しました。米国もまた健全な成長の軌道に乗りました。ことわっておきますが、世界経済は自然に成長したわけではありません。第二次世界大戦までの世界の政治経済は帝国主義勢力同士のぶつかり合いによって展開していました。そのすべてを超克・代置するための遠大かつ野心燃え立つ努力こそ世界計画であり、かかる成長の舞台回しだったのです。

米国覇権の確立と拡大を目指して世界計画をまとめるかたわら、米国は海外の（特に日本とドイツの）需要や資本蓄積を増加するための費用（コスト）を喜んで引き

表3.1　世界GDPに各国が占める割合の変化率

	米　国	ドイツ	日　本	英　国	フランス
1950年〜1972年	−19.3%	+18%	+156.7%	−35.4%	+4.9%

受けました。米国の繁栄と成長を維持するために、連邦政府（ワシントン）は御曹司に地球の一部を意図的に「奢（おご）った」のです。世界計画時代に米国は世界の所得の実に二〇％ほどを失いましたが、ドイツの取り分は一八％増え、日本に至っては一五六・七％という驚天動地の成長を見せました。

国際的利他主義を示す格好の史実……ではありません。一九四五年以降のニューディール思想の中核には、単一通貨・単一経済圏の世界制度が必ず内包する不安定性への憂苦がありました。一九二九年の記憶や世界恐慌の後味が人々の心の奥深くに刻み込まれていたわけです。たった一本の柱（米ドル）が支える世界資本主義がもしまた同じような規模の危機に見舞われた場合、どのような展開が予想されるでしょうか。ソビエト連邦（資本主義の危機という病に免疫を持った経済）の驚異の成長率を考慮に入れると、見通しは一段と暗くなります。資本主義の安泰を切望していたニューディール派は、米ドル圏を中枢とする三大産業通貨圏域の相互ネットワークを構築しました。第三世界から吸い上げた資源が滞りなく循環する圏域。米国の金融や軍事が防衛面で担った中心的役割がそこには反映されていました。ニューディール派にとって世界計画は二〇世紀以降の制度設計として最善だったのです。

こうしてみると、「欧州統合は米国支配への対抗勢力を創りたいという衝動から生まれた」などという考えは、欧州連合の「創世神話」にすぎないということがはっきりします。同様に、「日本経済は米国の思惑に反して成長した」という見方も砂上の楼閣にすぎないと言うべきでしょう。今でこそ奇妙に思えるかもしれませんが、欧州統合や日本の輸出型産業化の背景には米国連邦政府（ワシントン）の政策立案者による息の長い試行錯誤があったのです。米国は欧州や日本の隆盛が貿易収支へ与える打撃さえ甘受したのですから。

世界計画から現代社会が得られる教訓は何でしょうか。軍事力や政治力の行使に加え、惑星規模で巨額の黒字を再分配すること。市場原理では全く実現不可能な離れ業です。地球一の政治同盟に属する政策立案者たちが覇権を掌握したとき、世界資本主義は「栄光の刻（とき）」を迎えたのです。

第四章　世界牛魔人（グローバル・ミノタウロス）

世界計画のアキレス腱

世界計画の綻びは、設計上のある重大な欠陥にありました。一九四四年のブレトン・ウッズ会議にてジョン・メイナード・ケインズが指摘したにも関わらず米国側が無視した欠陥――自動的な世界黒字再循環装置（GSRM）の不在です。GSRMは制度的な貿易不均衡を常に修正してくれるはずでした。

ケインズの「国際通貨同盟」（ICU）制度案を米国側は拒否しました。世界貿易・資本取引のうねりは正式かつ自動的なGSRMを誓約せずに米国単独で管理できる・すべきだと考えたからです。新生覇権国は新鮮な超権力の味に酔いしれており、ホメロスの伝承で帆柱に自身を縛り付けたオデュッセウスの知恵を見習わなかったのです。

噛（か）み砕いて言うと、連邦政府（ワシントン）は世界貿易の不均衡は米国に恒久的な恩恵をもたらすだろうと踏んだのです。そうなれば世界随一の黒字国家としての地位を不動のものにすることができます。米国は世界中から搾り取った黒字の力を慈善的かつ効率的に活用し、「賢明な覇権」の理念に従って世界経済を管理すればよいというわけです。現に米国はこれを実行に移し、米国黒字を日本やドイツのような「立派な国々」への資本注入という形で気前よく再循環させました。

残念ながら、米国政策立案者たちには見落としがありました。世界貿易不均衡にどんでん返しが起き、米国に赤字国家という不慣れな役がまわって来たのです。一九四〇年代後半の苦難の日々の渦中にあって、世界計画の設計者たちは偉大なる計画を自制心の欠如した連邦政府(ワシントン)が自壊させてしまう可能性を度外視してしまったのです。

綻(ほころ)ぶ世界計画

世界計画は薔薇色の成功物語ではありませんでした。発展の各段階で不運に見舞われてきたからです。第一弾は毛沢東の勝利。こうした逆境を世界計画は斬新な応手で見事に迎え撃ち、不都合な向かい風を嬉しい誤算という追い風へと転換しました。朝鮮戦争が極東の側面補強に利用されたのは既述の通り。似たような「創造的破壊」の嵐を起こす機会は、米国がベトナム戦争の泥沼に突入したときにも訪れました。

ベトナム戦争の混沌は「想定外」などという言葉では到底表現しきれませんが、東南アジアを訪ねたことのある人ならば誰にでも一目瞭然なように、猛煙の雲間からは希望の光が降り注いでもいました。朝鮮、タイ、マレーシア、そしてシンガポールはみな急成長を遂げ、「後進国は極貧からの脱却に必要な資本蓄積を軌道に乗せることはできない」とする悲観主義者の予想を裏切ったのです。この進展から日本は貴重な貿易・投資の機会という漁夫の利を与えます。欧米だけで日本産工業製品への需要を十分に生むという、一九六〇年代半ばまでは米国政府当局が一手に引き受けてきた重荷がこうして少し軽くなりました。数年後、鄧小平（トウショウヘイ）は同じ戦略を使って現代中国という牙城を築き上げることになります。

棚から落ちた牡丹餅（ぼたもち）には当り外れがあるものです。ベトナム戦争で頑（かたく）なに降伏を拒んだホーチミン、そして万策尽きるまで勝機を追求したリンドン・ジョンソンの狂気じみた初志貫徹（コミットメント）は、極東に新生資本主義圏域を樹立するだけでなく、世界計画を頓挫させる上でも大きな契機となりました。戦費の増大が世界計画の破綻の引き金となったからです。

戦争が人間にもたらす地獄の苦しみもさることながら、[i] 戦費の面でも米国政府からは一一三〇億ドル（一一兆三〇〇〇億円）、米国経済からは二二〇〇億ドル（二二兆円）がそれぞれ失われました。米国企業の実利益が一七％下がるかたわら、一九六五年から一九七〇年までの間で戦争による平均物価の上昇は米国ブルーカラー労働者の平均実質賃金を二％ほど引き下げました。[ii] 戦争の被害は倫理や政治の域に留まりません。ベトナムへの恐怖と嫌悪が米国の若者世代に根付き、労働者階級の賃金という具体的な損害が社会的緊張を高めました。こうした緊迫感の解消こそジョンソン大統領の「偉大な社会」計画の主目的だったと言ってもよいかもしれません。

ベトナム戦争と「偉大な社会」計画の総費用が山積する中、米国政府は連邦負債の大量生産を強いられました。一九六〇年代末には外国政府の多くが（ブレトン・ウッズ体制によって相互に連結された）各国の財政に懸念を示し始めます。一九七一年初頭に至ると、負債が七〇〇億ドル（七兆円）を超える一方で米国政府は基盤となる金をたった一二〇億ドル（一兆二〇〇〇万円）相当しか所持できていないというありさまでした。

米ドルの洪水は世界市場にあふれ返り、フランスや英国といった国々にインフレ圧力をかけてゆきます。欧州各国の政府はブレトン・ウッズ体制に従って対米ドルの為替相場を一定に保つために自国通貨の水増しを余儀なくさせられます。米国はベトナム戦争によって諸外国にインフレーションを輸出したのだとする欧州側の主張の根拠はこれです。

欧州と日本にはインフレよりも悩ましい懸念事項がありました。米国の固定金備蓄（ゴールド・ストック）を背景とする米ドルの蓄積は米ドルへの取り付け騒ぎを引き起こし、ひいては金一オンスを三五ドル（三五〇〇円）と兌換するという確約を破るしかない状況に米国を追い込むのではないか。そうなれば米ドル貯蓄も価値を失い、国庫や国民貯蓄が蝕まれてゆくことにもなりかねません。

世界計画の欠陥は、ド・ゴール政権金融大臣のヴァレリー・ジスカール・デスタンが米ドルの「法外な特権」と呼んだものと密接に関係しています。米国には世界的規制機関からの制約なしに自由に通貨を印刷する特権がある。ド・ゴールを始めとする欧州の同盟諸国（及び米ドル建てで石油を輸出する石油生産諸国の政府）は、米国は借金で帝国主義的勢力を拡大することで他国の将来的展望を損なっていると主張しました。一歩進んで、世界計画はそもそも黒字産出国としての米国を軸としてまわるよう設計されたはずだろうという指摘が必要でした。米国が赤字国家に変貌したとき、世界計画は悪化の一途を辿（たど）るよう運命（さだめ）られてしまったからです。

一九六七年一一月二九日、英国政府は英ポンドの平価を一四％も切り下げます。ブレトン・ウッズの規定限度である一％をはるかに上回る数値であり、危機の引き金となりました。米国政府は一オンス三五ドル（三五〇〇円）の金固定相場（ゴールド・ペグ）を死守すべく自国の金準備の二〇%をはたきます。一九六八年三月一六日、後にG7を形成する七カ国から中央銀行の代表者たちが一堂に会して妥協案を模索。一オンス三五ドルの固定相場を維持しつつ投機家には金を市場価格で取引する道も与えるという実に興味深い合意に達します。

リチャード・ニクソン大統領は一九七〇年にポール・ボルカーを国際通貨財務次官に任命。その監督機関にあたる国家安全保障会議はこのときヘンリー・キッシンジャーの指揮下にありました。キッシンジャーは一九七三年に国務長官に就任しますが、この役職に就いた人物としては史上最大の影響力を持つようになります。一九七一年五月、ボルカー率いる米国財務省対策本部がキッシンジャーに提出した危機管理計画には「金兌換性の一時停止」の可能性が示唆されていました。今となっては明らかなことですが、世界計画の抜本的変革を予感した政策立案者たちは権力の座を巡って大西洋の両岸からすでに小競り合いを繰り広げていたのです。

一九七一年八月、フランス政府は米国の諸政策に対して公に不満を表明します。ジョルジュ・ポンピドゥー大統領は駆逐艦をニュージャージー州へと出航させ、「ブレトン・ウッズで保障されている権利を行使して何が悪い」といわんばかりに手持ちの米ドルとフォートノックス保管の金の兌換を試みます。数日後、エドワード・ヒース率いる英国政府も（王室海軍の出航こそ慎んだものの）似たような要求を発表し、イングランド銀行が持つ米ドル三〇億ドル（三〇〇〇億円）の金兌換を迫ります。不慣なものです――「天使も踏むを恐れるところ」(1)へと飛び込んだのですから。

激怒に駆られたニクソン大統領は、四日後の一九七一年八月一五日にブレトン・ウッズ体制の終了を宣言し、米ドルの金兌換性を撤廃します。こうして世界計画は綻(ほころ)んだのです。

空位期間——一九七〇年代石油危機・スタグフレーション(2)・金利上昇

早速ニクソン大統領は欧州に財務長官（虚心坦懐(きょしんたんかい)なテキサス男児、ジョン・コナリー）を派遣し、痛烈な通告を行います。とはいえ、自分は欧州に向けて穏和な言葉で語りかけたとコナリーはメディアに言いました。

> 米国は大量の資源や物資、そしてその他の支援を世界に向けて提供してきた。それが原因で赤字国家になってしまい、二〇年間も赤字のままで、貯蓄や資源が底を突き、もはや現状維持ができなくなった。こうして窮地に陥ってしまったからこそ、私たちは友好国に助けを求めてやって来たのだ。先方も過去に必要に迫られて私たちに助けを求めてきたではないか。それと同じことをしているだけだ。そうした内容を先方に伝えてきた。

しかし、今もなお欧州国民の耳に鳴り響いているのはコナリーの**本当のメッセージ**です——**米ドルは米国の通貨かもしれないが、この問題はきみたちの問題だ**。米ドルは準備通貨（唯一の世界的交換媒

（1） had rushed in where angels fear to tread　アレキサンダー・ポープの詩『批評論』への参照を含む慣用句。
（2） stagflation　景気沈滞（stagnation）時に起きるインフレーション（inflation）を指す混成語。

体）なのだから、ブレトン・ウッズ体制の終焉は米国の問題ではない。たしかに世界計画は米国の利益を念頭に置いて設計・実施されたかもしれない。しかし、制度全体への圧力が（ベトナム戦争や米国国内の様々な緊張による国内歳出の増加によって）臨界点に達したときに一番損をするのは米国ではなく、世界計画から最も大きな恩恵を得た経済圏、欧州と日本だったのです。

コナリーの発言は欧州と日本の耳に障りました。米ドルへの代替物がない状態では、米ドルの平価切下げは自国経済の大幅な衰退を意味していたからです。米ドル資産価値の急落。輸出品価格の上昇。唯一の打開策である自国通貨平価切り下げも、石油価格が米ドル建てとあってはエネルギー資源の価格高騰を引き起こしてしまう。欧州と日本はスキュラとカリュブディスに航路を塞がれてしまったのです[3]。

一九七一年末、ニクソン大統領は一二月にポンピドゥー大統領とアゾレス諸島で会談。駆逐艦の一件を水に流そうとするポンピドゥーは、最新の「現実」を反映した新たな固定為替相場を基盤とする新ブレトン・ウッズ体制の編成をニクソンに懇願しましたが、ニクソンはこれを断固拒否します。世界計画はこうして燃え尽き、「世界牛魔人（グローバル・ミノタウロス）」に舞台を譲り渡しました。

ブレトン・ウッズ体制の固定為替相場の崩壊後、物価や金利は一気に浮動を始めます。先陣を切ったのは金でした。一オンス三五ドルが三八ドルになり、四二ドル（四二〇〇円）になり、値段はさらに雲の上へと飛翔。一九七三年五月には九〇ドル（九〇〇〇円）以上で取引されるようになり、節目となる一九七九年には一オンス四五五ドル（四万五五〇〇円）という衝撃の価格に達します。たった一〇年間で一二倍もの価格上昇が起きたわけです。

また、一九七一年八月のニクソンの勝負手からわずか二年以内に、米ドルはドイツマルクに対して三〇%、日本円とフランに対してそれぞれ二〇%も値下がりします。石油生産者は「黒金」の「黄金」建て価値が過去のわずか数分の一にまで暴落するという事態に遭遇。石油輸出国機構（OPEC）——石油総生産量の削減合意によって石油価格を規制する機関——加盟国は漆黒の液体の金建て価値を回復しようと協調（すなわち生産量の減少）を盛んに呼びかけました。

ニクソンの声明発表時の石油価格は一バレル三ドル以下でした。それがイスラエルとアラブ圏隣国の一九七三年贖罪（ヨーム・キップール）の日戦争によって八ドル～九ドルという値域へ跳躍（ジャンプ）した後、一二ドル～一五ドル（一二〇〇円～一五〇〇円）という値域で一九七九年まで浮遊。一九七九年に新たな高騰が生じ、一バレル三〇ドル（三〇〇〇円）以上という価格での取引が一九八〇年代に入ってもなお続きます。価格が燦然たる山々の頂へと登り詰めたのは石油だけではありません。一次産品の価格は鉄礬土（ボーキサイト）（一六五%）、鉛（一七〇%）、錫（すず）（一二〇%）、銀（一〇六五%）という具合に一斉に高騰しました。要するに世界計画の終了は世界規模での生産費用の急上昇を意味したのです。インフレーションが空を翔け、失業率が舞い上がる。景気衰退（スタグネーション）とインフレーションの珍妙な混成現象、「スタグフレーション」の完成です。

通説では、一九七〇年代のスタグフレーションはOPEC加盟諸国が米ドル建て石油価格を米国の意志に反して暴騰させたために起きたとされています。これはしかし根も葉もない雑説です。ニクソ

（3）　found themselves between a rock and a hard place　ギリシア神話に起源をもつイディオムであり、二つの悪から一つを選択するよう強いられた状況を表現している。スキュラは岩礁に、カリュブディスは渦潮に住む怪物の名前。詳しくはホメロス『オデュッセイア』第一二歌を参照されたい。

ン政権がもし本当に石油価格上昇に反対していたのならば、イランの国王（シャー）、インドネシアのスハルト大統領、そしてベネズエラ政府等の親米派筆頭諸国による賛同と積極的な加担が説明できなくなります。価格の押し下げが起きる間際に石油会社（通称「七姉妹」）[4]とＯＰＥＣのテヘラン交渉を頓挫させたニクソン政権の行動もつじつまが合わなくなるでしょう。

鍵となる議論を注意深く観察してきた某米国重鎮論客の言葉を引用します。[5]

> 米国特使（当時の国務次官ジョン・アーウィン）が国務省石油関連事項の要人、ジェームズ・エイキンスを連れて登場したことでテヘラン協議には亀裂が走った。……国務省重役にとって価格上昇は痛くも痒くもないという点こそＯＰＥＣ交渉決裂の真の教訓だった。……交渉の焦点も価格維持から供給安定へと移り始めていた。[iii]

一つ疑問に残ることがあります。米国はなぜ石油価格上昇に反対しなかったのでしょうか。答えは単純。ニクソン政権はブレトン・ウッズ体制の終焉を嘆かなかった。同じように、ＯＰＥＣが石油価格を押し上げても米国は平然としていました。石油価格高騰は、エネルギーや一次産品の世界価格の大幅上昇をねらうニクソン政権の計画と矛盾しなかったからです。サウジアラビアが一貫して指摘してきたことですが、ヘンリー・キッシンジャーは石油価格を二倍～四倍も押し上げるよう常にサウジ側へ働きかけていました。エネルギー価格上昇の防止よりも米国への石油ドルの流入の制御に重きを置いていたからです。[iv] 石油取引が米ドル建てである限り、米国政府は石油価格上昇を許容しました。

米国二重赤字の補填にあたって、増税や財政支出の削減、そして米国覇権の衰弱は避けたい。そう願う米国政策立案者たちの視界に、単純明快な課題が一つ浮かびます――「米国赤字を補填するよう他国をそそのかせ」。そこには、ドイツや日本を中心に米国が構築した経済圏が損をし、米国側が得をするような世界的黒字再配分が暗示されていました。膨らみ続ける米国二重赤字の補填のために、世界の資本潮流（キャピタル・ストリーム）をウォール街に合流させる。世界資本の流れを逆転させるためには二つの条件が満たされる必要がありました。一つ目は、ドイツや日本の競争相手を打ち負かせるような米国企業の強化。二つ目は、米国に大型資本を呼び込むような魅力的な金利設定です。

第一の条件を満たす道は二つありました。国内生産力の増強と競争相手国の相対的生産費の引き上げです。米国行政機関は念を押して両方を目標に掲げます。人件費を喜んで絞るかたわら、石油価格の上昇を「推奨」したのです。米国人件費の削減は米国企業の競争力を高めただけでなく、潤沢な投資先を求めて漂う海外資本を引きつける磁石の役割も演じました。他方で石油価格の上昇は資本主義圏全体に悪影響を与えます。領土内に油田を持たない日本や欧州西部諸国は米国よりもはるかに大き

（4）　Seven Sisters　アンソニー・サンプソン『セブン・シスターズ』に由来する名称。「国際石油資本」「石油メジャー」等々の呼び名もある。スタンダードオイルニューヨーク、スタンダードオイルカリフォルニア、スタンダードオイルニュージャージー、テキサコ、ロイヤル・ダッチ・シェル、ガルフ石油、そしてアングロペルシャ石油会社の七社の総称である。

（5）　ビビアン・H・オッペンハイムの一九七六年～一九七七年の著作からの引用。バルファキスがなぜ本文で引用元を伏せているのかは定かではないが、おそらくレトリック等の修飾的な理由からだろう。ちなみに原注にはしっかり出典が明記されている。

な重荷を背負わされました。

かたや石油価格の上昇はサウジアラビアやインドネシアを始めとする国々の銀行口座をあふれんばかりの「地代」で潤し、米国石油企業に巨額の利益をもたらしました。ほどなくして石油ドルはウォール街に住み着き、連邦準備制度の金利政策のおかげで特段快適な日々を送るようになります。

第二の条件に移りましょう。貨幣金利（又は名目金利）は一九七一年世界計画終了時の六％から一九七三年には六・四四％、その翌年には七・八三％にまで上騰。一九七九年に至ってはカーター大統領が米国インフレーションを毅然と迎撃し始め、ポール・ボルカーをＦＲＢ議長に任命してインフレーションを一刀両断にするよう指示します。ボルカーは手始めに平均金利を一一％まで引き上げました。一九八一年六月にボルカーは金利を二〇％という高みへと浮上させた後、さらに二一・五％にまで押し上げました。無慈悲な金融政策はインフレーションこそ鎮圧しました（一九八一年の一三・五％が二年後には三・二％にまで押し下げられた）が、就業率や資本蓄積への悪影響は国内・国外問わず深刻なものでした。それでもなお、先述の二条件はロナルド・レーガンがホワイトハウスに入居する前から満たされていました。

新たな局面（フェーズ）への突入です。米国は増加傾向の貿易赤字をおとがめなしに管理できるようになり、新生レーガン政権も肥大する国防予算や最裕福層への減税のための資金繰りに成功。供給側経済学（サプライサイド）、均霑（トリクルダウン）効果という神話、勇み足な減税、強欲主義の道徳的肯定等々[6]、一九八〇年代を代表するイデオロギーも、結局のところ米国が新たに手にした「法外な特権」の表象にすぎませんでした。海外諸国から流れ込む資本のおかげで二重赤字を際限なく拡大する好機が生まれた。米国覇権の転換点、世界牛魔人による治世を告げる夜明けです。

世界牛魔人

米国は世界計画の崩壊を望んだわけでも素直に受け入れたわけでもありません。それでも米国政策立案者たちは黒字国家としての立場を失ったときに不吉な前兆をすばやく察知しました。世界計画のアキレス腱に矢が刺さり、破滅の刻が迫る。致命傷を受けたオンボロ制度の修復に体力を浪費するのではなく、彼らは機敏に体勢を立て直す道を選びました。

世界計画の大胆な切捨ての物語は当事者の口から語ってもらうのが一番でしょう。ブレトン・ウッズ体制の廃止をいち早く呼びかけていた男、ポール・ボルカーは、一九七八年にウォーリック大学の学生や職員に向けて演説を行います。その後まもなく、カーター大統領はボルカーをFRB議長に任命することになります。はたして当時の聴衆はボルカーの言葉の本意を汲み取れていたでしょうか。

市場は中立的裁定者であるという見解はたしかに魅力的だ。……しかしながら、国際制度安定の条件を国家政策の自由の保持と秤にかけて比べたとき、アメリカを含む多くの国々は後者を優先しようと決断した。

（6）　dominance of greed as a form of virtue　さらっと挙げられているが、一九八〇年代以降の一般市民の生き方を定義づける重要な概念である。

真意を一層強調するかのように、ボルカーはさらに続けてこう言いました。「世界経済の計画的解体は一九八〇年代の国家目標として正統だった」（傍点は著者）。[7]

世界計画の墓碑に刻むべき名言です。戦後第二フェーズの夜明けを告げるクラリオン。ボルカーの演説は米国当局の将来展望を率直に言い表していました。国際金融貿易動向の合理的均衡が保てなくなった米国は、金融貿易動向の非対称性が急加速する新世界への船出の準備を進めていたわけです。その最終目標は何か。際限なき赤字を維持するための「法外な特権」を成立させ、米国覇権の将来を担保すること。赤字という向かい風を追い風に変えること。このような離れ業を成し遂げる方法はあるのか。ボルカーの出した答えは例によって率直でした。混沌の中にも不思議と制御が行き渡る流転状態（フラックス）へと世界経済をあえて突き落とすこと。世界牛魔人の迷宮への突入です。

米国が直接の戦費提供や政治権力の行使という間接的手段によってドイツや日本へ資金を送るという光景は、その後数十年間で記憶の彼方へと褪せてゆきます。米国は千秋楽だといわんばかりに輸入を開始し、米国政府も赤字拡大を恐れずに散財を始めました。海外投資家が私利に駆られて自主的に毎日数十億ドル（数千億円）をウォール街に送金している限り、米国二重赤字という自転軸への資金繰りは持続され、世界も一寸先は闇という状態で回り続けました。

アテネ人によるクレタ島の牛魔人へのおぞましき貢物は、ミノス王の軍事力によって強制されていました。対して世界牛魔人への貢物となる資本は世界中から自主的に米国へと放流されました。なぜこうなったのでしょうか。米国政策立案者たちは超大国の二重赤字へ資金を注ぎ込むよう世界中の資本家をどう説得したのでしょうか。資本家の側へは一体どのような利得があったのでしょうか。答えは次の四大要素に集約できるでしょう。神話になぞらえて、これを「牛魔人の衆望（カリスマ）」と呼ぶことにします。

牛魔人の四つの衆望

一　準備通貨という地位

世界計画の存命中は、一国の保有通貨の種類は特に重要ではありませんでした。米ドルとの為替相場はほぼ固定されており、米ドルと金の兌換相場もあの黄金色の鉱物一オンス当たり三五ドル（三五〇〇円）に「溶接」されていたからです。しかしドイツの産業家、フランスのワイン製造者、そして日本の銀行家はみな現金貯蓄に米ドルを好んで用いました。理由は資本規制、すなわち米ドルを含む他国通貨へ現金を交換する際の一回当たりの上限額です。

ブレトン・ウッズ体制が終幕となり、各国通貨への為替変動の導入の見込みが濃厚になると、その衝撃は米ドルへの殺到を引き起こしました。現在に至るまで、危機が地平線に顔を出すたびに資本は「緑背紙幣（グリーンバック）」へと撤退する習性を持ち続けています。ウォール街を震源地としていたにも関わらず二〇〇八年金融崩壊が米ドルへの海外資本の大量流入を招いた理由もまさにこれです。

加えて米国は自国通貨への需要が自国産の物品やサービスへの需要だけでは定まらない唯一の国で

（7）　controlled disintegration　「管理された解体」「制御された解体」と訳されることもある。計画に基づく人為的な解体のこと。

す。ナイジェリアで運転手が車にガソリンを入れたり、中国の工場がオーストラリアから石炭を買ったりした場合にも米ドルへの需要が上がるのです。米国企業が一切関与していなくとも一次産品の取引は米ドル建てで行われるからです。これにより石油や石炭を含む決済は全て米ドルへの追加需要を生むのです。

二〇〇五年発表の新聞記事でポール・ボルカーは忌憚なくこう言いました。「普通の国は外因性の財政制約を気にする必要があるが、自由世界の統率者（リーダー）となると話は別だ。万人がその通貨を求めているわけだからね」[v]。米ドルの「法外な特権」は他国ならば一瞬にして破綻につながるような赤字を管理する道を米国政府当局にひらいたのです。だからこそ、米国発の危機ですらも海外資本を引きつける磁場を生みえたのです。

二　エネルギー価格の上昇

ＯＰＥＣによる石油価格引き上げへの米国の屈服についてはすでに詳述したので、ここでは簡単に要約をしておけば十分でしょう。一九七〇年代初頭の石油輸入量は米国経済が三一・五％、欧州がほぼ一〇〇％、そして日本が一〇〇％でした。エネルギー価格の引き上げは米国に対するドイツと日本の相対的競争力に打撃を与えます。また石油取引は米国多国籍企業とも密接な関わりがあり、石油価格増は収益基盤の拡大、利益の増加、そして国際市場進出能力の強化を意味していました。米国外の生産者はと言うと、米ドルの準備通貨としての地位がボルカーによる政策金利の急騰と相俟（あいま）って、各国保有の石油ドルはニューヨークという磁心へと導引されて株式証券や米国国債へと変身（メタモルフォーゼ）しました。

ショックに応戦するために、日本・ドイツ産業は生産形態を一新させて新たな地平を開拓しました。米国がエネルギー価格引き上げによって奪った利益を一部ではあっても取り返すことができたのは思わぬ収穫でした。例えば、日本とドイツは投資戦略をエネルギー集約型から（電子機器等の）高度技術型の生産活動へと転換。石油製品への依存が不可避な産業部門（自動車産業等）に関しても新世代の高性能小型自動車を開発し、米国産車両と熾烈な競争を展開しました。

不協和音も生んだとはいえ、世界牛魔人の才気には感服するしかありません。エネルギー効率の良い革新的新商品から得た利益を使ってドイツや日本の人々は何をしたのか。そう、ウォール街への投資です。

三　安価かつ生産的な労働

なるほど、アメリカン・ドリームは常に共同幻想の上に成り立ってきたものかもしれません。しかし、一世紀にわたって生活水準が上がり続けてきたことはれっきとした現実です。それが変わり始めたのが一九七〇年代。ブレトン・ウッズ体制崩壊が感化した恐怖心、石油価格の高騰、そしてベトナム戦争敗戦の兆しは社会を二極に引き裂きました。強者がやりたい放題に暴れまわるかたわらで弱者が禁欲的（ストイック）に重荷を背負い続けるという構図が生まれたのです。

エネルギー価格が上昇を続ける中、ガソリンスタンドや工場は天然資源や電力の不足のせいで生産

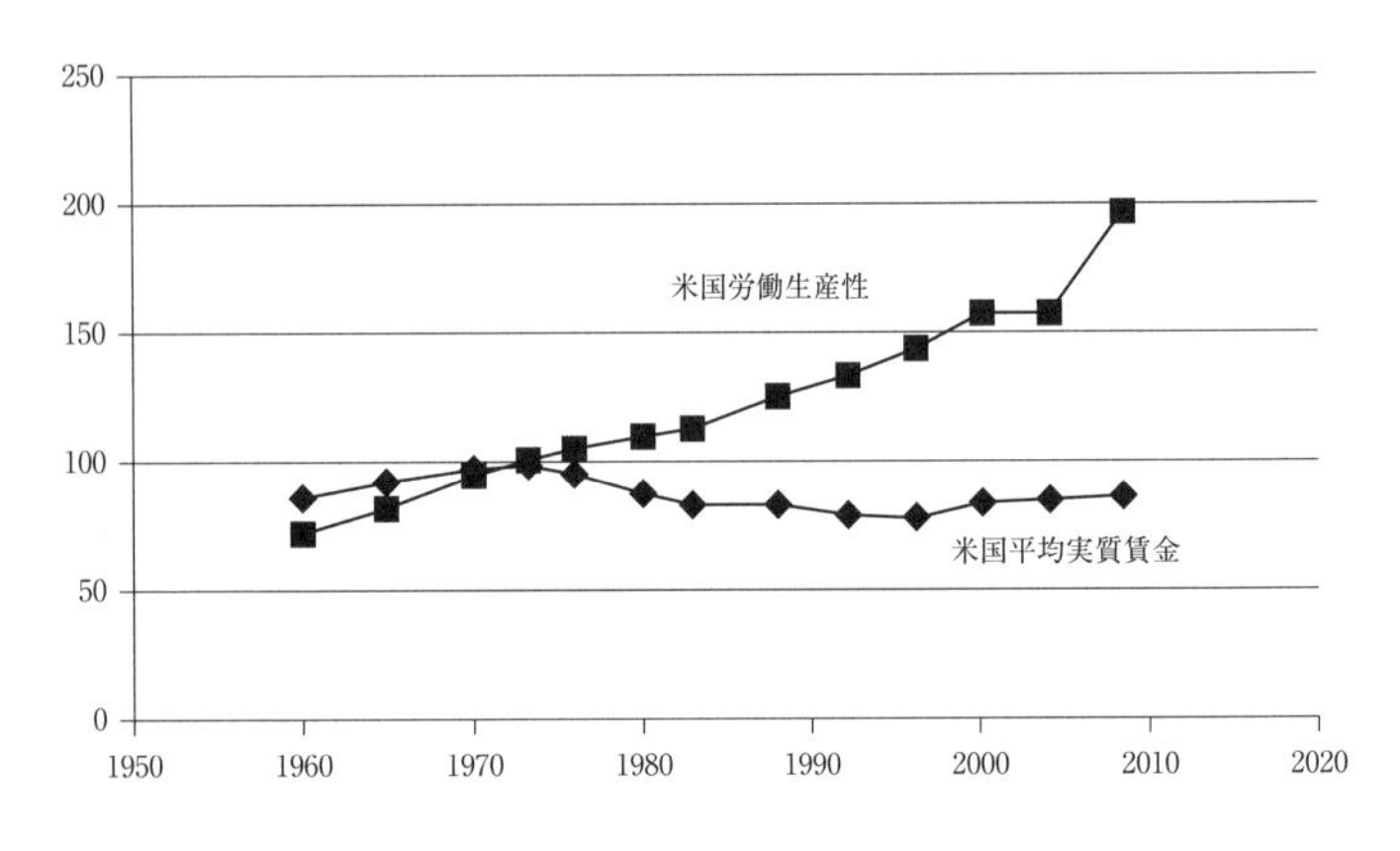

図4.1　賃金の停滞、生産性の急上昇（1973年を基準とする指数）

を中止し、人々は長蛇の列を作ります。約束は全て破られ、社会が再設定される。全般的物価上昇に痺（しび）れを切らした労働組合は組合員のために賃上げを要求し、雇用主側は組合なき労働市場を夢想し始めます。抗争の機が熟したわけです。一触即発の舞台の上で、米国企業側は実質賃金に上限を設けつつも生産性を伸ばす絶好の機会を得ました。図4・1が示すとおり、企業側の努力は功を奏しました。

　グラフを見れば一目瞭然ですが、一九七三年以降の米国には激動が起こっていました。少なくとも一八五〇年代から実質賃金が上がり続け、労働者が子々孫々により良い世界を残す希望を脈々と受け継いできた米国という国で、なんと実質賃金が低迷したのです。現在に至ってもなお、米国労働者は一九七三年の購買力を回復できずにいます。

　実質賃金を尻目に、労働生産性は飛躍的に成長。新たな技術の導入、失業への不安を利用した労働管理の強化、そして利潤をねらって米国へ経営基盤を

	1985年～1990年	1990年～1998年
米国	1.6	0.2
日本	10.8	1.3
西ドイツ	15.9	0.3
英国	11.4	1.8

表4.1　労働単価の平均年変化率（単位：米ドル）

移すドイツ・日本企業等の海外からの直接投資の増加のおかげで、労働生産性曲線はうなぎ登りになりました。単位労働コストで言うと、米国は一九八五年から一九九〇年までの間でほとんど伸びなかったのに対して、米国の競争相手国は一〇％を超える値で急伸。一九九〇年以降もアメリカの労働価格は競争力を保ち続けました。

実質賃金の減少、単位労働コストの停滞、生産性の急上昇の三拍子が揃ったのですから、利益の奔騰（ほんとう）が起きるのも至極当然です。一九七三年以降の一連の出来事も然り。こうして米国企業の国内利益は旭日昇天したわけですが、米国の利益率の飛翔こそ米国外の資本がすすんで世界牛魔人の懐に飛び込んだ理由です。フランクフルト、リヤド、東京、パリ、そしてミラノ等の各地からニューヨークへ未曾有の資本量が怒涛の勢いで流入しました。

四　地政学的権勢

権力は弱者の心を奪います。原子力という名を冠した権

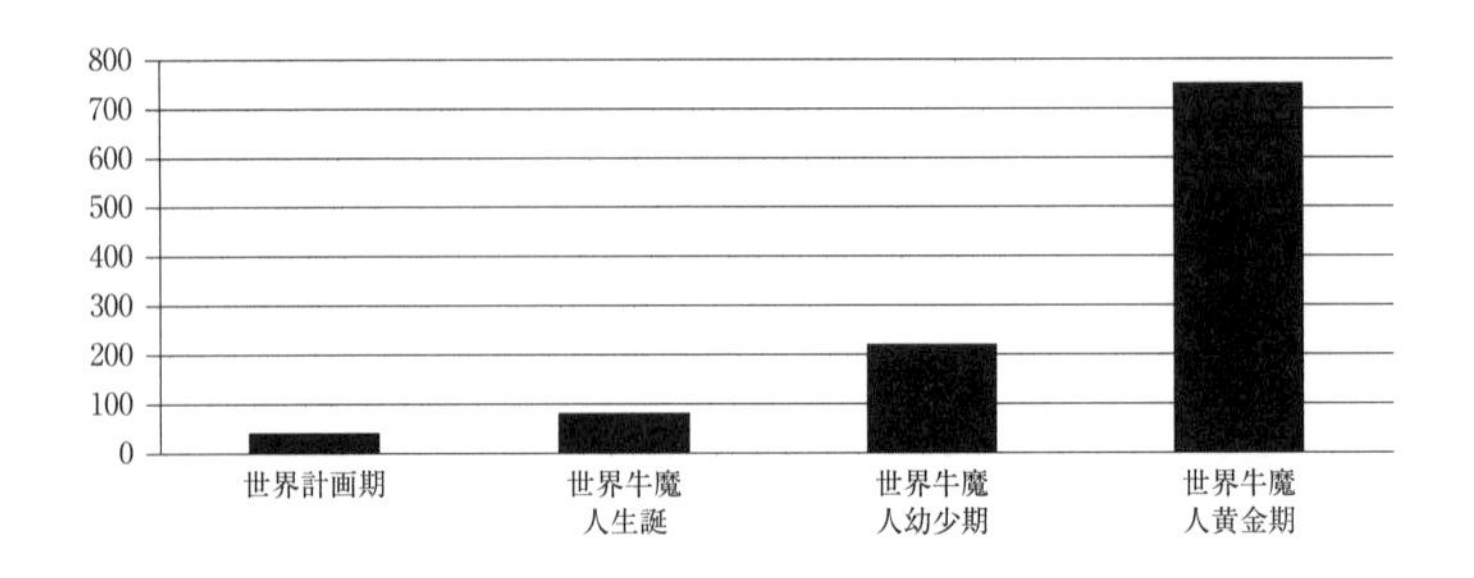

図4.2　米国平均実質利益率の指数（基準年：1973年）

力は特にそうです。世界牛魔人に栄養を補給せんと資本が海を渡って駆けつけてきたわけですが、その仕掛けを理解するには経済に加え地政戦略の面でも米国が西洋の統率をとったのだという事実をおさえておくべきでしょう。もちろん、資本を新世界へいざなうためには、ニューヨーク経由で米国財務省・米国企業・米国金融機関を目指せばより速く成長できるぞという期待を植えつける必要がありました。地政学的・軍事的権勢はこの「利潤への期待」を支える縁の下の力持ちでした。

米国の政策には世界牛魔人の欲を満たす目的で米国の地政学的権勢が組み込まれました。実例は枚挙に暇がありません。一九七四年にヘンリー・キッシンジャーは「国家安全保障課題覚書二〇〇」（NSSM200）を流布。ソビエト連邦からの蚕食（さんしょく）への抵抗という大義名分の下、NSSM200は米国政府及び米国多国籍企業を代表して第三世界の鉱物資源の占有を露骨に宣言します。後年、一九九八年のアフガニスタンに関する議会聴聞会において、巨大石油企業ユノカル国際関係部長のジョン・マレスカは米国による将来的なアフガニスタン侵攻の合理性を主張し、中国の経済発展に飴（あめ）と鞭を用いる必要性を軸に議論を展開します。

マレスカの所見には次の点が示唆されていました。日本や欧州と異なり中国は資本・金融市場を率先して自由化することはないだろう。中国から米国への資本の流れはよどんでいる。これでは中国を拠点とする日中欧米諸企業の利益を世界牛魔人へ速やかに送ることはできないとマレスカは嘆きました。突破口は開けるのでしょうか。中国の躊躇を打ち砕く一番の方法は周辺地域のエネルギー供給源の独占だとマレスカは説きました。

米国の地政学的権勢は牛魔人の生存に必要不可欠でした。増援の恩に報いるかのように、世界牛魔人も時折返礼をしました。米国最大の宿敵――ソビエト連邦及び連邦諸国、一九六〇年代に「生意気」になった第三世界逸脱諸国――の打倒に牛魔人は多大な貢献をしたという議論も十分に成り立つでしょう。最大の勝因は軍事力競争における勝利ではなくむしろ米国の心ある金利政策でした。世界牛魔人の誕生を促したのがポール・ボルカーによる金利大幅引き上げだったわけですから、皮肉なものです。

ポーランドやユーゴスラビアでは西洋の金融機関から巨額の融資を受けた直後に金利が高騰。一九七〇年代の出来事の連鎖を誘発し、後の共産主義の内破を引き起こしたとも言えるでしょう。第三世界諸国でも同様に、西洋諸国の努力も虚しく国家独立運動が権力を掌握します。

一九六〇年代初頭から一九七二年まで西洋諸銀行は世界計画の低金利・強規制体制の制約を乗り越えようと視野を一気に広げ、第三世界諸国、ソビエト連邦諸国（ポーランド、ブルガリア）、そしてモスクワから離れた（又は距離を置いた）共産主義諸国（ユーゴスラビア、ルーマニア）へと巨額の融資を提案しました。融資は急務となっていたインフラ、教育、医療制度、新規産業部門等々の充実を支援。こうして一九七〇年代半ばに差し掛かる頃には第三世界（及び欧州東部）経済圏は金利上昇への耐性を急速に弱めてしまいます。

ボルカーの戦略的「世界経済解体」の一環である金利高騰はワルシャワ、ブカレスト、ベオグラード等の共産主義体制に楔（くさび）を打ち込みました。「資本主義敵国」への自国の深い依存性に気がつくやいなや、共産主義諸国は負債の早期返済に全力を挙げようと労働者階級への酷烈な緊縮政策[vi]を実施。対して大衆は反旗を翻して組織的反乱の準備を始めます。ポーランド自主管理労組「連帯（ソリダルノスチ）」のような運動が陣頭指揮を執った闘争は連鎖反応を引き起こし、共産主義体制を瓦解させました。

第三世界債務危機も同様の成り行きで沸騰。国際通貨基金は西洋諸銀行への返済のためならばと喜んで融資を提案。（学校や診療所を含む）公共部門のほぼ完全解体、新設の国家諸機関の縮小、潤沢な公共資産（水質資源管理委員会、電気通信設備等）の西洋企業への譲渡といった法外な対価を要求します。第三世界債務危機は（植民地化及び奴隷貿易という千辛万苦に続き）植民地史上二番目の大惨事であると言っても過言ではないでしょう。第三世界諸国の多くはいまだに惨事から復興しきれていません。

端的に言って、世界牛魔人の栄達の原動力である金利上昇は世界中の米国外交政策敵国を効果的に一掃しました。それは米国が実行しうる最強の軍事作戦でさえも比肩しえない破壊力を持っていたのです。

世にも不思議な世界黒字再循環装置（ＧＳＲＭ）

ブレトン・ウッズ会議でジョン・メイナード・ケインズは戦後世界経済の安定を保つ最善のＧＳＲＭ

を巡ってハリー・デクスター・ホワイトと衝突しました（第三章参照）。

ケインズは正式な機関という形でのＧＳＲＭを要求。黒字を自動的に再循環させて黒字と赤字を同時に調節しようというわけです。対するホワイトは米国が巨額の黒字を維持しつつその再循環方法を思うがままに決定する力を保有すべきだと頑（かたく）なに主張。周知の通り結果はホワイトに軍配が上がり、世界計画は米国の判断と国益に沿ってＧＳＲＭを運営管理する特権を米国に与えました。

米国が黒字国家としての立場を失うと世界計画も終幕。既述の通り、米国は新たな二重赤字を武器（アドバンテージ）に変えます。覇権国家としての立場を譲り渡すのではなく、赤字を膨らませることで逆に自国の覇権を強化したのです。財政赤字には補填が必要不可欠。諸外国発ニューヨーク行きの資本の津波の生成こそ、戦後第二フェーズの要でした。

米国の二つの赤字は新たな役割を担う上で調和の取れた動きを見せます。米国政府が減税や（レーガン政権の場合のように）ミサイルへの巨額支出をしたとき、財政赤字は当然膨らみます。すると海外資本は喜んで米国短期国債（米国財務省発行の借用証書）を購入し、米国の財政補填へと動員されてゆく。こうして生まれた資本流入は増大する米国貿易赤字を埋め合わせました。並行して二重赤字はニューヨークへも資本を呼び込み、ウォール街の信用（クレジット）拡張能力を拡大しました。

世界金融の聖都市（メッカ）への世界資本の終わりなき巡礼（ハージ）。肥えきった米国の赤字は神話的怪物に化けました。世界牛魔人は米国経済にとって必要不可欠な存在となり、海を越えて地球の果てまで影響力を広げてゆきました。

新世界構築の青写真に書き込まれた世界的非対称性は牛魔人の力学（ダイナミズム）そのものでした。深化、加速、そ

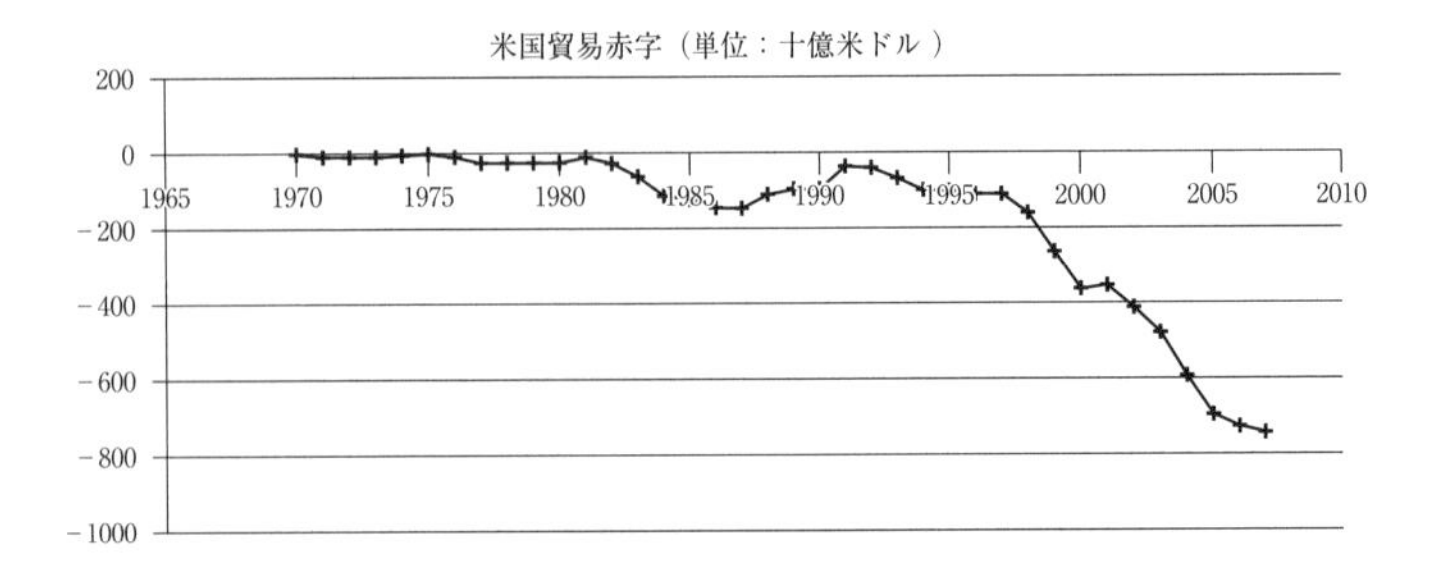

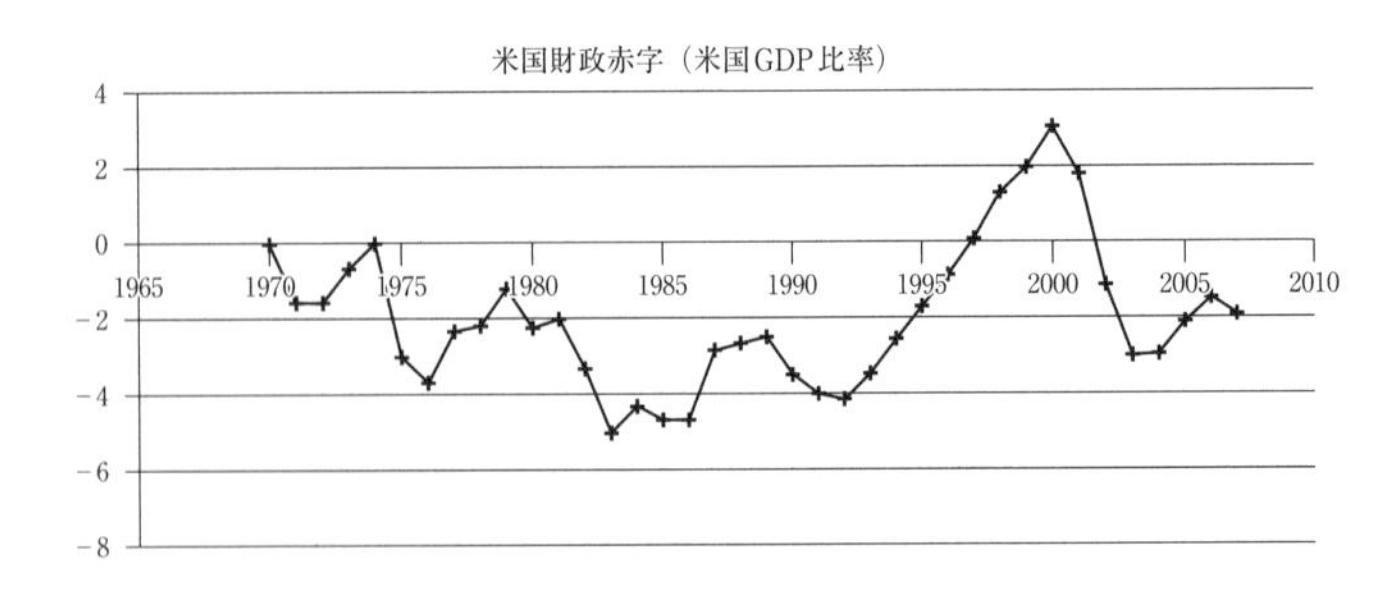

図4.3　2つの図で見る世界牛魔人

して成長を通してしか維持されえない存在であり、際限なき負の介入とでも呼べるものがなければ優位性も保てない。そこで牛魔人の世話役たち（ヘンリー・キッシンジャーやポール・ボルカーのような戦略家）は「不均衡による統治」に賭けました。不安定の誘発による治世、錯乱の惹起による圧倒です。

一連の扇動行為による国際秩序の容蝕を食い止めたのは、世界牛魔人の魔法、GSRMとしての機能でした。世界計画のもとで駆動していた元祖GSRMとは正反対のからくりであり、奇妙奇天烈で全く制御が利かないGSRMでしたが、それでもGSRMであることに変わりはありません。

世界計画版GSRMでは米国が黒字蓄積国家であり、欧州西部や日本に黒字の一部を賢明に再循環させることで米国産輸出品だけでなく「御曹司国」（主にドイツと日本）の製品への需要も生み出しました。世界牛魔人はこれとは一線を画しており、逆転の発想に基づいていました。他国の余剰資本を米国が吸収し、他国産製品を輸入することで資本を再循環させたのです。

結論　世界牛魔人の煌（きら）びやかな勝利

一九二九年金融危機から世界はある教訓を学びました。危機に際しては国家（FRB及び米国財務省）が最後の貸し手として介入するしかありませんが、世界牛魔人の時代には相応の新語が要求されます――米国は最初の出費者となったのです[8]。米国の貿易赤字は一九七〇年代という沼地から世界の産業と貿易を引っ張り出すための牽引自動車の役割を果たしました。財政赤字と銀行部門は資本流入を誘引する磁場として機能し、ウォール街を陽気な波に乗せつつ米国貿易赤字という渇きを潤したのです。二〇〇八年に世界牛魔人が深手を負ったときに世界が再び沼地に沈んだのも不思議ではありません。

己の優位性が担保されているうちは、世界牛魔人も世話役たちの綿密な計画に従って義務を遂行していました。図4・3と図4・4をご覧ください。無防備な世界経済を相手に牛魔人が引き起こした天変地異がありありと見てとれるでしょう。一九七五年以降（第二期クリントン政権という例外を除き）米国二重赤字は勢いをつけ始めています。米国の経済的立場（ポジション）の相対的推移に着目すると、一九七〇年代から一九八〇年代にかけての意図的な「世界経済の解体」は全世界の人々に痛みを与えました。世界

（8）spender of first resort　「最後の貸し手」（lender of last resort）にかけた造語。「spender」とは「お金を使う者」すなわち「出費者」のこと。

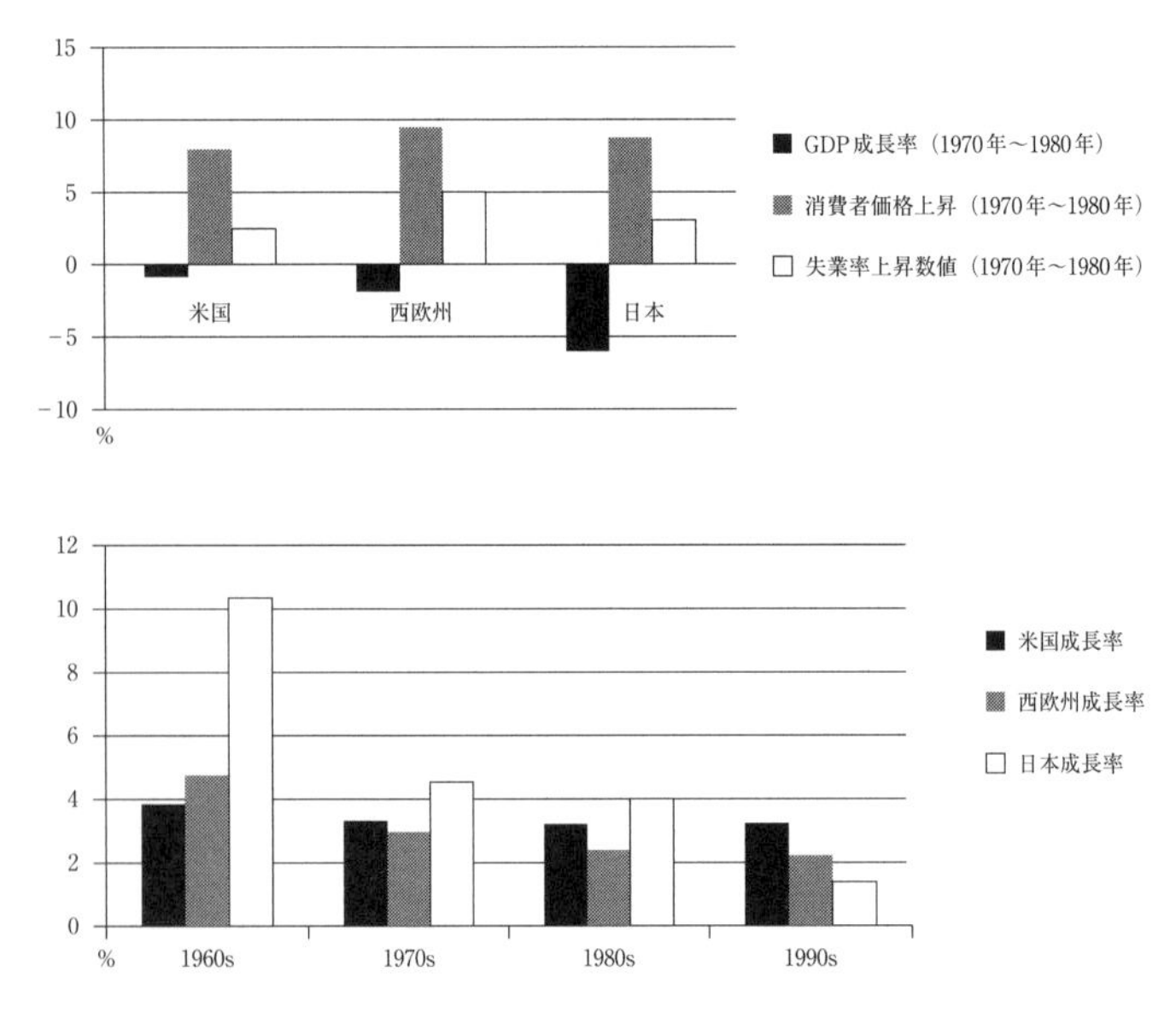

図4.4　米国の国際的実績への世界牛魔人の影響

中でGDPが落ち込みますが、米国よりも欧州や日本でそれが顕著です。米国の覇権の再活性化への序曲。一九六〇年代には「御曹司」たちに取り残された米国の経済成長のペースも、一九七〇年代から一九八〇年代にかけて追い上げを見せました。一九九〇年代の角(コーナー)を曲がる頃には米国が先頭を激走。世界牛魔人の「伝説の魔術」が功を奏したわけです。

第五章　魔獣の侍女たち

牛魔人羨望

二〇〇八年金融崩壊の轟音鳴り止まぬ中、人々はみな米国経済への賛歌を斉唱し始めました。ブリュッセルに集う欧州政策立案者たち、東京に集う日本の為政者たち、イタリアの元共産主義者たち、欧州東部に蘇（よみがえ）る新右派経済学者たち――大洋の向こう岸にたたずむ自由の国へ羨望の眼差しを投げかけ、一刻も早く米国を洪範（こうはん）さながらの手本とすべきだと信じて止まない者たち。

樹林を更地にする勢いで政策提言書が刷られ続け、「新時代」の幕開けが何度も懲りずに宣言される。米国式の無規制労働・金融市場は新たな繁栄の地平開拓を約束し、ハリウッドの最新ヒット映画のごとき鋭気（エイラーン）でパリやモスクワ、アムステルダムやアテネ、横浜や上海を吹き抜けて行きました。

アイルランドだけでなく英国さえも近代の「ダマスカスへの道」の先駆者として担ぎ上げられました。アングロ゠ケルトの虹の麓へ金の壷を探しに行く。ウォルマート店舗からウォール街銀行家倶楽部へ、シティ・オブ・ロンドンからイーストエンドの建築現場へ架かる虹。欧州東部からの出稼ぎ外国人労働者（ガストアルバイター）の一軍がシティの成り上がり従業員小隊のためにアパートを新設する光景。

世界の「言論階級（コメンタリアート）」公認メンバーは波長を合わせて「大いなる安定（グレート・モデレーション）[1]」の現前を信じ込みました。正反対の実態をきちんと認識しようとした人はあまりにも少なかったのです。節制という仮面の裏で世界牛魔人という怪物が世界経済の自然均衡を荒廃させていたにも関わらず、ほとんどの人は魔獣の存在すら指摘できませんでした。

牛魔人羨望と折合いがつけられないまま、エリートたちは身近な怪獣の存在を否認しました。偽装は自己催眠へと転じ、果ては米国流に従いさえすれば（欧州、日本、中国、インド等々）誰でも米国と同じ成功を味わえるという思い込みにまで達しました。世界中の資本主義中心地の全てが同時に巨額の（世界牛魔人の黄金期には営業日当り三〇億～五〇億ドル〈三〇〇〇億円～五〇〇〇億円〉程の）純資本流入を実現できる。資本主義中心地の全てが各々の「小牛魔人（ミニタウロス）」を生み、かつ他国に率先してその飼育をしてもらうよう取り計らうことができる……。人間の希望的観測への脆弱性を示す証拠を競って提示するかのように、頭脳明晰な人々は群れを成して奇異な幻想に浸ったのです。

世界牛魔人は米国経済を空洞化しつつも利益基盤（ボトムライン）を強化してゆきました。熱意をもって牛魔人に奉仕する忠実な侍女たちは大きな助けになりました。忠誠度の高さでは当然ウォール街が一位でしたが、他にも役者は揃っていました。ウォルマートを始めとする諸企業が新しいビジネスモデルという誘い水からお金の大河を呼び込み、政治家や経済学者が制度的・「科学的」建前を提供して諸事業に正統性のみならず啓蒙家の外観すらも与える。そんな侍女たちに本章では照明を当ててみたいと思います。

5・1　侍女たちの正体

侍女一味の首謀者は言わずと知れたウォール街。牛魔人式資本循環に反応して企業買収合併の狂乱に燃え、海外の資金源や国内利益の泉から一気に現金を吸い上げます。金融新商品――大半はヘッジ手段です(2)――の台頭はそれからまもなくのことでした。

ウォール街の外でも州・市町村に第二の侍女が出現しました。米国全土を席捲する企業、ウォルマートです。この新型複合企業は、労働費用の削減や小規模卸売業者の搾取を斬新な方法で行う道を米国企業界に示してみせました。

連邦政府（ワシントン）（及びその他の政治権力中心地）では第三の侍女が登場します。「均霑（トリクルダウン）」に基づくイデオロギーと政治です。貧困層を援助するには超富裕層に新たな巨富を献上するのが一番であるとされたのです。

三番目の侍女は特に醜悪であり、周囲の信頼を勝ち取るためには第四の侍女が必要不可欠でした――有毒な経済理論です。俗に言う「供給側経済学（サプライサイド）」ですが、有名大学の経済学部においては

（1）　Great Moderation　「大平穏期」「市場全体の安定期」と訳されることも。1980年代半ば以降に先進国におけるビジネスサイクルの変動幅が低くなる傾向を指す。2002年にジェームズ・ストックとマーク・ワトソンが作った新語。バルファキスは明らかに皮肉を込めてこの言葉を使っている。

（2）　hedging device　主にヘッジファンド商品を指す言葉だが、厳密には商品に限らず金融リスクをヘッジする手段全般を指す。

森羅万象を統べる「数理化された迷信」として機能しました。実在する資本主義の描写としては全く無意味な経済モデル。それを発想の源泉とした数式のおかげで、ウォール街には二つの選択肢が生まれました。一つ目は金融業界をあらゆる規制から解放せよと主張すること。二つ目は不動産業界に寄生すること。サブプライムローン（二〇〇八年金融崩壊を引き起こした「大量破壊兵器」）に基づく有毒なデリバティブも一流大学が培養した有毒な経済理論があって初めて成立したのです。ちょうど牛魔人誕生の時期と重なる出来事でした。

買収への熱狂（テークオーバー・フィーバー）――ウォール街による形而上学的価値の創造

二〇〇八年金融崩壊以前には――狂乱の二〇〇六年〜二〇〇八年の前でさえ――世界の資本循環の七〇％以上を牛魔人が喰らう年が続きました。資本の出所は「ゼロ年代」初頭までは日本とドイツでしたが、二〇〇三年頃からは中国が最大の貢献者として新参。現金の激流が世界中からウォール街へ押し寄せ、エクイティやローンという形で米国企業・世帯へと流れ込みました。

巨額の資本流入は前章で見た企業利益増加も相俟（あいま）って企業合併買収の大波を生み、ウォール街の番人たちの懐を一層潤しました。一九九〇年代及び二〇〇〇年代に吹き荒れた熱風の名は「統合」――複合企業同士の買収や合併の婉曲表現（ユーフェミズム）です。フォードやゼネラルモーターズによる大宇（テウ）自動車、サーブ、そしてボルボの買収はその氷山の一角にすぎません。資本主義の歴史において合併買収の狂乱が頂点に達した時期は二つあります。エジソンやフォードのような人たちが帝国を築き上げた二〇世紀最初の十年と、二〇〇八年に至るまでの十年です。どちらも一九二九年と二〇〇八年という惨劇に終わったのも偶然ではありません。

一九九九年『大統領経済報告書』の項をめくると次の一説に出くわします。

　一九九七年公表の合併買収総額は一兆ドル（一〇〇兆円）弱であり、一九九八年は一兆六〇〇〇億ドル（一六〇兆円）であった。国内経済比で測った場合、新世紀初頭のトラスト結成の嵐を除けば現在の合併動向に比肩する出来事は他にない。ただし米国全企業の市場価値比で測った場合、一九八〇年代の好景気も相当の規模であったと言えるだろう。

「統合」の大波（一九〇〇年代・一九九〇年代）はウォール街に多大な影響を与えました。諸銀行やその他の金融諸機関への資本循環の量が数倍にも増えたからです。一九九〇年代の大波は特に大きな爆発力を有していました。爆薬となった新現象は二つ。米国への資本逃避（キャピタル・フライト）を牛魔人が煽（あお）り、俗に言う「新経済（ニューエコノミー）」や主に電子商取引への期待に投資家が魅了されたのです。

一九九八年、ドイツを代表する自動車生産者ダイムラー・ベンツは米国へ誘（いざな）われ、米国第三位の自動車製造社クライスラーの買収に成功。クライスラーの売却価格は三六〇億ドル（三兆六〇〇〇億円）。一見すると大きな金額に思えるかもしれませんが、当時ウォール街がくだんの被合併会社の価値を一三〇〇億ドル（一三兆円）と評価していたことを考慮に入れるとむしろ破格の安さと言えます。

牛魔人が焚き付けた資本流入の陶酔感に浮かされて、ウォール街の企業価値評価は成層圏に突入します。インターネットサービス会社ＡＯＬがウォール街による過大評価を追い風に重鎮タイムワーナーを買収したとき、時価総額三五〇〇億ドル（三五兆円）の新企業が誕生しました。ＡＯＬは合併後企業の利益の三〇％しか生み出していなかったにも関わらず新企業の五五％を所有することになりました。評価額は破裂寸前のバブルにすぎず、二〇〇八年金融崩壊の直前に案の定弾けました。二〇〇七年にダイムラー・クライスラーは分離し、ダイムラーはクライスラーを五億ドル（五〇〇億円）という雀の涙で売却。一九九八年の買収価格から三五五億ドル（三兆五五〇〇億円）もの「目減り」（利差損を除く）を甘受したのです。ＡＯＬタイムワーナーの終章も似たようなものでした。二〇〇七年にはウォール街評価額が三五〇〇億ドル（三五兆円）から二九〇億ドル（二兆九〇〇〇億円）にまで下方修正され、関係解消は両社の足元をすくいました。

大西洋を渡海すると、二〇〇八年までは欧州の人々の羨望の的だったあの第二のアングロ・ケルト経済圏でも、シティ・オブ・ロンドンで同じようなゲームが展開されていました。時は一九七六年、牛魔人が赤ちゃん歩きを始めた頃、保有市場資産額（住宅を除く）上位一〇％の世帯は所得全体の五七％を所有していました。二〇〇三年にこの所有率は七一％に上がります。サッチャー政権は「起業文化」「株主民主主義」の導入を自画自賛しましたが、本当にこれを導入できていたのかどうかは疑問が残ります。英国世帯の所得下位五〇％が所有する国内投機資本の量は一九七六年に一二％だったものが二〇〇三年には一％にまで下がりました。対して所得上位一％の投機資本所有量は一九七六年の一八％から二〇〇三年には三四％にまで上がったのです。

5・2　希望的観測——合併買収が架空の価値を生むまで[i]

音楽販売会社二社を想像してみてください。一社目はスタンダード・レコード社。従来型の生産者であり、五〇年以上の実績を誇ります。二社目はｅレコード社。開業一年目の新規参入会社であり、インターネット上で音楽を販売しています。（スタンダード・レコード社は従来の店舗主導の販売戦略を採用）。さらに二社の特徴を浮き彫りにするために、次の統計を用いましょう。

スタンダード・レコード社（創業五〇年）
収益（Ｅ）＝年間七億ドル（七〇〇億円）
成長率＝過去二五年間で毎年一〇％
株式時価総額（Ｋ）＝五〇億ドル（五〇〇〇億円）
Ｋ／Ｅ＝10：1

ｅレコード社（創業一年）
収益（Ｅ）＝前年二億ドル（二〇〇億円）
次年度電子売上期待額＝市場推計総額一兆ドルの一〇％＝一〇〇〇億ドル（一〇兆円）
株式時価総額（Ｋ）＝一〇〇億ドル（一兆円）
Ｋ／Ｅ＝50：1

賢明な人ならばスタンダード・レコード社を安全な投資先として選択するでしょう。この選択はしかしeレコード社の順風満帆な未来が読めていない後進的で時代遅れな考え方であると一蹴されるのが常でした。ウォール街の思考法はこうです。eレコード社が株式時価総額Kの優位性を生かしてスタンダード・レコード社を買収したとします。合併後の企業価値はどうなるでしょうか。二社の株式時価総額を一〇〇億ドル＋五〇億ドル＝一五〇億ドル（一兆五〇〇〇億円）という具合に単純に足し合わせればよいのでしょうか。それではあまりにもおとなしすぎます。そこでウォール街は頓智を利かせました。二社の収益を七億ドル＋二億ドル＝九億ドル（九〇〇億円）という風に足し合わせ、そこへeレコード社のK対E比率を掛けたのです。ちょっとした演算のおかげで五〇：一×九億ドル＝四五〇億ドル（四兆五〇〇〇億円）という派手な数値が得られます。

こうして合併後の新企業は合併前の二社の株式時価総額の和よりも三〇〇億ドル（三兆円）高い価値を獲得しました。三〇〇％の急成長。言うまでもなく、合併処理を請け負ったウォール街諸機関の懐に入った費用や報酬もまた同じような奇跡的数値に達したのです。

米国が世界各国からの資本流入に慣れる中で生み出した「金融化の精神」。シティ・オブ・ロンドンもウォール街への癒着を強める中で自然とこの精神を規範とするようになります。牛魔人の時代における「経済力の論理」の変化を示す好例を二つ挙げてみたいと思います――デベナムズとロイヤルバンク・オブ・スコットランド（ＲＢＳ）です。小売・デパートチェーンのデベナムズは二〇〇三年に投資家たちが買収。新経営陣は同社の固定資産の大半を売却して一〇億ドル（一〇〇〇億円）を颯爽と懐に入れた後、期待高まる時期を見計らって会社自体を元の購入価格とほぼ同額で再売却したのです。購入者である機関ファンドは巨額の損失を抱えることになりました。

さらに劇的な例をお見せしましょう。二〇〇七年一〇月、RBSはABNアムロを七〇〇億ドル（七兆円）以上で落札。翌年四月にはRBSの投機の無理が表出し、ABNアムロ買収という失策の後始末をするために資金繰りが開始されました。二〇〇八年七月には合併会社内のABNアムロ関連事業がオランダ、ベルギー、そしてルクセンブルグ政府によって国有化されます。同年一〇月、英国政府はRBS救済を決断。英国納税者は五〇〇億ポンド（九兆円）という埋め合わせ費用を雄々しく引き受けたのです。

まとめましょう。世界牛魔人を震源とする資本循環は合併買収から生じたウォール街への利益（及びシティ・オブ・ロンドンへの「浸透作用（オスモーシス）」）を金融界の成層圏にまで飛翔させました。恒久的好循環（という誤解）をみなが信じる中、資本循環は米国二重赤字という胃袋を満たして世界牛魔人を強化してゆきます。世界牛魔人と相互強化の関係に突入したのは合併買収による循環だけではありません。同じ力学に従った資本の潮流（キャピタル・ストリーム）はもう二種類存在します。ウォルマートの搾取モデルを利用して得られた企業利益と、アメリカン・ドリームへの一縷の望みにかけて借金をする「普通のアメリカ人」の負債です。

ヘッジとレバレッジ

世界牛魔人が世界経済を意図的に解体する（一九七八年頃のポール・ボルカーの高言を拝借）前までは、デリバティブは非情で不安定な世界に生きる真面目な農家にいくばくかの安心を与える和やかな「小動物」でした。シカゴ・マーカンタイル取引所[3]（元シカゴ・バター・卵取引所）のおかげで、来年の収穫物を固定価格で今日売る機会がやっと農家に与えられ、長年の苦悩が和らぎ、それなりの計画性が担保されるようになりました。

陳腐な道具も大きさや鋭さが増すにつれて危険になるものです。デリバティブは世界牛魔人の最悪の侍女へと変身してゆきます。第一弾はヘッジ。例えば、一〇〇万ドル（一億円）相当の資産（肖像画、住宅、株式等）の購入を考えてみましょう。将来資産価格への期待がどれほど強く（ブリッシュ）[4]ても、価格低下への不安は拭いきれないものです。そこで慎重を期して保険をかけておくのが筋となります。例えば、一定期間内であればいつでも資産を八〇万ドル（八〇〇〇万円）で売却できるという「脱出」オプションの購入です。保険のご多分に洩れず、災害が起きなかったときには（すなわち資産価格が八〇万ドル以下に下がらなかった場合には）保険金は無駄な出費となってしまいます。対して、株価が四〇％下がるようなことがあった場合、損失額の半分が補償されるわけです。

ヘッジ自体は長い歴史を持ちますが、全く新しい役割をヘッジに与え、二〇〇八年以降に汚名を着せたのは世界牛魔人です。ウォール街への資本循環が成金住人に宇宙の支配者のような高揚感を与えていた頃、ヘッジとは正反対の目的をもつオプションの使用が流行。つまり、株式売却オプション（購入株式の将来的値下げへの準備）ではなくより多くの株式購入オプションを買うのが賢い選択となります。一〇〇万ドル（一億円）相当の株式購入に加え（現在価格で）一〇〇万ドル相当の追加株式購入をするオプションを一〇万ドル（一〇〇〇万円）で買ったわけです。例えば株価が四〇％上がった場合、一〇〇万ドルの株式から四〇万ドル（四〇〇〇万円）の収益が得られる上に、一〇万ドルのオプションからさらに四〇万ドルの追加利益が入ります。計七〇万ドル（七〇〇〇万円）の純利です。

筋金入りの楽観主義者たちはここで画期的な思案に耽ります。オプションのみを買ったらどうか。そもそも株式を買う必要はあるのか。手持ちの一一〇万ドル（一億一〇〇〇万円）を（株式一〇〇万ドルとオプション一〇万ドルの代わりに）株式購入オプションのみに費やせば、株価が四〇％上がった暁には四四〇万ドル（四億四〇〇〇万円）という空前絶後の利益が入るのですから。巨大な賭けをするために借金をして、賭けのリスクを飛躍的に高めていく――レバレッジです。悲しいかな、「賢明」の一語は一九八〇年以降「臆病」と同義に扱われるようになってしまいました。牛魔人が呼び込んだ資本の潮流はウォール街全体の海面上昇を確定させ、警鐘を鳴らす島々を一つ残らず海に沈めてしまったのです。

「精通者」がこぞって買い漁る新型金融「商品」や「革新」はまさに絵に描いた餅でした。「革新的」新技術の多くは詰まるところレバレッジ産出方法にすぎず、ただの負債を大げさに呼び変えただけな

（3） Chicago Commodities Exchange　原文の「Commodities」はおそらく「Mercantile」の誤り。
（4） bullish　金融では将来価格への期待度の「強気」を「牛的＝ブリッシュ」、「弱気」を「熊的＝ベアイッシュ」と表現する。本書では「世界牛魔人」の比喩とも重なって、この慣用句にも新たな味わいがある。

のです。これについての至言はまたしてもポール・ボルカーから出ます。二〇〇八年金融崩壊以降、ウォール街の大御所たちは被害抑制モード（ダメージコントロール）に頭を切り替え、金融機関への規制強化を呼びかける大衆の声の勢いをなんとか食い止めようとします。過剰な規制は「金融革新」をもみ消してしまう、そうなれば経済は成長できずに沈没してしまうぞというういかにも紋切型な主張を試みたのです。デフレが起きるから法律を執行するなという叫びはマフィアさながらです。

二〇〇九年一二月の寒夜、豪華なニューヨーク会議場でのこと。ウォール街大手諸機関の代表者たちはポール・ボルカーの話を聞きに一同に会していました。ボルカーがオバマ大統領から銀行規制新制度の計画を任されていたということもあり、会議は満員御礼。ボルカーは早速切れ味鋭い言葉の手裏剣を飛ばします。「金融革新が経済成長に貢献したということを示す客観的証拠を一つでも提示できる者はいるか。一つでよい、提示してみせよ」。するとある銀行家は、米国金融部門の付加価値率は二%から六・五%に上がったぞと迂闊（うかつ）にも声をあげました。ボルカーは間髪いれずに鋭い質問で切り返します。「その数字が示しているのは金融革新の成果などではなく君の給料だろう」。さらにボルカーはとどめの一撃とばかりにこう畳み掛けました。「長年の仕事を振り返ってみても、金融革新と呼べる出来事はATMの発明くらいしか思いつかないね」。

購入・ヘッジ・レバレッジの各オプションの組み合わせはあまりにもリスクが高く、仮にそれが新薬であったならアメリカ食品医薬品局から承認を得るのは絶対に無理だったでしょう。今では常識となっている見解です。対して（主にロンドン経由で）米国への資本の持続的流入を保証する世界牛魔人がいなければ、一連の動向も――ウォール街においてさえも――制度的慣習にまでは発展しなかったはずです。この事実はいまだにあまり理解されていません。

ウォルマート効果――「安売りのイデオロギー」[5]がひらく過剰の時代への航路

世界屈指の大手複合企業、ウォルマート。三三五〇億ドル（三三兆五〇〇〇億円）を上回る年間売上高を誇り、石油界の帝王エクソンモービルを除いて他に右に出るものはいない存在です。ウォルマートは資本蓄積の新段階（ニューフェーズ）、世界牛魔人の論理の成熟を象徴していました。

初期の複合企業は一九〇〇年代に驚異の発明や技術革新の波に乗って発達しました。対してウォルマート式の企業は技術革新などには見向きもせず、生産者の価格を切り詰めたり商品の生産・流通の全過程で労働者から報酬を吸い上げたりするといった「革新」の嵐によって帝国を築きます。ウォルマートの重要性を理解するための軸は単純です。世界牛魔人の時代において、ウォルマートは生活水準の飽くなき向上というアメリカン・ドリームに幻滅した米国労働者階級の苛（いら）立ちや低価格の必要性を商売の原動力にしたのです。

ブランド構築に専念する企業（コカ・コーラ、マールボロ等）や発明を使って新部門を開拓する企業（エジソンの電球、マイクロソフトのWindows、ソニーのウォークマン、アップルのiPod・iPhone・iTunes三点セット）とは異なり、ウォルマートはまったく新しい構想を展開しました。金銭的困難を抱える米国労働者階級や下流中産階級の心に響く「安売りのイデオロギー」をブランド化したのです。

（5） ideology of cheapness　買い物という日常的行為に引き寄せるために「安売り」という言葉を採用した。「安さのイデオロギー」「安価のイデオロギー」といった辞書的直訳もありえる。

ピクルスの有名ブランドVlasic[6]を例に挙げてみましょう。このピクルスを一ガロン（三・八リットル）二ドル九七セント（二九七円）で販売したことがウォルマートの「革新」なのです。市場の需要を察知した巧妙な小売戦略……ではありません。ピクルスを四リットル単位で買いたいなどと思う人はいないでしょう。これが保管できる大きさの冷蔵庫を持った家族もほとんどいなかったはずです。では何がセールスポイントだったのか。激安大量購入という観念です。ウォルマートの顧客はピクルスそのものではなく「安売り」という象徴的価値を買った＝支持した[7]のです。自分はウォルマートと共闘しているのだという連帯感や、米国企業勢力の象徴と手を組んで生産者側になるべく多くのものをなるべく安く提供させる爽快感を顧客は味わったのです。

冷蔵庫に眠る巨大な瓶一杯のピクルスは、完全敗北（ホールセール）の時代[8]におけるささやかな勝利でした。負けたのはもちろん普通の米国人労働者です。前章で見たように、一九七三年以降実質賃金は右肩下がりを続けました。また全国の雇用者がウォルマート式の経営へ舵を切るにつれて労働条件も悪化の一途を辿（たど）りました。

ことわっておきますが、ウォルマートが従業員をこき使っているなどと言いたいのではありません。そもそも従業員がいないのですから。ウォルマートの用語に従うと、労働者たちは「仲間（アソシエイト）」なのです。これはつまり、生活費を稼ぐ血の通った人間として従業員を尊重する責任を企業側が負わないことを意味します。オーウェル的な言葉遊びを用いて労働組合活動を全面禁止しているわけです。これではおぞましい嫌疑が頻出するのも当然です[ii]。ウォルマートの「仲間たち」の大半は時給一〇ドル（一〇〇〇円）以下で働いているという嫌疑。サービス残業が日常化しているという嫌疑。施錠された倉庫での深夜労働が横行しているという嫌疑。疑惑の数々は四二州での六三件以上の裁判へと発展しています。企業側は一連の裁判を三億五二〇〇万ドル（三五二億円）で和解に持ち込む道を選びました。大金ですが、「節約できた」人件費に比べれば微々たる金額です。[iii]

第三世界の工房や農場ではウォルマートのために商品が栽培・生産されています。その環境の劣悪さたるやお察しの通りほぼ犯罪的です。ウォルマートや世界牛魔人が強行した世界化戦略を擁護する人たちは、ここ二〇年間における国際経済の持続的急成長を指摘します。この傾向はこれからも続くだろうし、それは貧困層にとってありがたい傾向に決まっているではないかと言うわけです。しかしこのような議論はウォルマート式の慣習が富の分配という点で貧困層に及ぼす影響を見落としています。

国際連合をはじめさまざまな出典から世界貧困に関する文献をまとめた二〇〇六年報告書によると、一九八〇年頃には世界経済成長一〇〇ドル（一万円）当たり二ドル二〇セント（二二〇円）が下位二〇％に行き渡っていました。[iv]二〇〇一年までの二一年間で、貧困国でのウォルマート式多国籍企業関連の生産高及び雇用は大きく伸びました。「仕事を与え、雇用を急成長させたではないか」という擁護論者の主張の論拠にもそれなりの正当性があることは認めますが、同期間で下位二〇％に行き渡ったの

（6）　米国における20世紀のピクルスブランドの最大手。二〇〇一年にハインツ社に買収された。
（7）　buy into　ピクルスを「買う」行為と安売りという象徴的価値を「支持する」行為を同一化する絶妙な語呂合わせ。日本語では対応する語組がないので、ここはイコールサインで妥協した。
（8）　time of wholesale defeat　無意識的かもしれないが「wholesale」が「卸売」と「完全」で掛け合わされていて味わい深い。労働者の「完全敗北」がウォルマートに対する卸売業者の敗北と重なり合う。

は世界経済成長一〇〇ドル（一万円）当たりたった六〇セント（六〇円）だったということもまた事実なのです。生活必需品の不公正な値上がりや、国際通貨基金の「構造調整プログラム」（一九八〇年代第三世界債務危機への対応）が招いた公共サービス削減といった要素も考慮に入れると、貧困に苦しむ仲間たちが喜びの宴を催す理由などないことが分かるでしょう。

二〇〇五年発表のロバート・グリーンウォルド監督の強烈なドキュメンタリー『ウォルマート――値下げの重い代償』[9]では、中国の玩具工場で働く女性がこう問いかけます。「あなたの買う玩具はなぜこんなに安いのかお分かりですか」。女性は息もつかせぬ勢いでこう答えます。「私たちが日夜休まずひたすら働いているからですよ」。

5・3　牛魔人に恋したウォルマート

ウォルマート式の（スターバックス等多くの企業も採用した）「ビジネスモデル」は当然ながらインフレ抑制装置として作用しました。世界牛魔人の剛健維持に欠かせない薬です。米国への海外資本流入が成立するためには、他の資本主義中心地に比べ米国のインフレ率が低く保たれる必要がありました。ウォルマートは目の前の現実に対応しただけなのだという擁護論も考えられます。牛魔人が力をつけていくにつれて米国労働者は購買力低下を骨身に沁みて実感した。この現実を受けてウォルマートは支払い能力低下を加味した価格で必需品を提供した。貧困の断崖絶壁に立たされた米国家庭に助け舟を渡しただけではないかいう論調です。

事実を掘り下げてみれば分かりますが、こうした問いへの答えは否です。実際の影響はこれの正反対でした。ウォルマートが拡大した地域ではほぼ必ず貧困率が上昇したのです。一九九〇年代という期間を例に挙げてみましょう。他人のお金や資本を米国に呼び込む牛魔人の天賦の才が急成長期をもたらし、貧困率は下降を始めます。（後にジョージ・W・ブッシュ政権下で二〇〇一年以降再び上がることになるのですが）。貧困率減少の十年では意外な現象が見られました。ウォルマートが店舗を構えた市町村では貧困率が一定を保っただけでなく、むしろ上昇すらした地域も多々あったのです。全国的な傾向にあくまで逆らうこの天邪鬼（あまのじゃく）には脱帽するしかありません。

まとめましょう。ウォルマートが象徴したのは企業寡占資本主義だけではありません。世界牛魔人の新風を受けて育った新形態企業を代表してもいました。ウォルマート式搾取型ビジネスモデルは「安売り」を物象化し、物価下降と米国労働者階級の購買力低下の相互作用（フィードバック）から利益を吸い上げました。米国の小町や地域に第三世界を輸入し[10]つつ雇用を（外部委託を通じて）第三世界に輸出し、「人材在庫（ヒューマン・ストック）」や自然環境を片端から枯渇させてゆきました。最先端の科学技術を駆使する米国企業（アップル等）も含

（9）*Wal-Mart: The High Cost of Low Price*　邦題は『ウォルマート――世界最大のスーパー、その闇』だが、原題の副題がもつウィットが消えているだけでなく、「値下げの重い代償」という本書と響きあうテーマが伝わらなくなってしまうので、ここではあえて原題に忠実な訳を選んだ。

（10）imported the Third World into American towns and regions　やや意味がとりにくい言い回しだが、おそらく「第三世界のような風景や体制をアメリカの地域社会に実現させた」という意味だろう。「第三世界からの資源や製品」という含意もありえる。

め、ウォルマートモデルの影響力の偏在は疑いようがありません。世界牛魔人とウォルマートが同時に頭角を現したのも決して偶然ではありません。

腐敗した住宅と有毒な現金――ウォール街が自前の民間通貨(11)を発行する

賃金の低迷。あからさまな不当利得行為。「勝ち組人生」の新型機器・装置を連射する販売作戦。この文脈で諸銀行はあるアイデアに到達します――資本循環の拡大(海外からの資本流入と国内利益の蓄積という二刀流)を活用するために、中産階級や労働者階級の世帯へ住宅ローンや個人ローンないしクレジットカードという形で融資を行うこと。

一昔前までは、下位所得層は将来的賃金上昇が期待できない限り信用契約(12)には手出しをしないのが定跡でした。それではしかし世界牛魔人時代の信用拡大は成り立ちません。普通の米国労働者が米国の成長率の急上昇という勇姿を謳う報告の声を絶えず聞かされる中、数値が喚起する期待感は身辺の現実によって容赦なく打ち砕かれてゆく。そのような中で、所得が上がり生活水準が高まる「あの」世界との唯一のつながりは住宅所有でした。住宅価格上昇の持続が約束されているかのように感じられた時代には、煉瓦とモルタルでできた固定資産こそ富のエスカレーター乗り場への唯一の順路となったのです。

数百万人もの米国国民が我が家を買おうと借金をし、すぐさま自家を担保に借金を重ねて他の商品(主に輸入品)を買い漁る。民間負債の上昇率は企業利益率をもしのぐ勢いをみせます。それは米国全土に留まらず、牛魔人に便乗した(往々にしてアングロ・ケルト色の強い)諸外国でも顕著な傾向でした。

米国における無担保債務量の上昇は驚異的でした。一九七〇年代の個人負債・クレジットカード負債の伸び率は一九六〇年代比で二三八%。一九八〇年代には一九七〇年代比で三一八%。一九九〇年代にも負債は（一九八〇年代比で）伸びを続けますが、伸び率は（一九九一年不況のおかげで）「たった」一八〇%でした。二〇〇八年金融崩壊までの八年間でも（すでに負債漬けの一九九〇年代比で）一六三%の上昇が見られたのです。

世界牛魔人の権勢を万人に実感させたのは住宅価格への影響でしょう。米国率いるアングロ・ケルト諸国は史上最大の住宅価格インフレーションを経験します。海外資本流入、米国国内利益、そして銀行融資の円滑化という風を受けて住宅価格は息もつかせぬ速度で上昇しました。二〇〇二年から二〇〇七年の間での住宅価格中央値の伸び率は英国で六五%、アイルランドで四四%、そして米国・カナダ・オーストラリアではそれぞれ三〇%から四〇%でした。

大衆文化と金融「言論階級（コメンタリアート）」の住宅価格上昇の扱いに注目してみると、興味深い二律背反（アンチノミー）が浮き彫りになります。インフレーションが文明社会の宿敵・厄災（スカージ）として忌避される一方、住宅価格上昇には

(11)　private money　バルファキスは「民間団体や法人が発行・管理する通貨」という意味でこの語を使っている。「民間による通貨の発行・管理とは一体何なのか」という問いに関しては特に立場をとっていない。そのため、訳文でも原文の曖昧さを尊重してあえて曖昧な「民間通貨」という訳語を選択した。なお「public money」即ち「公共通貨」との対比にもバルファキスはこだわっている。第七章「公共通貨」への脚注も参照されたい。

(12)　credit facilities　「クレジット・ファシリティ」「信用供与契約」という訳語もあるが、本節の文脈から察するに広義の信用商品一般を指していると思われるためより簡素な訳語を選択した。

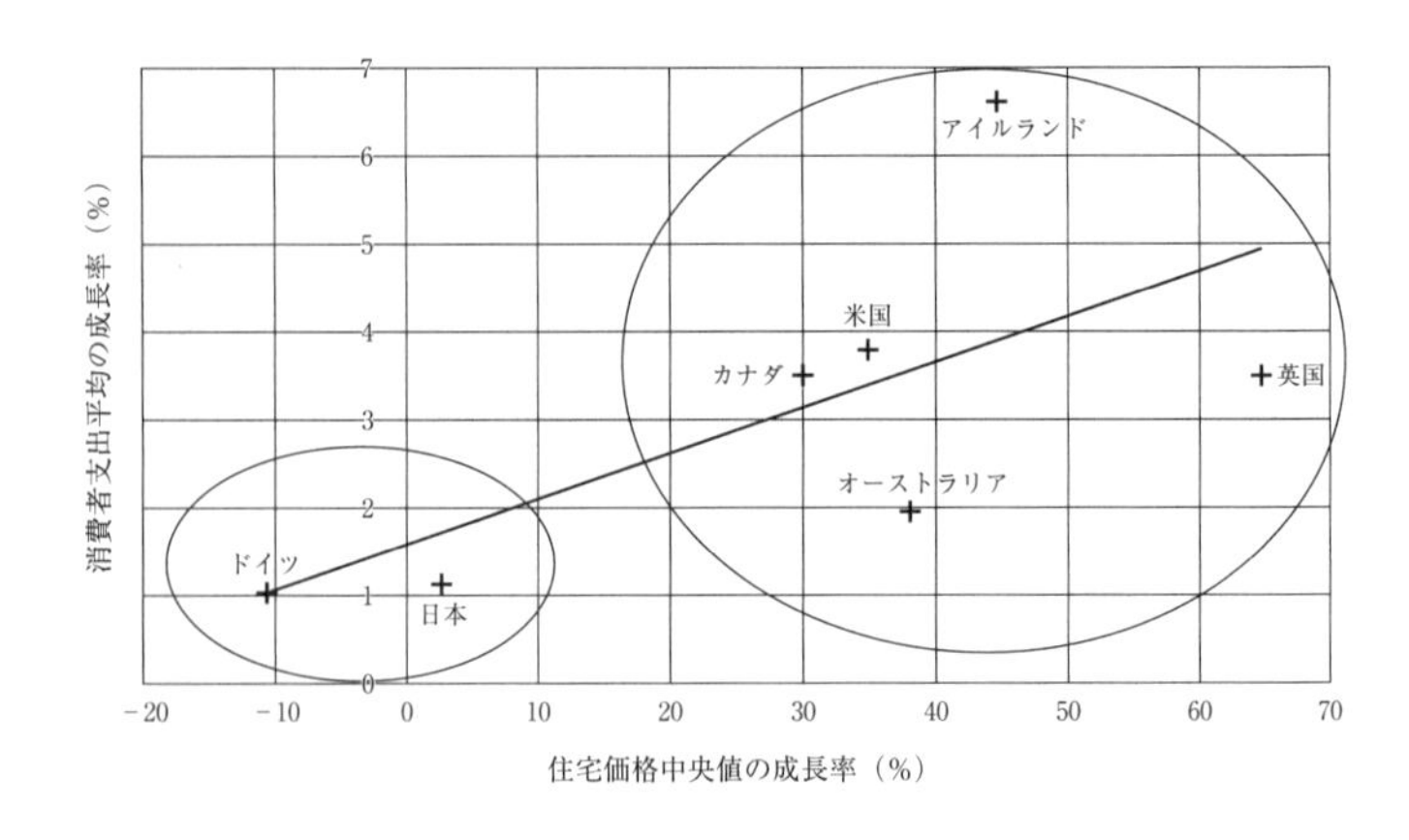

図5.1　住宅価格中央値インフレと消費者支出成長の相関
（2002年〜2007年）

満場一致の拍手が上がる。不動産仲介業者から持ち家の価値が上がったと聞くと、たとえそれが架空の通貨（モノポリーマネー）にすぎないということを自覚していてもなお住宅所有主は喜んでしまうものです。家を売って国外へ（又はより小さな家や「柄の悪い」地域へ）引っ越さない限り、「価値」が「実現」されることはないのですから。とはいえ資産の名目価格上昇は住宅所有主を浮き足立たせて消費への借金を促すものです。これこそ英国、オーストラリア、アイルランド等の空前絶後の成長を支えた現象です。

図5・1をご覧ください。住宅価格インフレーション率と消費の伸びの相関性が見て取れるでしょう。住宅価格が高騰したアングロ・ケルト諸国では消費もまた急速に成長。かたや米国のかつての御曹司ドイツ及び日本は自国の工業生産活動からアングロ・ケルト圏の赤字を補填していました。アングロ・ケルト諸国が製品を吸収していくかたわらで、ドイツ・日本の住宅価格は（少なくともドイツでは確実に）

上昇ではなくむしろ下落したのです。

住宅バブルと消費主導型経済成長の相関性は悪名高き新商品によって補強されます。証券化デリバティブ、別名債務担保証券――そう、またしてもCDOの登場です。では、住宅負債と消費主導型経済成長を結びつけたものは何だったのでしょうか。答えを出すにあたって、まずは自明の真実から出発しましょう。伝統的な銀行業の原理では、銀行は借り手がお金を必要としていない場合にのみ融資をすべきであるとされてきました。しかしこれは選択の幅が広い人々（すなわち富裕層）に比べ高い金利を甘受する貧しい人々へ融資をしたくなる衝動と噛み合わない原理です。そこで颯爽と登場としたのがCDOです。

CDOのおかげで諸銀行は一文無しの顧客相手にさえ債務不履行の心配をせずに高い金利で融資ができるようになりました。貧困層を貧困から、雇用不安定層を失業から、支払い不能者を破産から守る魔法の方程式が編み出されたからでしょうか。もちろんそうではなく、CDOは単に組成と分配を[13]可能にしただけです。つまり、融資を完了させた矢先にすぐさまローン自体を売却できるようになったわけです。

ローンの異種交配こそCDOの基幹です。安全なローン（裕福な弁護士が別荘購入のために利用するローン等）、リスク付ローン（優良企業による借金等）、低品質＝サブプライムローン（初めの低金利期間が終了した途端に返済不能に陥ることがほぼ確定の家族が組む住宅ローン等）などがこねあげられて小分けに

（13）　originate and spread　「originate and distribute」の誤りか。サブプライム会計においては従来の「簿価記帳・満期保有モデル」から「組成・分配モデル」への移行が行われた。

され、ＣＤＯごとに各種ローンの断面（分割返済片）が独自の金利や債務不履行リスクと共に混ぜこぜにされたのです。

　ＣＤＯ所有者の満期償還額の計算式はあまりにも複雑であったため、ＣＤＯ発明者ですら解くことができませんでした。それでも天才数学者の創造力を仄めかせ、ウォール街も畏敬する信用格付機関が（トリプルＡ格付けという形で）お墨付きを与えれば、諸銀行や個人投資家、ヘッジファンドにＣＤＯを高格付債や現金のように国際市場で売買させることもできました。

　もうお察しでしょう。そう、これこそサブプライムローンの悲話なのです。牛魔人が呼び寄せる海外資本と国内企業利益の津波に満足しきれないウォール街は、貧困層からも利益を吸い取ろうと無理なローンを売りつけました。二〇〇五年には米国国内ローンの二二％以上がサブプライムであり、二〇〇七年にはこの数値が二六％へとさらに上昇します。ローンはすべて融資契約書のインクが乾ききらぬうちに速やかにＣＤＯへと混ぜ込まれました。

　量だけで言えば二〇〇五年から二〇〇七年の間だけで一兆一〇〇〇億ドル（一一〇兆円）相当のＣＤＯが米国投資諸銀行から発行されました。価値で見た場合二〇〇八年の時点で債務担保証券の総額は七兆ドル弱（七〇〇兆円）であり、そのうち少なくとも一兆三〇〇〇億ドル（一三〇兆円）はサブプライムローンに基づいていました。七兆という数字の意味がお分かりでしょうか。米国負債総額という巨額をもしのぐ数値なのです。迫り来る兇変を正確に把握するには、巨額同士を世界所得も含め比較検討する必要があります。二〇〇三年には世界所得一ドル（一〇〇円）当り一ドル八〇セント（一八〇円）のデリバティブが流通していました。四年後の二〇〇七年には比率が六四〇％も上がり、世界所得一ドル（一〇〇円）当たり一二ドル（一二〇〇円）弱ものデリバティブがあふれかえります。金融界はもはや地球にはおさまらないほど肥大してしまったわけです。

　金の生（な）る木が繁茂したかにみえる英雄譚的（ヒロイック）な時代の到来です。伝統的企業――具体的なものを作っていた企業――は時代遅れのものとして蔑まれます。鉄鋼会社や自動車会社だけでなく電子機器会社ですらもウォール街の華々しい利益率には到底追いつけず、こぞって金融会社の模倣に舵を切りました。ゼネラルモーターズのような生真面目な企業でさえデリバティブ祭りに参加する気になった理由はこれです。傘下の金融子会社は元々製品（自動車の賃貸・購入）代金の一括支払いができない顧客のためにローンを代行する役目をもっていました。初めはデリバティブ湖の水に爪先をつける程度でしたが、緑背紙幣（グリーンバック）のせせらぎの心地よい感触に誘（いざな）われ、気がつけば子会社が社内随一の利益を誇るという事態が生じる。こうして親会社も物品の製造ではなく金融サービス部門に収益を頼るようになります。

　世界経済がCDOを始めとする幾多の金融商品に依存してしまうのも時間の問題でした。ほどなくして金融商品は「価値の蓄蔵」に加え「交換の媒介」の機能を纏（まと）います。民間通貨となったわけです。クリントン政権が（米国財務長官ローレンス・サマーズの鶴の一声で）ウォール街を規制から解き放ち、世界経済に民間通貨があふれかえる。際限なき通貨供給のおかげで世界的低金利が持続され、資産バブルが（マイアミからネバダ、アイルランドからスペインまで）肥大し、慢性的赤字を抱える国家（ギリシア等）も安価なOTCローンで予算を埋め合わせるようになります。

　皮肉なものです。金融保守主義イデオロギー一色の世界で通貨発行の罪深さを説く法話が響く中、自前の通貨で市場を氾濫させようと猪突猛進する「私掠（しりゃく）船団[14]」に通貨発行権が事実上明け渡されたのです。正直に言うと、連邦準備制度の印刷機をマフィアに献上したも同然です。

保守派経済理論の定説によると、好景気時には特に、経済圏への通貨の過剰注入は生産者に製造対象の決定を、消費者に分別ある購買行動をそれぞれ促すような信号（シグナル）を発信する力を市場から奪ってしまうとされています。それにも関わらず、有毒な民間通貨が（量的にも価値的にももはや誰の手にも負えなくなって）天文学的な金額で地球に氾濫する様子を財政金融保守主義の司教たちはまばたき一つせずに容認しました。米国内外の企業資本主義者と同じように彼らもまた最新式通貨の威力に依存したわけです。

二〇〇八年に「栓が抜かれる[15]」と民間通貨は一気に雲散霧消します。後に残されたのは巨大な流動性危機を抱えた世界資本主義。湖は蒸発し、大小様々な魚が泥の中を喘（あえ）ぎながらのたうちまわりました。問題は深遠を極めます。世界の黒字を再循環させるための唯一の装置が音を立てて崩れ落ち、民間通貨の喪失は世界牛魔人に土をつけたのです。危機という終焉にあっては連邦準備制度や各中央銀行がどれほど流動性を注入しても焼け石に水でした。

有毒な理論　第一部——均霑（トリクルダウン）政治と供給側（サプライサイド）経済

ロナルド・レーガンがホワイトハウスに陣取った一九八一年、世界牛魔人という仔牛は世界制圧とまではいかずともすでにかなり幅を利かせていました。至れり尽くせりの子守をして来るべき大功への準備を仔牛に施す侍女たち。[v] 米国二重赤字の拡大が進む中、魔獣は米国経済や世界経済への影響力を着々と強めていきます。牛魔人にうってつけの政治経済環境の整備こそレーガン政権の功績でした。

混乱の十年の終章において、レーガンの美辞麗句は国民の心の琴線に触れます。米国国民の誇りが史上最悪の痛手を立て続けに負った十年。中東石油産業にもてあそばれ、[vi]南ベトナム解放民族戦線（ベトコン）との地上戦にも敗北。ホメイニによる革命でイランからも放り出され、赤軍のアフガニスタン侵攻も指をくわえて見守る始末。実質賃金成長の途絶から生じた社会的緊張の害悪を米国社会は骨身に沁みて実感します。武装蜂起の声を渇望し、自己尊厳回復への新たな「概念構造（パラダイム）」に飢える米国国民。レーガン大統領は彼が「親愛なるアメリカ国民」と好んで呼んだ民衆の期待にしっかり応えました――減税、軍拡、そして古きよき清教徒（ピューリタン）的価値観への回帰を唱えたのです。

基調となる理念は至って平凡かつ単純でした。米国の人々の日常への政府介入を減らし、個々人が日々の稼ぎをそのまま懐に入れて気兼ねなく暮らせるようにすること。実践に移してみると、それは「市場という浮雲を事業と消費者に任せておくわけにはいかない」「国内のみならず世界規模の危機を回避するには民間部門の進歩を米国政府が統制（ディシプリン）・煽動・先導すべき」という一九二九年的発想からの

（14）　privateers　「私掠船」（privateer）とは、戦時中に政府の許可を得て敵国の船で略奪行為を行う船のこと。「profiteer」（不当に暴利を貪る人たち）とも響きあっており、民間の「海賊」金融機関が政府の後援を受けつつ略奪を行うというイメージを想起させる。
（15）　the plug was pulled　本来ならば「電源が切られる」という意味の慣用句だが、後続の比喩から察するにバルファキスはおそらく「plug」を電源ではなく「栓」と解釈している。「カネを湯水のごとく使う」「上げ潮」といった通貨と水にまつわる比喩との響きあいも考慮に入れつつ、ここではあえて「栓が抜かれる」という訳を選択した。

全面撤退を意味しました。レーガンの提言は米国利権のために「世界経済を解体せよ」とするボルカーの考えと呼応していたとも言えるでしょう。

元B級映画スターの舌は滑らかでした。レーガンの宣言はこうです。円転自在な個人的成功こそ集団的成功への王道である。米国が立ち往生しているように見えるのは、大きな政府が行く手を阻んでいるからなのだ。潜在的生産力に満ちた民間部門も、自己陶酔に陥ったリヴァイアサンの手綱につながれて苦しんでいる。手綱を引きちぎり、リヴァイアサンに節度をわきまえさせよ。節度とは何か。リヴァイアサンの正統な役割とは何か。国家民族の防衛である。これを達成するためには、米軍の威力を地上の果てまで拡大せねばならない……。

米国有権者の賛同で帆を満たしつつ、連邦政府（ワシントン）は供給側（サプライサイド）経済政策と軍事予算大幅増の冒険に出航しました。経済の「供給側」への贔屓（ひいき）は資本蓄積への障害物の全面除去を意味していました。具体的には、高額所得者への減税、社会保障費の削減、そして世界計画時代の遺産であるウォール街規制の撤廃です。軍事支出という新風は軍需産業部門や政府の国防物資調達部門にコネのある産業諸分野にとって大きな追い風となりました。

減税は（特に貧困層への社会保障削減と組み合わさったとき）富裕層に有利ではないかと指摘する声に対しては「均霑効果（トリクルダウン）」という名の伝家の宝刀が登場します。（理論上は）富裕層がさらに裕福になれば支出や投資が下位の各層へも均霑（きんてん）[16]していく。それは富裕層への課税を介しての再分配よりも効率的に機能するものとされました。

5・4　根圧蒸散（トリクルアップ）効果(17)

均霑（トリクルダウン）効果は貧困層への現金の「均霑」を建前に富裕層への減税を正当化しようという意図を含んでいました。この仮定はしかし経験的証拠によって完全に反証されています。はっきり言うと、「均霑」など全く起きなかったのです。超富裕層の富の増大は下位中産階級の苦悶を一切和らげなかった。むしろその正反対の結果がもたらされました。証券化デリバティブ市場は「根圧蒸散（トリクルアップ）効果」という新現象を誘発させたのです。既述の通り、貧困層の高リスク負債の証券化（サブプライムローンのCDOへの変換等）は、最初の貸手にローン返済の見込みを度外視する動機を与えます。返済段階では負債がすでに他の主体へ売却済みとなるからです。証券化された負債のパッケージは右から左へと繰り返し再売却され、その過程で（少なくとも二〇〇八年金融崩壊までは）莫大な利益を生みました。富裕層がさらなる巨富を築く妙計を編み出したという事実はどれだけ強調しても足りません。社会で最も貧しい人々の夢や希望、果ては絶望すらも証券に変えて取引したのですから。

(16)　trickle down　「均霑」には「均しく霑う」転じて「等しく利する」という意味がある。経済学の用語として普及する前からすでに漱石や諭吉も用いていた近代語。

(17)　trickle-up effect　「トリクルアップ」という訳語も自然だが、英語のもつ独特のイメージを大切に植物学の用語を比喩として採用した。「均霑」という語が上から降ってくる水が地面を均等に霑す（うるおす）というイメージであるならば、「トリクルアップ」はちょうど植物が夥しい数の根っこによる「根圧」と生い茂る葉っぱによる「蒸散」の二重の効果によって地面から一気に水を吸い上げる様子に喩えるのが良い。

山のような軍事支出は社会保障予算を削減したくらいでは到底まかなえない桁違いの量でした。富裕層への思いやりたっぷりな減税も相俟（あいま）って、米国政府予算は赤字まみれとなります。これ以上の皮肉があるでしょうか。政府浪費を史上最も厳しく批判した政権が戦後最大の財政赤字を作ったのですから。

世界牛魔人にとって理想的な侍女たちがホワイトハウスを含む権力の回廊に集います。米国財政赤字が噴火し、海外資本の津波が勢いをつけてニューヨークに押し寄せる。不安に駆られて米国負債という安心を買おうと世界中の黒字が米国に流れ込む。ウォール街の手元にはさらに多くの民間通貨を発行して消費者支出に一層拍車をかける力が転がり込んだわけです。

ロナルド・レーガンの大統領選挙勝利の前年、マーガレット・サッチャーが類似の公約を掲げて英国選挙に勝利します。サッチャー政権はすでに一世紀近くも衰退を続けてきた経済を相手にしなければならなかった。特に第二次世界大戦以降、大きな福祉国家の樹立と石炭や鉄鋼等の主要産業部門の国有化のおかげで、英国経済社会では労働者階級が実権を握ってきました。

世論形成に必死な「言論階級」は、米国の奇跡（アメリカン・ミラクル）を見事欧州に移植したとしてサッチャー首相を激賞。欧州の競争力を回復するためには「鉄の女」の統率に従って産業を民営化し、労働市場の規制緩和を進め、単位労働コストを削減せよという論調が支配的になりました。

この論調はしかし穴だらけでした。サッチャー政権は単位労働コストの削減などしなかった。工業生産に山刀（マチェーテ）を振るって英国から伝統的産業部門を「斬りおとし」つつ、胸糞悪い労働組合も一緒に片付けること――これこそサッチャーの功績です。では、労働組合の壊滅が英国の人件費にもたらした変化は何だったのでしょうか。

答えは多くの評論家が思うほど単純ではありません。石炭鉄鋼産業が改革の矢面にさらされ、数百万もの正規雇用が消滅。労働者の懐に入る国民所得の割合も当然下がり、英国各地が第三世界と見まごうほどの殺風景に変わりました。サッチャー政治の代名詞とも言える実質時給の引き下げだけは全く実現せず、むしろ米国の場合とは対照的に実質時給はかなり上がったのです。[vii]

サッチャー氏の一九八三年及び一九八七年の驚くべき勝利の理由はもう明らかでしょう。英国の「小選挙区制＝先着順制」が一役買ったのも事実ですが、他にも二つ要因がありました。第一に、失業者四五〇万人の多くが意気消沈して投票を諦めていたということ。第二に、職を維持できた労働者たちの実質賃金が上がったということ。サッチャー氏はさらに賞与（ボーナス）という二の矢を放って投機的機運を盛り上げ、世間の波長をウォール街やシティ・オブ・ロンドンの金融の宴に合わせてゆきました。

ご褒美（ボーナス）には二通りありました。第一に、労働者用の公共住宅を居住者に破格で売却。第二に、新たに民営化された[18]企業（ブリティッシュ・テレコム、ブリティッシュガス、信託貯蓄銀行〈ＴＳＢ〉等）の株

（18）　privatized　本書では企業などの団体や通貨などの制度や機関といった、一定の公共性をもつ対象にかかる「private」「privatize」という語は「民間」「民営」で統一した。他に「私的」「私有」といった訳語も考えられるが、英語の「private」という言葉では曖昧にされている区別（私的であることと民間のものであることの区別）が日本語でははっきりと区別されているため、ここは日本語のもつこの強みを訳文に反映させた。「私的」と「民間」の区別の本質や詳細が何であるかに関しては、また色々と意見が分かれるところだろう。

式を推定市場価格よりも大幅に安い値段で提供。[viii] 一連の策は功を奏し、労働者階級の就業者層は投機——住宅価格又は株価への投機——に完全に依存した経済を受け容れました。

大好評の「株主民主主義」は予想どおりたった数日で撃沈します。配下の労働者たちが複合企業へ株式を即座に売却したからです。公営住宅に関しても話は同じでした。新居購入にローンを利用できたということもあり、高級住宅地への転居をしつつ行き掛かりの駄賃を懐に入れることもできたのですから。住宅の新たな民有化によって金融商品に手が届くようになった家庭を対象に、諸銀行はローンやクレジットカード商品を拡張する動機を得ます。住宅需要の上昇は価格高騰へつながり、労働者は裕福感の幻想に浸りました。絶好調の「資産」に目をつけた銀行は、海外旅行や自動車購入、室内音響機器の買い替え等々のためのお金を労働者に競って貸し付けるようになります。こうして世帯負債、住宅価格、そして消費者支出の上昇は完璧な調和を見せたのです。

シティ・オブ・ロンドンは、元来の金融部門での実力に加えサッチャー政権下での規制緩和（通称「ビッグバン」）やウォール街とのコネもあり、米国への海外資本の逃避経路として頻繁に利用されました。こうしてシティの関連諸機関は短期的にではあれ巨額の資金にありつけるようになります。泡沫の富をうまく運用して私腹を肥やす——まさに銀行家冥利に尽きる営みです。英国産業や国内公営住宅の民営化からの利益や英国国民の借金の山のおかげで、お金の河川は合流地点で激流を生み、シティ・オブ・ロンドンに巨万の富をもたらしました。

まとめましょう。レーガン＝サッチャー時代の評価を巡っては三〇年もの間白熱の議論が続けられてきました。本書ではこの有名コンビの政治戦略が世界牛魔人の隆盛を大きく後押ししたという事実を確認しておけば十分でしょう。「起業社会」英国というイメージやうぬぼれた不動産会社・気取った銀行家の雄弁も、シティの証券取引と住宅価格高騰があって初めて成立しえたのです。二大バブルの肥大の理由は単純。世界の資本がニューヨークを目指して渡航する中、燃料補給のための寄港地としてロンドンは巧みに己の立場を築いたのです。

有毒な理論　第二部――経済モデルが織り成す百花繚乱の幻想世界

世界牛魔人の瓢箪(ひょうたん)型の巨体の生育には遠くから温かく見守る政府の協力が欠かせません。サッチャーとレーガンは絶好のタイミングで新自由主義政治の水門を開きました。それだけではしかし不十分。実際の政策に科学的妥当性の衣を着せるためには、新たな経済理論が要求されました。

新経済理論の本質はすでに第一章で議論した通りです。理論の中身が何であれ、ポール・ボルカーが仄(ほの)めかした「世界経済の意図的解体」の渦中で現実的かつ適時なものとして認められるためには二つの条件がありました。第一に、「経済は合理的に管理されうる」という概念から距離を置くこと。第二に、資本蓄積への規制や自由市場への民主的制約が非効率的で無意味となるような経済モデルを用いること。

どちらの条件も満たすモデルは形式主義(フォーマリズム)でした。万華鏡のごとき外観を極端に複雑な数式で着飾った理論[ix]。そこでは資本主義を理解するための形式は二通り認められていました。一択目は、七宝つなぎとなった諸市場が時間を超越して恒久的均衡状態にあるような静学的体系(スタティック・システム)。二択目は、単一の主体（専門用語では代表的個人）又は単一の産業部門しか含まないが時間軸に沿って流転する動学的体系(ダイナミック・システム)。要するに、複雑性と時間のどちらか一方は含んでも両方同時には扱えない経済モデルが次世代の経済学者の頭の中に刷り込まれたのです。

好都合なことに、資本主義を描写する上で用いられた数学は複雑怪奇を極めました。専門家は無限に入り組んだ形式構造の分析に生涯を捧げるかたわらで、実在する資本主義の模倣がモデルの設計上不可能であることに気づかずにいたわけです。

そもそもモデルとは抽象概念であり、ものごとを単純化するために存在します。例えば物理学は単純化された仮定（摩擦や重力の不在等々）から出発して自然法則の把握を目指すものです。探究が深まるにつれて、非現実的な仮定にも徐々に修正が加わります。複雑性の増加という対価を払いつつ、物理学者は基礎理論からより応用が利く派生理論へと歩を進めることができるのです。

経済学では事情が異なります。経済理論では、非現実的な仮定の段階的修正は出発点で頓挫するからです。「重力の不在」が物理学において最も制約の大きい仮定だとするならば、経済学では「時間の不在」がこれに相当します。「消費者や産業部門はみな均一である」という仮定も候補に挙がるでしょう。物理学では仮定を修正して真実に近づくことができますが、経済学ではそうはいきません。「可解経済モデルは時間と複雑性を同時に扱うことができない」とする定理が存在するほどですから。[x]

この不可能性の実践的意味はどれだけ強調しても足りません。経済理論が世界牛魔人の最も忠実な侍女と化した経緯を理解する鍵もここにあります。異なる個人や産業部門の即時取引を数理経済モデルで表現できないのだとすると、経済モデル構築には危機が入る余地がなくなります。危機とはそもそも多数の個人（及び産業部門）から成る社会において時系列的に展開する動的現象だからです。ロビンソン・クルーソー[19]にも不幸や空腹は訪れます。人生の道を見失って途方に暮れることもあります。しかし経済的危機だけは（少なくともフライデーが到着するまでは）経験することがないのです。危機は異なる個人や部門間での軋轢（あつれき）を前提とします。経済が個々の資源を集団的に活用する力を失うこと。極度に複雑な数式をもってしてもなお危機の概念すら把握できないとは、数理経済学の学問としての失態をこれほど如実に示す例が他にあるでしょうか。

数理経済学の物語が学問的失態の物語だとすると、経済学という理論体系が魔獣の侍女になったという主張の根拠はどこにあるのでしょうか。答えは二つあります。一つ目の根拠は単純明快です。近代経済理論には危機が入る余地がなく、資本主義も七宝つなぎの市場の永久均衡状態として表現されています。自由市場原理主義者のイデオロギー武装に絶好の理論ではありませんか。二つ目の根拠はやや難易度が高めです。ウォール街が創る有毒な通貨――もう一人の侍女――が絡んでくるからです。

CDOを作るには玉石混交な家庭や事業が抱える負債の束を切り刻んで混ぜ合わせなければいけません。そのときつなぎとなる数式は諸負債の価値とリスクを算出できるはずでした。数式を開発したのはウォール街（JPモルガン、バンク・オブ・アメリカ、ゴールドマン・サックス等）で働く金融職人たちですが、数式を可解にするには追加の仮定を設ける必要がありました。第一に、CDO内に混在する個々の負債片が不良債権化する確率は互いに独立しているという仮定。すなわち二〇〇七年から二〇〇八年にかけての出来事は仮定の段階で不可能であるとされたのです。例えば花子さんが失業して

(19) Robinson Crusoe　自給自足の隠居生活をしている個人の典型例として用いられている。虐げられし者たちの英雄として讃えられる人物を選択した辺りはいかにもバルファキスらしい。

ローン返済不能になる確率と太郎さんが同様に住宅を差し押さえられてしまう確率が共通の理由によって上がり、結果として危機が起こるという筋書きが度外視されたのです。[xi]

取引業者はくだんの前提条件の成否に生活が賭かっていました。賢明かつ利己的であるはずの取引業者の一団はなぜCDO評価額を鵜呑みにしたのか――金融崩壊の後で万人がこう疑問に思ったはずです。答えを二段階に分けましょう。第一に、取引業者は群集心理に翻弄されるもので、業界の風潮に背こうものなら直ちに職を失う運命にありました。[xii] 第二に、世界牛魔人の絶頂期には経済学界が「数理化された迷信」を売り歩いていました。己の懐を肥やしてくれた制度を自ら壊すには並々ならぬ決意が必要ですが、この理論武装のおかげで取引業者は超人的（かつ超凡庸な）自信を獲得したのです。合理的判断や本来の願望に反するような英断をするようそそのかされたとも言えるかもしれません。現代悲劇の名に相応しい出来事ではありませんか。

終幕（エピローグ）――不吉な予兆

世界計画の破滅と後の世界経済の意図的解体はイデオロギーの衣をまとってもいました――一団となって世界を統制していく力は人間にはなく、市場は人間によるいかなる管理政策をもはねのけて颯爽と走り続けるだろうという教説（ドクトリン）です。

「経済」は抵抗力が強すぎるため人為的に計画できるようなものではなく、市場のもつ自動調整作用に委ねるのが一番だという考えを新自由主義派は盲愛しました。ここにはしかし大きな見落としがあります。世界計画の後続の秩序も自然発生したわけではありませんし、最愛の「市場」も実のところ牛魔人の鉄拳に支配されていたのです。背後には愉快な侍女たちが輪になって幇助に駆けつけていました——歴代米国政権たち、普通の米国家庭に及んだ景気低迷の波紋、ウォール街のいかがわしい動向、とんちんかんな経済学説の山。[xiii]

新たな教義の肝を成したのは、市場の力学は大海洋の潮汐のようであり、歯向かう者はクヌート王のごとき醜態[20]をさらすだけだという感覚でした。市場頼りの解決策への倫理的情熱とこれを後押しする力強い楽観主義は、時代を覆う大いなる矛盾のうねりとなりました。政府計画からは失望しか生まれないと言い張る評論家たちが、他方では自由奔放な市場には奇跡を起こす力があると信じて疑わなかったのですから。

政府による生活介入への悲観主義は筋が通っていますが、市場に任せれば何事もうまくいくという無垢な盲信との共存には開いた口がふさがりません。市場の産物は定義上最適解であるという考えへの宗教的献身は国家への徹底した懐疑論となぜ両立しえたのでしょうか。市場の働きの純潔を浮世の諸行無常から護る術はあったのでしょうか。

一九七〇年代から二〇〇八年までの一見安定した世界経済成長は世界牛魔人によって説明がつきます。規制緩和、民営化、そして金融化の嵐が吹き荒れる中、世界経済の穴埋めとして魔獣が世界黒字

(20)　latter-day King Canute　「クヌート王と潮汐」の逸話への参照。真偽のほどは定かではないが、話では家臣に潮汐を止めるよう唆されたクヌート王が「人間の力は偉大なる神が司る自然の力に到底適わない」と反論して教え諭す。俗説ではクヌート王の言の真意が勘違いされ、クヌート王自身が自らを神のように言い喩えたことにされてしまっている。バルファキスは良くも悪くも俗説の方に従っている。

再循環装置の役割を代行して世界経済をなんとかつなぎとめました。

これまでの議論を整理しましょう。牛魔人が登場するまでは、米国及び（英国等の）親米諸国は対外債務を蓄積させ、アングロ・アメリカ系家庭は消費者負債を重ね、ウォール街は有毒な民間通貨の発行と蓄積を同時に行っていました。かたや石油生産諸国、ドイツ、日本、（特に一九九八年東アジア危機以降の）東南アジア、そして最近では中国がそれぞれ天文学的な金額の外貨準備を蓄え、ウォール街やシティ・オブ・ロンドンに向けて噴射させていました。終わりなき循環にはまった資本の潮流（フロー）は米国二重赤字を補填しつつ欧州や東アジアの黒字生成を維持しました[21]。

市場が奇跡を起こした……わけではありません。この種の脆弱な黒字再循環装置が市場から自然発生することはありえません。博識かつ精強な米国政策立案者たちが設計・指揮した装置なのですから。選りすぐりの秀才たちの中でも頭一つ抜けた英俊豪傑（えいしゅんごうけつ）を誇る人物がいます。本書でも特別な敬意を表した人物、ポール・ボルカーです。連邦政府が牛魔人を構想し始めた一九七一年から魔獣失墜の二〇〇八年を経てもなお、元FRB議長のボルカーは権力の座を堅持しました。

本書初章では話の枕として経済学者への女王陛下の問いかけを引用しました――「なぜ先が読めなかったのですか」という問いかけです。ポール・ボルカーにはしっかりと先が読めていました。魔獣創造の先駆者として活躍した政治家のボルカーは、（欧州の人々のような）凡人とは一線を画す実力者でした。己の生み出した牛魔人を正面からにらみ返す力をもっていたからです。「悪いニュース」など読みたくないという風潮が支配的な時期に、ボルカーは二〇〇五年四月一〇日付でこう記しています。

［米国経済の成功物語は］海外資本の大量流入抜きには語れない。営業日当たり二〇億ドル（二〇〇〇億円）以上を維持しつつ成長したのだから。……

米国は借金や物乞いを意識的にしているわけではない。魅力的な金利を提供しているわけですらない。米ドルの値下がりというリスクへの対策を債権者に提供しているわけでもない。……米国の店舗や倉庫は外国産の商品であふれており、競争のおかげで国内の物価もしっかり制御されている。消えゆく貯蓄と急速な経済成長という要素を加味してもなお金利が異様に低く抑えられてきた理由はこれである。

取引相手や資本提供者にしてみれば温泉気分になるような状況だろう。中国のような相手は米国の国内市場の拡大に深く依拠している。新興諸国の中央銀行も（今の世界では国際通貨に最も近い）米ドルの所有高の増加を概（おおむ）ね支持している。

残念ながらこの平穏状態にもいずれ終わりが来る。国内生産量よりも六％も多くの消費や投資を長期間持続させた国は私の知る限り皆無である。米国は国際純資本循環総量の約八〇％を吸収し続けている。[xiv]

言い得て妙とはこのことです。世界牛魔人に紹介文を添えるとしたらボルカーのこの一節が絶好でしょう。米国の権力闘争者たちは地球の経済を踏み鳴らす牛魔人の蹄跡（ていせき）をしっかり直視しつつ狼狽して

(21)　precarious　文脈的に「precocious」の誤りと思われる。後者ならば「非凡な」「早熟な」という意味になり、段落全体のつじつまが合う。ここでは原文どおり訳した。

いました。この事実を示す好例としてスティーブン・ローチの言も引用しておきます。モルガン・スタンレー投資銀行のチーフエコノミストであるローチは、ボルカー発言の三年前にあたる二〇〇二年にこう言いました。

> 今回の英雄譚（サーガ）は世界経済の根本的非対称性の展開、すなわち米国中心主義的世界の均衡回復（リバランス）の物語である。……歴史が示すように、この種の非対称性は長持ちしない。……貯蓄不足の米国経済に米軍の支配力[22]を限りなく拡張し続けるための資金があるだろうか。私の見解では、答えははっきり「否」である。歴史学、地政学、そして経済学が同じ結論へと一斉に合流している昨今、米国中心主義的世界の持続不可能性はもはや疑う余地がない。[xv]

今だからこそ言えることですが、魔獣の生みの親（米国の最高執行部やウォール街の司祭たち）の眼には不吉な予兆がはっきりと映っていました。愚鈍な侍女たちとは異なり、危機の到来を予見できていたのです。スローモーション再生で、一コマごとに胸をえぐられるような感覚に襲われながら。

（22）superiority　直訳するなら「優位性」だが、文脈的に「軍事力の優位性」即ち「支配力」という訳が適当であると判断した。

第六章　金融崩壊（クラッシュ）

積み木で遊ぶ

子供たちは積み木の楽しみ方をすぐに覚えるものです。一つまた一つとブロックを積み上げて行き、塔がグラグラ揺れて崩れたら笑ってまた最初から積み直す。二〇〇八年の事件もこれに似ています。早速新しい塔を（納税者のおかげもあって）作り始めた銀行家以外には誰も笑わず、史上最大の塔が音を立てて崩れた後にも暗鬱の年月を多くの人々が味わったという相違点はありますが。

二〇〇八年金融崩壊の発端はもはや伝説と化しています。山のように執筆された研究文献の数々は大学図書館の棚、空港の本屋、街頭で次なる革命を企てる左派集団の露店等々を埋め尽くしました。そのため、一連の出来事をいまさら改めて取り上げる必要もないでしょう。ここでは経緯を確認するために手短な時系列を載せておくに留めます。本章では暴落の速度、奈落の深さ、そして世界を覆ったアポリアを思い起こしてゆきましょう。綻（ほころ）ぶ世界計画の後任、世界牛魔人という根因を念頭に置いた上で劇的な出来事の連鎖を想起するのが肝心です。

振り返れば、二〇〇八年まではウォール街も並行通貨制度を確立・維持できていました。世界牛魔人への資本流入を源泉とする一種の民間通貨。分裂と繁殖へと暴走する有毒な通貨に世界経済はどっぷりと浸かりました。通貨が焼滅した途端に世界資本主義が崩壊（クラッシュ）したのも頷けます。結果は悲惨なものでしたが、一九二九年金融崩壊の教訓を中央銀行が肝に銘じていなかったならば、ただでさえ酷かった被害規模は想像の域をはるかに超えるものへと発展していたかもしれません。

予想どおりの金融崩壊（クラッシュ）の年代記――信用収縮（クレジット・クランチ）・救済・万物の国有化（ソーシャリゼーション）

二〇〇七年　炭鉱のカナリア

四月　サブプライムローンを大量に発行した金融会社ニュー・センチュリー・フィナンシャルが破産し、業界全体に波紋が広がる。

七月　名門商業銀行ベアー・スターンズが傘下のヘッジファンド二社の投資家顧客への配当金支払い不能を発表。アラン・グリーンスパンの後を継いだばかりの新任ＦＲＢ議長ベン・バーナンキは、サブプライムローン危機は深刻であり被害総額が一〇〇〇億ドル（一〇兆円）にまでのぼる可能性があると発表。

八月　フランス商業銀行ＢＮＰパリバも傘下のヘッジファンド二社に関してベアー・スターンズと同様の問題を発表。資産価値が算出不能となったためだという説明を行う。現実に即して言い換えると、これは金庫一杯のＣＤＯ[1]への需要がゼロになったため価格設定が文字通り不可能となったことを意味する。欧州諸銀行は直ちに銀行間融資を停止。欧州中央銀行は心臓発作を防ぐために金融市場に九五〇億ユーロ（一一兆四〇〇〇万円）を即座に投入するよう強いられる。ほどなくして追加で一〇九〇億ユーロ（一三兆八〇〇億円）を市場に投下。同時期に連邦準備制度、カナダ銀行、オーストラリア準備銀行、そして日本銀行は金額非公開で億単位のお金を各々の国内金融市場に注入し始める。八月一七日、ベン・バーナンキはささやかな金利引き下げを行うが、問題の規模を全く把握できていないことが露呈する。

九月　ロンドン銀行間取引金利（通称ＬＩＢＯＲ）がイングランド銀行政策金利を一％も上回るという（一九九八年東南アジア危機以来の）事態となり、銀行間融資の躊躇が顕在化する。一九二九年以来初めての銀行取り付け騒ぎが勃発。当事者銀行はノーザン・ロック。ＣＤＯもサブプライムローンも取り扱っていなかったが、他銀行からの短期融資に依存していたためである。信用供給源を失ってしまえば流動性需要も満たせなくなるが、これを察知した顧客が預金を引き出そうとした結果、ノーザン・ロック銀行は破綻。イングランド銀行から一五〇億ポンド（二兆一〇〇〇億円）以上を貰って「蘇生」される。一連の展開に眩暈を覚えながらもバーナンキは四・七五％へと再びささやかな米国金利引き下げを行う。イングランド銀行は一〇〇億ポンド（一兆四〇〇〇億円）相当の流動性をシティ・オブ・ロンドンに注入する。

（1）　ＣＤＯ　第一章「規制の虜」及び第六章コラム6・1「クレジット・デフォルト・スワップ」も参照。

一〇月　銀行危機はスイスの老舗金融機関UBSにまで及び、世界から注目を集める。UBSは米国サブプライムローン入りのCDO三四億ドル（三四〇〇億円）の損失の責任をとって最高経営責任者（CEO）と取締役会会長の解雇を発表。かたや米国ではシティグループが手始めに三一億ドル（三一〇〇億円）の（またもCDOに起因する）損失を公表。数日後にこれは五九億ドル（五九〇〇億円）へと膨らむ。後の二〇〇八年三月にシティグループは実際の損失が四〇〇億ドル（四兆円）という驚愕の金額であったことを告白する。酔狂の宴（フレーカス）の仲間外れにしてくれるなといわんばかりに、メリルリンチも七九億ドル（七九〇〇億円）の損失を公表し、CEOの自刃で幕切れとなる。

一二月　歴史に残る瞬間の到来。米国の歴代大統領でも屈指の自由市場支持・国家介入反対派であるジョージ・W・ブッシュが（ロシア革命以後のレーニンを除けば）世界最大の政府介入を仄（ほの）めかす。一二月六日、ブッシュ大統領は諸銀行による押収（米国式に言うと「差し押さえ」）から米国の住宅保有者一〇〇万人を保護する計画を発表。数日後には連邦準備制度が欧州中央銀行を含む五つの中央銀行と会合を開き、事実上無限大の信用（クレジット）を諸銀行に拡張することを決定。信用収縮（クレジット・クランチ）――すなわち銀行間融資の完全停止――の解決をねらった一手である。

二〇〇八年　真打登場

一月　世界銀行が世界同時不況の到来を警告する。株式市場は暴落。連邦準備制度が金利を三・五％へと引き下げ、対応して株式市場が蘇る。しかしほどなくして保険会社ＭＢＩＡ[2]がサブプライムローン入りの債券を基盤とする保険商品損失二三億ドル（二三〇〇億円）を発表。同商品名が流行語になるまでそう時間はかからなかった――クレジット・デフォルト・スワップ、略してＣＤＳである。

6・1　クレジット・デフォルト・スワップ（CDS）

『スタートレック』で有名なスポック氏がCDSに遭遇し、カーク船長へそれを報告したならば、きっとお決まりの無味乾燥な声色でこう言ったはずです。「船長、CDSとは保険商品ですが、従来のような保険ではありません」。CDSではあらかじめ決められた金額が債務不履行に際して支払われます。単純な保険商品との相違点は以下にあります。例えば通常の自動車保険は自動車の所有主が買うものです。対してCDSでは他人の自動車に対して「市場」で「保険商品」を購入できます。つまり隣人の交通事故から一儲けできてしまうのです。単刀直入に言うとCDSは悲痛な出来事――主に（個人・企業・政府による）債務不履行――の発生を期待した賭けにすぎません。例えば花子さんの負債に対してCDSを購入した場合、それは花子さんが借金を返せなくなって債務不履行に陥ることに期待した賭けなのです。CDSがヘッジファンド管理者たちの間で

（2）　ＭＢＩＡ　米金融保証会社（通称「モノライン」）の最大手。正式名称はMunicipal Bond Insurance Association。

流行した（そして今もなお流行している）背景にはＣＤＯ（債務担保証券）取引が深く関わっています。

例として高リスクなＣＤＯに投資したトレーダーを考えてみましょう。古きよき「二〇〇八年以前」時代では、このＣＤＯ分割返済片（トゥランシェ）の債務不履行損失一〇〇〇万ドル（一〇億円）の肩代わりをした場合として前金で五〇〇万ドル（五億円）＋年額五〇万ドル（五〇〇〇万円）が懐に入ります。債務不履行さえ起きなければトレーダー殿は一銭の投資もせずに大儲けできるわけです。なんともうまい話ですが、債務不履行が嵩（かさ）み始めると事情が変わります。来るべき渋難を予防（ヘッジ）するためにはどうすれば良いのか。ＣＤＳの購入です。こうすれば手持ちのＣＤＯ内の住宅ローンが債務不履行に陥ってもお金が戻るようになります。住宅ローンの債務不履行が希少かつ無相関だった期間中、ＣＤＳとＣＤＯの組み合わせはトレーダーたちに莫大な富をもたらします。その後債務不履行の連鎖が始まり、今度はＣＤＳ発行者側が大打撃を受けます。購入者側に天文学的な金額を支払う義務が生じたからです。ＭＢＩＡの破産も単なる前菜（アントレ）にすぎず、主菜（メインコース）はアメリカン・インターナショナル・グループ（ＡＩＧ）でした。この絶品料理は二〇〇八年九月のリーマン・ブラザーズ破綻を記念して饗されました。ＡＩＧはリーマンのＣＤＯに対して大量のＣＤＳを発行していたからです。

二月　連邦準備銀行が保険部門への懸念を表明。Ｇ７（先進七カ国首脳）はサブプライム危機の被害予想額を約四兆ドル（四〇〇兆円）と試算。英国政府はノーザン・ロックの国有化を強いられる。ウォール街第五位（二〇〇七年の時価総額二〇〇億ドル〈二兆円〉）の大手銀行ベアー・スターンズが一掃され、JPモルガン・チェースによって吸収される。買収金額はたった二億四〇〇〇万ドル（二四〇億円）。国民の血税が三〇〇億ドル（三兆円）も助成金として投入される。

四月　英国では「頭金ゼロ」を含む住宅ローン「商品」の二〇%が市場から撤廃される。国際通貨基金（IMF）が信用収縮（クレジット・クランチ）の被害予想額を一兆ドル（一〇〇兆円）以上と試算。イングランド銀行は対応して政策金利を五%にまで引き下げ、不良債権に悩む諸銀行に向けて五〇〇億ポンド（七兆円）を用意。少し後でロイヤルバンク・オブ・スコットランド（RBS）が破産を免れようと株主から一二〇億ポンド（一兆六八〇〇億円）の資金を募りつつもCDO関連商品による損失六〇億ポンド（八四〇〇億円）を認める。同時期に英国、アイルランド、そしてスペインで住宅価格の下落が始まり、債務不履行件数がさらに上がる。返済不能に陥った住宅所有者はローン残高よりも高額で持ち家を売るという選択肢すら失っていた。

五月　スイスのUBS銀行は、住宅ローン担保型の劣悪CDOによる損失金額は三七〇億ドル（三兆七〇〇〇億円）であり、現在株主から一六〇億ドル（一兆六〇〇〇億円）の資金を募っているところだと発表。メディアの注目を再び集める。

六月　バークレイ銀行もRBSやUBSの例にならって四五億ポンド（六三〇〇億円）の資金調達を証

券取引所で試みる。

七月　英国商業会議所が過酷な不況の到来を予告し、株価が下落。シティ・オブ・ロンドンに暗雲が立ち込める。大西洋の反対側では米国政府が必死になって国内二大住宅ローン提供者（ファニーメイとフレディマック）の支援を始める。現金注入や融資保証という形をとった支援の費用総額は五兆ドル（五〇〇兆円）（誤記ではありません）すなわち地球上の年間ＧＤＰの一割に相当した。

八月　米国、英国、アイルランド、そしてスペインで住宅価格下落が続く。債務不履行件数が伸び、金融機関への圧力が強まり、納税者の負担が増える。景気後退は不可避である上に当初の予想よりも「深刻で長期的」だと英国政府は大蔵大臣を介して認める。

九月　シティ・オブ・ロンドンの株式市場が崩壊。ウォール街も失業率の急騰（六％超え）を示す公式統計という一撃を受ける。ファニーメイとフレディマックが正式に国有化され、ブッシュ政権財務長官（ゴールドマン・サックス元社長）ヘンリー・ポールソンは二社の負債レベルが金融制度全体に突きつける危険度の高さを示唆。ポールソンの警鐘鳴り止まぬ内にウォール街の重鎮リーマン・ブラザーズが六月・七月・八月で総額三九億ドル（三九〇〇億円）の損失を計上。これもしかし氷山の一角にすぎなかった。米国政府は（ベアー・スターンズの場合と同様に）倒産を全力で阻止するはずだ、買い手に必ず手厚い支援を行うはずだという信念の下、リーマン・ブラザーズは早速買収取引相手を探す。英国バークレイ銀行が商談に乗るが、そこには条件があった――くだんの取引から生じる損失を米国納税者が全額補償すること。ポールソン財務長官の返事は異例の「否」。証拠文献にも示されているとおり、ポールソンはゴールドマン・サックス時代からリーマン・ブラザーズを目の敵にしていた。こうしてリーマン・ブラザーズは破産に追い込まれ、金融危機の中でも最悪の雪崩が始まる。

二〇〇八年九月一五日月曜日。リーマン・ブラザーズの命日だ。リーマンはＣＤＯの主要発行者の一人だった。リーマンのＣＤＯを保有していた第三者公社債投資信託（マネー・マーケット・ファンド）は準備金不足が祟って債券償還不能に陥る。預金顧客に混乱が広がる。木曜日には公社債投資信託（マネー・マーケット・ファンド）への取り付け騒ぎが本格化する。

一方で似たような境遇にいたメリルリンチはバンク・オブ・アメリカによる買収交渉を五〇〇億ドル（五兆円）で成立させる。もちろん納税者による手厚い救済付。政府はリーマン・ブラザーズの救済拒否が世界金融部門にもたらした見るも無残な惨状が記憶に新しく、パニック状態のまま救済を決行する。

降れば土砂降り。メリルリンチ救済後も将棋倒しは止まらない。次に倒れそうなのは大駒のＡＩＧだった。リーマンのＣＤＯに（ＣＤＳの大量発行によって）債務不履行への保険をかけていたが、契約どおりの支払い義務の遂行ができない状態だったからだ。同様の契約は世界のほぼ全ての金融機関とも結ばれていた。連邦準備制度は八五〇億ドル（八兆五〇〇〇億円）の救済資金を用意。ＡＩＧを狼たちから守るためにと納税者がその後六ヶ月間で負担することとなる金額は一四三〇億ドル（一四兆三〇〇〇億円）という空前絶後の数字へ飛翔。ニューヨークやワシントンで悲劇が展開されるかたわら、ロンドンでは英国政府が国内住宅ローン最大手のＨＢＯＳの救済策としてロイズＴＳＢによる一二〇億ポンド（一兆六八〇〇億円）での買収計画を試みる。その三日後には米国でワシントン・ミューチュアル（時価総額三〇七〇億ドル〈三〇兆七〇〇〇億円〉の大手住宅ローン会社）が倒産。死体はしっかり焼き締められた後でJPモルガン・チェースへ売却される。

二〇〇八年九月二八日日曜日。欧州大陸の銀行フォルティスが破綻し国有化される。同日米国連邦議会は金融部門が「不良債権」を「処理」する手助けとして七〇〇〇億ドル（七〇兆円）の支援金を出動する許可を財務省に求める。この支援はブッシュ政権財務長官にちなんで「ポールソン計画（プラン）」と命名された。要するに連邦議会はポールソン宛に七〇〇〇億ドルの小切手を切るよう頼まれたわけだ。金融部門発行の民間通貨が二〇〇七年から二〇〇八年にかけて灰に帰した今、ポールソンは政府の小切手を望みのままに使ってウォール街の火を消した。

運命の九月が終幕する間際、英国政府はブラッドフォード・アンド・ビングレーを（現金及び保証金五〇〇億ポンド〈七兆円〉で）国有化。アイスランド政府も国内銀行三社のうちの一社を国有化――二〇〇八年金融崩壊が誘発した経済溶解の中でも世帯被害で最大級のものが起きる前兆だった。緑柱石の島（アイルランド）[3]では貯蓄顧客や株主の鎮静を図って全ての国内諸銀行の全ての貯蓄及び債券を政府が保証するという発表がある。これは世紀の大失態となり、戦後経済発展の成果が一夜にして吹き飛ぶ。以後数ヶ月に渡って徐々に明らかになったように、アイルランドの諸銀行には国家予算を何杯も呑み込むほどの巨大なブラックホールが口をあけて待っていたからだ。二年後の二〇一〇年一二月にアイルランドは事実上の破産宣言をするが、これは政府が民間銀行の負債の保証を引き受けた時点で確定していた結末だった。

同日の九月二九日、ベルギー、フランス、そしてルクセンブルグはまた別の銀行、デクシアの閉鎖を防ぐために六四億ユーロ（七六八〇億円）を注入。九月はまだ終わらず、同月末日、今度は米国連邦議会から大きな衝撃が広がる。ポールソンの七〇〇〇億ドル（七〇兆円）ウォール街救済計画が燃えあがる怒りと共に否決されたからだ。ニューヨーク証券取引所の株価指数は惨落し、世界はより一層深い暗雲に包まれる。ポールソン財務長官はより入念な計画を練り直す――一部の議員への袖の下をしっかり組み込みながら。状況は悪化の一途を辿り、スワップ金利差(4)は広がるばかり。CDSの価格は法外の域にまで上昇を続け、銀行諸機関は短期信用の利用可能性を完全に失う。連邦準備制度は対応策としてなんと万人に信用を拡張した。

一〇月　一〇月三日、米国連邦議会はついに窮境を受け入れ、七〇〇〇億ドルの「救済」計画を可決。三日後にドイツ政府は国内大手銀行ハイポ・レアル・エステートの救済に五〇〇億ユーロ（六兆円）をはたく。倹約を誇る国のプライドに大きな傷がついたが、その痛みはアイスランドが味わうことになる苦悶の比ではない。アイスランド政府は民間融資機関として取引継続が不可能となった銀行三社の国有化を宣言。しかしアイスランドの経済力は倒産銀行のそれに遠く及ばず、諸銀行の破産がそのま

（3）　Emerald Isle　「エメラルドの島」。アイルランドの通称だが、金融崩壊の文脈では宝石の比喩にも独特の味わいがある。『オズの魔法使い』に登場する「エメラルドの都」とも遠く響く言葉。
（4）　swap spread　スワップ金利と対応する公債金利の差のこと。銀行間取引金利を基盤として算出される。

ま一国の破産に直結する状況が生まれる。アイスランドの失敗の余波は海を越えて広がってゆく。英国やオランダのようなアイスランドの銀行が活発だった国々では特にそうである。英国の地方自治体の多くは（高めの金利と引き換えに）アイスランドの諸銀行に資金を預けていたため、国内金融の病状悪化が進む。

一〇月一〇日、英国政府は金融部門に追加で五〇〇億ポンド（七兆円）を注入し、短期融資二〇〇〇億ポンド（二八兆円）を用意する。連邦準備制度、イングランド銀行、そして欧州中央銀行はカナダ、スウェーデン、そしてスイスの各中央銀行と連携してみな同時に金利を引き下げる――連邦準備制度は一・五％という低値に、欧州中央銀行は三・七五％に、イングランド銀行は四・五％に。翌朝、国際通貨基金はワシントンで年次総会を実施。翌日に欧州首脳はパリへ飛び、主要銀行・金融機関は一切破綻してはいけないと宣言。欧州連合からは保証策が提示されず、各国は自国の銀行を自力で救済するよう迫られる。運命の分かれ道となったこの決断の残響は今もなお欧州に――特にアイルランドに――木霊（こだま）している。

明くる日の一〇月一三日、英国政府は巨額の救済を受けたにも関わらず諸銀行の営業継続にはさらなる策が必要だと判断。ＲＢＳ、ロイズＴＳＢ、そしてＨＢＯＳに三七〇億ポンド（五兆一八〇〇億円）というお金の山が差し出される。英国だけではない。一〇月一四日、米国財務省は二五〇〇億ドル（二五兆円）を投じて経営難の銀行を部分的に買収救済。ブッシュ大統領はこの介入を「自由市場の保全」として正当化。ジョージ・オーウェルも苦笑いの一手だ。かの文豪でさえこれほど露骨な二重語法（ダブルスピーク）は創作できなかったはずだ。

一〇月末に差し掛かると米国と英国の不況が正式になる。金融危機は実体経済危機へと発展。連邦準備制度は直ちに金利を一・五%から一%へと引き下げた。

一一月　イングランド銀行がさらなる金利引き下げを行う。四・五%が三%になっただけの臆病な動き。欧州中央銀行も三・七五%を三・二五%に下げる。金融崩壊(クラッシュ)は拡大を続ける。ウクライナで危機が勃発し、国際通貨基金から一六億ドル(一六〇〇億円)の融資を直ちに受ける。中国政府も二年間で五八六〇億ドル(五八兆六〇〇〇億円)相当の財政刺激策を出動させ、インフラ事業・社会事業の展開や法人税減税に当てる。

ユーロ圏は経済不況を宣言。国際通貨基金は破綻国・アイスランドに二一億ドル(二一〇〇億円)の融資を渋々行う。米国財務省は数日間で株価が六二%も下がったシティグループに二〇〇億ドル(二兆円)を追加投入。政府介入の嵐が吹き荒れる中、英国政府は付加価値税を一七・五%から一五%に引き下げ、連邦準備制度は金融制度へ八〇〇〇億ドル(八〇兆円)を追加注入する。欧州委員会も負けじと二〇〇〇億ユーロ(二四兆円)を欧州経済に注入する計画を可決。経済補修のための政府財政出動の害悪を新自由主義派が数十年間も説教し続けてきた欧州大陸にケインズ主義が再び降臨する。

一二月　月初めにかの全米経済研究所が米国経済不況は二〇〇七年一二月の時点ですでに始まっていたと発表。その後一〇日間でフランスも自国の銀行部門への救済策として二六〇億ユーロ(三兆一二〇〇億円)を用意し、欧州中央銀行、イングランド銀行、スウェーデン国立銀行、そしてデンマーク国立銀行は金利をさらに引き下げる。米国ではバンク・オブ・アメリカが納税者後援のメリルリンチ買収は三万五〇〇〇件の雇用喪失を引き起こすと言い、国民が衝撃を受ける。

　連邦準備制度は対応して金利を〇・二五％から〇％の間に設定する（詳細は融資者側の条件により確定）。「窮地の窮策」の典型だ。こうして米国は、もう二度と起きないと経済学者たちが自己暗示的に言い張った出来事に絡め取られる――一九二九年以来の流動性の罠である。[5][i] 今回は当時よりも一層悪質だった。一九二九年のそれと異なり、私たちの世代の流動性の罠は世界的（グローバル）だからだ。ゼロ金利への墜落は米国のみならず西洋全域で発生した。

　CDO市場で発生した後に世界の金融部門を呑み込んだ病。実体経済――書類のやりとりで狂気じみた金額を動かすだけの場ではなく、生身の人間による具体的なものづくりの場――への感染を示すさらなる証拠を提示するかのように、ブッシュ大統領は七〇〇〇億ドル（七〇兆円）の救済策の内一七〇億ドル（一兆七〇〇〇億円）は米国内で打撃を受けた自動車生産者に与えると宣言。そのわずか数日後には米国財務省がゼネラルモーターズの（金融化の絶頂期には空前絶後の「利潤」を誇っていた）金融子会社の破産防止のために六〇億ドル（六〇〇〇億円）を投じると発表。

　一二月三一日の大晦日に至ると、ニューヨーク証券取引所株式総額は二〇〇八年一月比で三一％以上も落ち込んだ。

二〇〇八年の後　終わりなき残響

二〇〇九年一月、オバマ新大統領は米国経済を「重病」と診断。回復のための新たな財政出動を匂わせる。政権間の一貫性を証明するかのように、オバマ政権はブッシュやポールソンがひらいた道をまっしぐら。追加で二〇〇億ドル（二兆円）をバンク・オブ・アメリカに注入し、シティグループが救済目的で二分されるところを冷や冷やしながら見守る。米国失業率は七％台に達し、労働市場からも世界恐慌以来の規模で雇用が削ぎ落とされる。米国輸入量も落ち込み、結果として日本、ドイツ、そして中国の貿易黒字も衰退する。世界牛魔人がはっきりと痛手を負った最初の出来事である。

英国ではイングランド銀行が金利を一・五％にまで引き下げるが、これは三一五年間で最も低い値。ＧＤＰが一・五％減少する中で英国政府は中小企業向けに二〇〇億ポンド（二兆八〇〇〇億円）の融資という助け舟を出す。ドイツ首相のアンゲラ・メルケルも例にならって五〇〇億ユーロ（六兆円）の刺激策を実施する。欧州中央銀行も金利を二％に引き下げる。アイルランドはアングロ・アイリッシュ・バンクを国有化。政府が債権者や預金顧客に（最後の一ユーロまで）保証を与えていたため、銀行家の茫々たる損失がアイルランド国民の肩に直にのしかかる。この失着からアイルランドはいまだに立ち直れておらず、少なくともあともう一世代は苦しみの遺産を背負い続けるだろう。

同月内に国際通貨基金は世界経済成長率が一九四五年以来初めて負の値になるだろうと警告。国際労働機関も世界中で五一〇万件の雇用喪失を予測。どちらの予想も的を射ていたことが後で判明する。

二〇〇九年二月、イングランド銀行は金利を一％にまで引き下げて低金利新記録を樹立。（本稿執筆

（5）　liquidity trap　利子率が低いため、マネーサプライを増やしても投資が増えない状況のこと。ネオケインジアンの経済学者ジョン・ヒックスが提唱した。

中に金利はさらに〇・五％まで下がった）。まもなくオバマ大統領はガイトナー・サマーズ計画（プラン）――大統領自身が「歴史上最も包括的な復興政策」と呼んだ七八七〇億ドル（七八兆七〇〇〇億円）の刺激策――に署名。[ii]（ここが分水嶺だった。詳しくは第七章で）。一方でＡＩＧは凶報を垂れ流し続けた。二〇〇八年第四四半期の損失総額は六一七億ドル（六兆一七〇〇億円）。米国財務省は「ご褒美」としてＡＩＧに三〇〇億ドル（三兆円）を追加投入する。

三月、Ｇ20グループ（Ｇ7に加えロシア、中国、ブラジル、インド、そしてその他の新興国）は「世界経済を不況から脱却させるための努力の継続」を約束。その流れで連邦準備制度はもはや小手先の対策では埒（らち）が明かないと見て一兆二〇〇〇億ドル（一二〇兆円）の「不良債権」（すなわちウォール街発行の無価値な民間通貨）の購入を引き受ける。

四月、Ｇ20はロンドンで一同に会し、民衆の大規模デモ抗議の声が響く中、国際通貨基金の後援を受けつつ一兆一〇〇〇億ドル（一一〇兆円）を世界金融制度に提供することを決定。国際通貨基金は後に金融崩壊（クラッシュ）によって一掃された金融資産価値を四兆ドル（四〇〇兆円）と推計。ロンドンではアリスター・ダーリング財務大臣が二〇〇九年の英国経済衰退を三・五％、財政赤字を一七五〇億ポンド（二四兆五〇〇〇億円）超（すなわちＧＤＰの一〇％以上）と予想。これですら楽観的な展望であったことが後で証明される。

二〇〇九年五月、米国自動車生産者三番手のクライスラーが破産手続きに入り、資産の大半がイタリア自動車生産者フィアットへ激安で移転される。金融関連のニュースは相変わらず暗鬱としたものばかり。藁（わら）にもすがる思いの米国財務省は新たに七〇〇〇億ドル（七〇兆円）以上の支援策を実施する。

六月に入ると、嵐はゼネラルモーターズにまで及ぶ。米国の国民的自動車メーカーが破産。同社が国有化される中で、債権者は投資金額の九〇％の喪失を「承諾」するよう強制される。政府が運転資金として新たに五〇〇億ドル（五兆円）を提供。ゼネラルモーターズ社内の労働組合は会社側が従業員の年金を保証できなくなったことによって突如債権者となり、結果として会社の一部所有者となる。少なくとも書面上、社会主義はデトロイトで健在らしい。

大西洋の向こう岸では、英国における失業率が上昇を続けて七・一％に達し、二二〇万人以上が解雇される。世界経済の状態を示すさらなるしるしとして、二〇〇八年に世界の石油消費量が一九九三年以来初めて下がる。

内実（ローダウン）

以上の時系列は二〇〇九年中旬という恣意的な節目で唐突に終了します。ハッピーエンドではなく、ハリウッド映画のような一件落着もありません。二〇〇七年に始まったはてしない物語は今後も長きに渡って続いてゆくことでしょう。局面を改めて俯瞰するためにも、あくまで暫定的に節目をつけただけです。二〇〇九年六月という選択にも特に深い意味はありません。

その後の世界情勢を総括するには、以下の言葉をそのまま引用するのが相応しいように思えます。

> 債務含有資産保有の危険度は最高潮に達しており、流動性を巡る競争は騒擾を極めている。一人また一人と流動性を入手するたびに資産価格はその過程で下落を強いられ、残された個々人は利鞘（マージン）

を絞られ意気消沈させられる。あとは同じ手順の反復である。……全体の利益と特定の主体の利益の不協和をこれほど如実に示す例は他にあるまい。

一九三二年、ジョン・メイナード・ケインズの言です。[iii] 二〇〇八年以後の世界では一九二九年の残状よりもさらに重く響く言葉です。一九二九年当時の米国の貸付残高はGDPの一六〇%でした。一九三二年、ケインズがくだんの節を書き留めた年には、負債の急増とGDPの落ち込みも相俟って貸付残高はGDPの二六〇%にまで上がりました。比較して、世界牛魔人が統べる米国は二〇〇八年金融崩壊に入るに当たってGDPの三六五%の貸付残高を抱えていました。二年後の二〇一〇年にはそれがGDPの五四〇%にまで肥大します。しかも名目残高がGDPの少なくとも四倍はあるデリバティブ商品がそこには一切含まれていません。

重すぎて茫然とさせられる数値ですが、現実を正確に表しているとは言えません。二〇〇八年金融崩壊前夜、世界牛魔人の王国に三〇年間奉仕した後もなお、普通の米国労働者の実質賃金は一九七〇年代前半よりも低い水準にありました。いまだかつて無い長時間労働を引き受け、目を見張る生産性向上を実現しても、労働者には具体的な見返りが何もなかったのです。その挙句に二〇〇八年頃には突如数百万人単位で労働者が道端に放り出されたわけです。

四〇〇万人近くの米国人が職を失いました。米国抵当銀行協会は銀行による住宅差押率を二〇〇件に一件と推計しています。二〇〇八年から二〇一一年までの間、三ヶ月ごとに二五万世帯もの米国家庭が屈辱を噛みしめながら退去を強いられたのです。米国の学校の生徒たちも一クラスにつき少なくとも一人が両親の住宅ローン返済不能による住まいの喪失の危険にさらされています。傷口に塩を塗るように、米国を拠点とする住宅保有者保護基金[6]は（六万人の住宅所有者を対象に行われた調査の結果）米国世帯の四〇％以上が雪だるま式の負債に陥っていると報告しました。米国経済全体が脱レバレッジ——すなわち負債の減少——へと向かっているにも関わらずです。

実体経済（メインストリート）に浸透する普通の米国人の不満を理解するには、不安に苦しむ米国家庭と息を吹き返したウォール街（実体経済の対極）を比較対照すべきでしょう。牛魔人の治世の下、報酬が減り続ける中で重労働に耐えた大衆が牛魔人の失墜と共に使用済みの家電のごとく廃棄される。他方では全く無価値な紙切れ資産を作り、巨額の収入（及び同規模の慢心（エゴ））と引き換えに世界を壊滅させた極少数の人たちが国民の血税を主な財源とする支援策一〇兆ドル（一〇〇〇兆円）以上を懐に入れる。「制度」全体が芯まで腐っているという思いを胸に深い不満を募らせた人々を茶会運動（ティーパーティー）がいとも容易（たやす）く包摂している現状も頷けます。

欧州でも危機は加速しており、共通通貨（ユーロ）の存在自体が脅かされていました。（この興味深い危機に関しては第八章でまた詳しく論じます）。欧米の外に目を向けると、二〇〇八年金融崩壊は新興国（すなわち一九九〇年代後半以降に成長を始めた第三世界諸国）にそれほど大きな打撃は与えなかったという考えが通説です。中国が一年で三五〇〇億ドル（三五兆円）以上を（また二〇一〇年までにはその二倍の金額を）インフラ事業に投じるという純粋なケインズ主義政策で危機の勃発をうまく遅らせたの

（6） Homeownership Preservation Foundation　日本語での正式名称は不明。ここでは字義通りの訳をした。

は事実です。しかし北京大学がその後発表した研究によると、同時期に貧困率はむしろ上昇し、公共支出のおかげで経済成長こそ持続されたものの、民間支出比率だけでなくＧＤＰ比の消費すらも下がりました。世界牛魔人なき世界においてこのようなケインズ式経済成長が果たして持続可能であるか否かは、私たちの時代の次なる課題であると言えるでしょう。

　ブラジルやアルゼンチンといった国々は中国に一次産品を大量輸出しており、他国と比べ二〇〇八年危機をうまく切り抜けました。インドも十分な国内需要創出に成功しました。とはいえ二〇〇八年金融崩壊以前から第三世界ではすでに食料価格の高騰による危機が渦巻いていたのだという事実を忘れてはなりません。二〇〇六年から二〇〇八年までの世界価格上昇率は米が二一七％、麦が一三六％、トウモロコシが一二五％、そして大豆が一〇七％でした。原因は多岐に渡りますが、世界牛魔人も一枚噛（か）んでいました。

　金融化に伴うオプション、デリバティブ、そして証券化等々の噴出によってシカゴ先物取引所では食料生産に関する投機に拍車がかかります。二〇〇八年に至るまでの年月では住宅ローンではなく麦・米・大豆の先物価格から作られたＣＤＯの取引が活発になります。バイオ燃料需要の増加も一役買いました。食用の穀物がロサンゼルス、シドニー、ロンドン等にのさばる四輪駆動の怪物車に喰らい尽くされる。多くの自然災害（パキスタンやオーストラリアを手酷（ひど）く襲った洪水、ロシアやオーストラリアを呑み込んだ森林火災——地球温暖化の一現象である可能性大）も相俟（あいま）って、食料価格インフレは一層深刻になりました。

　ことの全容を把握するには、カーギルやモンサントを始めとする米国多国籍企業によるインドその他の各国での種苗の独占商品化、かかる多国籍企業の毒々しい網にかかったインド農家数千人もの自殺、国際通貨基金（ＩＭＦ）による構造調整プログラムの下での社会保障制度の瓦解等々を考慮に入れるべきでしょう。鳥瞰してみると、二〇〇八年金融崩壊は（大多数の人々にとって）虎口を逃れて竜穴に入るような出来事だったと言えます[iv]。

二〇〇九年四月にG20はロンドンに集い、国際通貨基金の資金をさらに一兆一〇〇〇億ドル（一一〇兆円）強化しようと決定します。世界各地の経済圏が金融崩壊に対処するための支援金だという建前でしたが、詳細を追うとある条件が浮き彫りになります――資金は世界の金融部門への支援のためだけに利用されると言うのです。自殺すら考えているようなインド人農家には何の希望もありません。実体経済への投資を考えている資本家も門前払いにされました。

終幕――「破産主義社会[7]」への転落

二〇〇八年金融崩壊（クラッシュ）は世界牛魔人に致命傷を与えました。二〇〇八年から二〇〇九年を経た後は危機も緩和されてきましたが、完全に解消されたわけではありません。魔獣なき今、米国二重赤字を管理しつつ世界の黒字を吸収する役割を担う者が不在です。危機は変幻自在に形を変えつつ随所に芽吹いているのです。もはや単なる金融危機ではありません。単なる経済危機ですらありません。政治危

（7）　bankruptocracy　バルファキスの造語。破産（bankruptcy）を厭（いと）わず、むしろ破産を前提として・利用して国家統治を行う政治体制のこと。ちなみにバルファキスの別著『黒い匣』では「破産閥支配」という訳語が用いられている。

機なのです。

米国では相変わらず失業率が一〇％前後という（特に米国のような国では）持続不可能なレベルを維持しています。欧州の失業率も同じようなものです。米ドル圏もユーロ圏も幼稚なエリート階級の小競り合いのおかげで統治不可能な圏域と化してしまいました。米国では二〇一〇年一一月の中間選挙で勝利した共和党がオバマ政権をまんまと丸め込みます。政府がもはや財政刺激という誘い水を経済に注げなくなった今、静かに燃え広がる危機を火掻き棒でつつく役割はベン・バーナンキ率いる連邦準備制度へ。こうして連邦準備制度は米国経済に循環中の通貨の量を増加させるために数千億ドル（数十兆円）相当の紙切れ資産を泣く泣く買い続けているのです。このゲームの名は量的緩和。[v] 理想的とはお世辞にも言えない状況であることはバーナンキも重々承知していますが、ホワイトハウスと連邦議会が膠着状態に陥っている今は他に選択肢がないのです。

欧州では危機からほとばしる遠心力によってユーロ圏全体が引き裂かれており、ドイツを頂点とする黒字諸国が、節約に節約を重ねてもなお構造的赤字を払拭できない「落伍者」集団とにらみ合っています。政策の統率すらとれない斜陽の地、欧州。経済は衰え、生産力も劣化しています。政治連合という夢も戦後米国政権が将来的成長性の強化を背景に力強く推し進めたとはいえ、もはや色褪せてきています。

一九二九年金融崩壊から三年後、危機に政治的手段で立ち向かおうという固い意志を持った政府がルーズヴェルト大統領当選によって権力を握りました。銀行部門が崩壊し、新政権が時を掌握（カルペ・ディエム）したのです。広範な規制管理が導入され、危機を決定的かつ合理的に是が非でも乗り越えようという政治的意志に対して資産家や銀行家――政治的解決策が己の権力への脅威に思えれば思えるほど抵抗心を強める類の人たち――は疲労困憊のあまりほぼ無抵抗でした。

　悲しいかな、現代版一九二九年危機から三年後、権力の秤は反対側へ傾いています。金融崩壊からわずか一、二年で政治権力は衰弱。ほぼ壊滅状態の金融部門の無条件救済に政治的資本を使い果たしてしまったからです。諸銀行はゾンビ映画さながらに国家制度から生命力を吸い尽くした後で直ちに逆襲に転じました。欧米の政治家はついこの間自分の手で救済したばかりの諸銀行に怯えるという醜態をさらします。[vi] 一連の問題の核であったはずの銀行部門に政治家たちがひれ伏す体たらく。現在進行形の危機を良識ある政策で解決する道が閉ざされただけでなく、そもそも何が起こったのかについての合理的な議論すらもみ消されている理由はこれです。

　「ゾンビの地獄絵図」の現実性を疑う方は、二〇一一年一月二七日に金融危機調査委員会が行った二〇〇八年金融危機に関する演説を参照してください。[vii] 研究調査と入念な議論を二年間も続けた挙句に「危機はリスクの引き受けすぎと規制の不十分さによって引き起こされた」というなんとも陳腐な結論が発表されました。凡愚の極みに思わず涙が出そうになりますが、野党側の共和党は泣きっ面に蜂とばかりに「悪いのは政府だ！」と高らかに宣言します。理由はこうです。国有の住宅ローン提供者二社、ファニーメイとフレディマックは多くの貧しい米国民にサブプライムローンを売り込んだ。何も分かっていない国家が市場に立ち入ったら何が起こるのかを示す好例ではないか、という具合です。この説明はしかし自明の真実を多数見落としています。そもそもファニーメイとフレディマックはウォール街という犬の尻尾にすぎなかった。二社はＣＤＯ生産という祭りに遅れて参加した。民間通貨発行装置はウォール街の民営銀行が設計・統率した世界的現象だった。ファニーやフレディに相当する機関を持たない欧州でも全く同じパターンが見られた。ウォール街復活という天命を阻む真実は全て脇にどけられてしまったのです。

金融危機以降の欧州における公の議論にも凡愚の霧が充満しています。宇宙人が欧州の新聞を真面目に読んだならば、欧州の危機は周縁国家数カ国が借金や浪費を重ねたから起きたのだという結論に至ったことでしょう。幼稚なギリシア、浮かれ調子のアイルランド、そして物憂げなイベリア半島が自国の生産力では支えきれない量の政府負債に頼って身の丈に合わない豪勢な暮らしをしようとしたのがいけなかったのだという結論です。米国金融家が吹聴してまわった説だという皮肉は――他人の資本に頼った暮らしを送ることにかけては二〇〇八年まで牛魔人の脛をかじり続けてきた米国の右に出る者はいないので――脇に置いておくとしても、この手の物語は単純に誤っています。たしかにギリシアは巨額の赤字を抱えていましたが、アイルランドは健全な財政の鏡でした。スペインに至っては二〇〇八年金融崩壊が起きた頃は黒字国家でしたし、ポルトガルも赤字や負債の状態に関してはドイツと肩を並べていました。とはいえ、嘘がこれほど愉快で、しかも危機の真の震源（すなわち銀行部門）から照明を遠ざけようと必死な人たちにとってこれほど好都合な状況では、真実に従う動機がないのです。

右派対左派という構図で政治経済議論が語られた時代もありました。赤コーナーには、経済活動を市場の力学に任せきるのは軽率であり、中央計画経済こそ社会を改善する道だと主張する左派が、青コーナーにはダーウィン的市場運動によって効率の悪い経済活動を淘汰することで最適解を導くことこそ社会的善への真の奉仕だと反論する自由市場派が立つわけです。一九九一年には赤コーナーが壊滅的挫折[8]を味わい、以後二度と立ち直れませんでした。二〇〇八年には青コーナーが同じ目に遭いましたが、それに気づいた人はほとんどいませんでした。大西洋をまたいで進むポスト二〇〇八年新時代においては、大失敗こそ究極の成功であるとされているからです。

むしろこの種のダーウィニズムは本末転倒に陥っています。民間組織の失敗が大きければ大きいほど納税者からの資金救済の金額も上がり、結果として組織側の権力が増大する。要するに世界牛魔人の黄金期に社会主義が死に、魔獣の世界経済統治が終幕を迎えるや否や資本主義も静かに脇にどけられ、新しい社会制度がのし上がって来た――**破産主義社会**です。破産した銀行を統治者とする制度ですが、ギリシア語を使ってもよいなら素寒貧銀行主義（プトーホス・トラーペザ）と呼びたいところです[viii]。

まとめます。二〇〇八年金融崩壊の物語は将来世代が各々の時代を理解するための鍵として研究され続けていくでしょう。そして世界資本主義の質感や力学を永久に変貌させた新しい体制の萌芽がそこに見出されるでしょう。**破産主義社会**という言葉が定着するかどうかはどうでもよい。重要なのは二〇〇八年が重大な断絶の年だったということです。もはや**後戻りが許されない**ような変容が起きたのですから。本書の文脈で言い換えると、二〇〇八年以後の新時代は荘厳な空白と朧気な現出という

（8）　the red corner met with calamitous defeat　ソ連崩壊を指す。これにより共産主義思想は政治的威力や正統性を失い、自由主義の一強時代が始まる。フランシス・フクヤマの『歴史の終わり』（The End of History and the Last Man――原題にはニーチェへの参照も暗に含まれている）が刊行されたのはその翌年の一九九二年のことだった。

特色を纏(まと)っています。二〇〇八年以前の世界を創造し、二〇〇八年金融崩壊を引き起こした世界牛魔人が残した空白。二〇〇八年から疾風怒濤の勢いで捲土重来を試みる侍女たちの現出。牛魔人の侍女たちが魔獣の恣意から解放されて大暴れする世界の実現はもうすぐそこまで迫っています。

第七章　侍女たちの逆襲

ガイトナー・サマーズ計画（プラン）——友の力を借りて

危機が未来の実験室だとすると、様々な「介入」を試す主任実験者たちには実験終了後の世界のゆくえを決める責任があります。二〇〇八年金融崩壊後の世界の航路も実験によって決定されました——私が破産主義社会と呼ぶ航路です。実験方法の大胆さという点では、かの有名なガイトナー・サマーズ計画の右に出る例はないでしょう。

ガイトナー・サマーズ計画は二〇〇九年二月に産声を上げ、紙屑（くず）同然のＣＤＯの海に溺れる諸銀行をオバマ大統領が救助したときに投げた一兆ドル（一〇〇兆円）の浮き輪へと結晶しました。買い手がつかない資産の難点は、資産価格が定まらないということです。本来ならば銀行側にＣＤＯを不良投資として償却させるべきでしたが、それでは損失が資産をはるかに上回り、諸銀行が揃って破産申告をする羽目になってしまいます。

7・1 失敗の報酬

特権が内蔵する自己増殖衝動はまことに執拗なものです。世界牛魔人の時代において（クリントン政権で財務長官を務めた）ローレンス・サマーズはウォール街規制の全面撤廃を許可しました。当時サマーズの財務次官を務めていたのはティモシー・ガイトナー。八年後にオバマ大統領が権力を握ったとき、彼らの失敗の後始末を任された人物が誰だったのかは容易に想像がつくでしょう。そう、ガイトナーとサマーズです。理由は何か。これほど大がかりな仕事や莫大な特権を安心して任せられる人物が他にいなかったからです。資本主義の複雑性がある一線を超えると、失敗にも報酬がつくようになります。危機が起きるたびに現職者の権力が増大していく。状況の収拾をつける力を持った人は他に誰もいないと民衆が思うようになるからです。こうして問題を引き起こした張本人たちが「解決策」を実施するたびに、権力の集中と複雑化が一層酷くなってしまう。すると容疑者への依存度が上がる。問題の本質はここにあります。

納税者ないし連邦準備制度が、銀行の総崩れを食い止めるぎりぎりの価格でくだんの「資産」を「購入」するという解決策も考えられます。これこそポールソン財務長官の構想でしたが、連邦議会から必要資金を調達できなかったため挫折します。政権交代後はガイトナーとサマーズのデスクにこの難題が着地します。二人は早速新しいアイデアを――CDOの燃え滓のための市場を開拓しつつ納税者に銀行救済費用を押し付けなくて済む、まさに天才の閃きと呼ぶべきあるアイデアを――実行に移しました。

アイデア自体は単純でした。有毒なCDOに仮想価格を与えるために仮想市場を設置し、これに基づいて諸銀行の帳簿を書き換えること。そのからくりを説明しましょう。

*B*銀行が*c*証券という架空のCDOを一〇〇ドル（一万円）で購入して所有していたとします。そのうち四〇ドル（四〇〇〇円）は*B*銀行の手持ち金から、六〇％はレバレッジ（すなわち*c*の購入目的で借りたお金）から支払われていたとします。二〇〇八年以降、*B*銀行は*c*証券を五ドル（五〇〇円）以上で売却できないという問題に直面します。金庫には似たようなCDOがあふれんばかりに詰め込まれているので、これを六〇ドル（六〇〇〇円）以下の値段で売ってしまっては売上金が借金返済必要額にすら満たないため破産に陥ります。マイナス資産の典型例です。*B*銀行は*c*証券を手持ちにせざるを得ず、投資家は有毒なCDOが処理されない現状に痺れを切らして*B*銀行の株式を手放すようになり、*B*銀行株の市場株価は下落の一途を辿り、*B*銀行は真綿で首を絞められてしまいます。国家が援助を送っても*B*銀行は絶望に駆られてそれを最後の一銭まで貯め込むだけ。こうして諸銀行への巨額の救済策は、設備購入のために融資が要る諸事業や新居購入のための資金が要る消費者には行き渡らずに終わります。ただでさえ酷い不況が一段と悲惨になるわけです。

ここでガイトナー・サマーズ計画の御出座しです。そこではまず*H*基金（ヘッジファンド又は年金基金）が*c*証券への入札に使用可能な口座*A*を開設します。口座*A*の残高総額を六〇ドル（すなわち*B*銀行が*c*証券の対価として承諾しうる最低金額）とした場合、その内訳はこうです。ヘッジファンド*H*と米国財務省がそれぞれ五ドルずつ入金。残りの五〇ドル（五〇〇〇円）は連邦準備制度からの融資という形をとります。[i] 準備が整うと、次はB銀行のc証券を巡る政府公認の競売にH基金が参加するのです。定義上、最低競売価格は六〇ドルです。B銀行が破産を避けるために必要なcの最低売却価格だからです。ここでH基金が六〇ドルでこれを落札したとしましょう。B銀行は六〇ドルを入手し、これを債権者へ償還します。（元々c証券の購入に六〇ドルを借りたのはB銀行だったという点を思い出してください）。B銀行は資産をc証券分失いますが、窮地を脱することができるのです。H基金側の利潤はc証券の次の売却価格が決定します。そこで今度はH基金にとって好都合な進展とそうではない進展を見てゆきましょう。

好都合な進展では、H基金がc証券を六〇ドルで購入してから数週間が経過した後、投機家の後押しを受けて仮想市場が伸び、おかげで証券価格が八〇ドル（八〇〇〇円）に上がります。八〇ドルの内五〇ドル（五〇〇〇円）はH基金の連邦準備制度への債務であり、残りの三〇ドルは共同事業者である米国財務省と折半すべき資産です。拠ってH基金の手元には一五ドル（一五〇〇円）が残ります。悪くない成果です。五ドルの投資が一五ドルの収益に化けたのですから。H基金が同種のCDOを仮に一〇〇万株買っていたならば一〇〇〇万ドル（一〇億円）という純利益を颯爽と懐に入れていたところです。

今度は不都合な進展に目を向けましょう。結論から言うと、H基金は初期投資金額の五ドル以上の損失をこうむることはありません。H基金が口座Aを使い六〇ドルで買ったc証券に、売却時に仮に三〇ドル（三〇〇〇円）の値段しかつかなかったとしましょう。この場合H基金には売り上げ三〇ドルに対して連邦準備制度への未返済負債が五〇ドル残ります。通常ならばH基金が米国財務省と一緒に

蘇らせること。納税者を介した公共通貨[1]を基盤に新種の民間通貨を発行するという夢を見る許可がウォール街におりたのです。

政府は世界牛魔人の侍女たちの中でも特段醜悪で手強い者たちによる魔獣失墜後の復権を許しました。問題の本質はここです。こうして政治家たちは皮肉にも自滅への道を歩み始めます。倒産銀行の再強化は将来的に有意義な政策を立案・実施する余力の放棄を意味していました。ウォール街の権力回復に伴い、政界は現在進行形の危機を収束させる力を失ったのです。

欧州版ガイトナー・サマーズ計画

欧州の危機には独自の特徴があります。詳しくは次章で論じますが、ここでは有毒なデリバティブが欧州諸機関の想像力をいかに深く侵していたのかを手短に確認しておきましょう。米国産ＣＤＯを冷笑していたはずの欧州大陸において、欧州連合が財政難に陥った加盟諸国（アイルランド、ポルトガ

（1）　public money　本書では「政府や中央銀行などの公共機関が発行・管理する通貨」というくらいの意味である。文脈に応じて「公的資金」と訳した箇所もあるが、基本的には「公共通貨」を採用した。バルファキスは単なる資金ではなく通貨そのものに言及しており、かつ「民間通貨」との対比を大切にしているからである。なお英語圏では「Public Money Movement」が、日本では「公共貨幣フォーラム」がそれぞれ特別な意味で「public money」「公共通貨」という言葉を使っているが、バルファキスはそのような意味ではこの一語を使っていない。なお「公共機関が通貨を発行・管理するとはどういうことなのか」「真に《公的》な通貨とは何なのか」という問いはもちろん重要であり、それに関してはまた別の議論が必要となるだろう。第五章「民間通貨」への脚注も参照されたい。

ル、スペイン等）への融資制度を作るにあたって恥ずべきCDOに着想を得たという意外な事実は実に興味深いものです。

二〇一〇年五月、欧州連合は世に言う「特別目的事業体」（SPV）を設立します。ねらいは健全なユーロ圏諸国に代わって借金をし、金融市場から締め出された国々へ融資をすること。こうすれば各国政府の債務不履行を防ぎ、当該国家へ巨額の融資をしていた諸銀行の全滅も回避できるというわけでした。

後に「欧州金融安定法人（ファシリティ）」（EFSF）と命名されるこのSPVは臨時基金であるはずでしたが、欧州危機が深刻化するにつれて位置づけが変わり、二〇一三年には「欧州金融安定装置」（EFSM）という名の恒久的機関へと正式に昇格されました。ユーロ圏を代表して四四〇〇億ユーロ（五二兆八〇〇〇億円）を借り入れ、資金繰りに窮し（場合によっては）破綻しそうな加盟国への融資に当てるという構想でした。[v]

EFSFこそ「破産主義社会」の代名詞です。理由となる特徴は二つ。第一に、アイルランドやポルトガル等ではなく欧州各国の倒産銀行を救済するために資金調達をしたという点。（これについては次章で詳しく論じます）。第二に、有毒なユーロ債券——すなわちいまだ記憶に新しいあの邪道なCDOと全く同じ風に構成された債券——の発行を資金源としていたという点。これは本章の文脈からも重要な点です。

ウォール街のCDOの構成を思い出してください。そこでは様々な金利や債務不履行リスクをもつ多種多様な住宅ローン（優良（プライム）・サブプライムの両方）の破片が合成されていました。合成物の毒性の強さも思い出してください。おかげでＣＤＯ内の債務破片が一つでも不良債権化すれば他の破片の債務不履行リスクが上がってしまうという状態が作られていました。例えば太郎さんのローンが債務不履行になった場合、太郎さんの失業と住宅所有権喪失は花子さんが失業する確率の上昇につながり、ひいては花子さんの債務不履行の確率の上昇へと帰結するのです。

ＥＦＳＦ債券も全く同じ構成でした。例として、二〇一〇年一二月にアイルランド政府が国内民営銀行への負債返済ができずに財政破綻寸前にまで追い込まれていたときに差し出されたＥＦＳＦ債券を見てみましょう。アイルランド向けのＥＦＳＦ融資の資金はＥＦＳＦが金融市場から調達したものです。そのときの基盤となったのは、ユーロ圏のその他一五ヵ国が（ギリシアは二〇一〇年五月の時点で市場から締め出されていました）各国のＧＤＰ比率で提供した保証です。資金の山はたくさんの「小包（パケット）」へと小分けされ、一つの小包の中にドイツが保証する破片、フランスが保証する破片、ポルトガルが保証する破片等々という具合に各国の破片が混在していました。各国の信用度は当然異なるため、金利もまた国によって異なります。この「小包」は主にアジアの投資家や欧州の（ほぼ倒産状態の）銀行に向けて債券として売却されました。

ギリシアやアイルランドの後に続いて、ここでポルトガルも金融市場から退場したとしましょう。実際、ただでさえ背水の陣のポルトガルはなんとアイルランドの借金を高金利で肩代わりさせられてもいます。本書が読者の手に渡る頃にはすでにポルトガルが退場していても不思議ではありません。投機家はポルトガルの債務不履行に賭けたＣＤＳの購入を当然検討するでしょう。くだんのＣＤＳの価格が上がれば、ポルトガル向け新規融資の金利は手の届かない数値にまで上がるでしょう。こうしてポルトガルは托鉢の碗を携えてＥＦＳＦまで出向くことになります。

ＥＦＳＦはポルトガル救済のために残りのユーロ圏諸国を代表して新規債務発行[2]を行います。ポルトガル脱落後は残りの一四か国のＥＦＳＦ債券の保証額は当然上がります。市場は対応して次の「崖っぷち」国家に照準を絞るはずです。ギリシア、アイルランド、そしてポルトガルへの融資をする上で、ＥＦＳＦの中でも最も高い金利で借金をしている国家――そう、スペインです。こうしてスペインの金利も着々と上がり、マドリードもすぐに市場から締め出されるでしょう。ＥＦＳＦ名義の借金をする国家は一三ヵ国に減り、市場は次の「周縁国」をねらい撃つ。この繰り返しによってＥＦＳＦ参加国数は減り続け、終いには参加国が負債総額の重荷に（耐えたくても）耐え切れなくなるのです。

次章では事故に遭った登山家集団という比喩が登場します。山の斜面から次々と足を踏み外していく人々。文字通りの頼みの綱は一本のロープのみ。最も腕力のある登山家ですら他の全員の体重には耐え切れず、いずれ谷底に落ちてゆく。この図式を通して見ると、ＥＦＳＦの構造は絶望の相を呈するでしょう。各債券には各国提供の多種多様な債務保証が織り込まれており、混濁を極めています。二〇〇八年以前のＣＤＯ普及と全く同じ道を辿っているわけですが、さらに追加で二つの重大な欠陥がありました。

第一に、世界経済に未曾有の大問題をもたらしたＣＤＯと同じ構造をＥＦＳＦ債券でも採用するなど、控えめに言って「軽率」です。ＣＤＯ構造への依拠から直ちに発生する問題として、ＥＦＳＦは四四〇〇億ユーロ（五二兆八〇〇〇億円）の借金をせざるをえないが実際の融資に使える上限額は二五〇〇億ユーロ（三〇兆円）であるという点があります。残りの一九〇〇億ユーロ（二二兆八〇〇〇億円）

は金庫で埃（ほこり）をかぶる運命にあるのです。なぜか。投資家は債券の毒性を承知しており、ポルトガル等のユーロ圏加盟国の債務不履行時にEFSFからの返金が期待できない限り債券を買ってくれないからです。端的に言うと、負債をまとめる手段としては実に効率が悪いのです。

第二に、米国のガイトナー・サマーズ計画と同じく、この種の政治介入はCDO（及び前身のウォール街産金融商品）の**元本分**しか減免できません。さらに重大なことに、それは銀行、保険会社、ヘッジファンド等々に新種の民間通貨の発行を許すのと同じことなのです。二〇〇八年金融崩壊を水に流すような行為ではありませんか。既述の通り、米国ではガイトナー・サマーズ計画が新種のデリバティブを生み、伝統的な公共通貨を担保とした新種の民間通貨がウォール街に流し込まれました。欧州でもこれに匹敵するほど不気味な現象が起きたのです。

ギリシアやアイルランドのような国家へのEFSF式救済策に有毒な欧州債券（ユーロ・ボンド）が採用されたと知るや否や（加盟国の支払い能力問題がこんな策で解決されるはずはないと市場が踏んでいたこともあり）諸銀行やヘッジファンドはユーロへの不安を新たな博打祭りへと変貌させる機会に飛びつきます。欧州加盟国（ギリシア、アイルランド、スペイン、イタリア等）の債券に対してCDSを使って早速賭けをしたのです。有毒なEFSF欧州債券と大漁の獲れたて新鮮CDSのおかげで、新たな民間通貨発行の酒

（2）　issue new debts　「新規債発行」とするのが無難だが、ここでバルファキスは「bonds」ではなくあえて「debts」という言葉を選択している。ギリシア債務危機に始まるEUの債務をめぐる政治に光を当てようという文意も読み取れる。よってここでは少々ぎこちなくてもあえて「新規債務発行」という訳語を選択して原著のもつ含みを訳出した。

宴が無理矢理続行されました。民間通貨の盛り合わせが最後の一皿まで食べつくされたとき——そしてその瞬間は必ずやってきます——欧州には一体何が残るのでしょうか。

救いの手に噛み付く侍女——醜悪と無恥の極み

ウォール街による民間通貨形成力の回復こそ、米国・欧州問わずガイトナー・サマーズ計画の本質でした。「二度と繰り返さない」[3]と高らかに宣言する代わりに、政治指導者たちは諸銀行に「いつも通り」の——しかも公費を使って「いつも通り」の——営業を事実上認めたのです。カール・マルクスは、歴史は繰り返されるものだが二度目は茶番劇だと言いました。いかにも、ウォール街は二〇〇八年以前に（政府の黙認もあって）自前の合成金融商品を作り、二〇〇八年金融制度溶解後には欧米政府から巨額の助成金を受けて同じことをしたのです。

まとめます。オバマ政権は二〇〇九年二月の時点ですでに（貧困層向け住宅ローンによる負債に漬かった）旧式デリバティブのための新規市場製造という風でウォール街の帆を満たしました。交換媒体には（離礁済みの）旧式デリバティブと（貧困層の住宅ローンではなく納税義務を逃れられない人々——往々にして同じ貧困層の人々——から集めた税金に基づく）新式デリバティブの混合物を採用。諸銀行の有毒資産の多くが処分されていく中で、新たな民間有毒通貨の生産が転機を迎える。一年半後には欧州も負けじとEFSF式債券発行や銀行救済で追随し、猛毒金融「商品」の潮流形成に貢献しました。

諸銀行の貸借対照表から有毒なCDOの大半が一掃されると、その収益や国家が呼び込む救済金の波を使って、ウォール街は政府への返済を始めます。とはいえ、「政府融資の返済」という言い方は明らかな誇張です。実際に返金されたのは米国財務省と連邦準備制度が提供した金額のほんの一部でした。救済金の大半は未報告の膨大な債務保証という形をとりましたが、これは返済されず仕舞いとなったのです。ガイトナー・サマーズ計画にかかった巨額の費用も返金されませんでした。連邦準備制度が各種証券及びその他の資産数千億ドル（数十兆円）相当をウォール街への忖度の印（通称「量的緩和」）として密かに購入していたという事実も、諸銀行は公認すらしなかった。そのすべてが未来永劫一銭たりとも返済されないだろうという点は言うまでもありません。

要するに、諸銀行は納税者から追い風を受けて民間有毒通貨発行の宴に戻った後、負債総額から雀の涙ほどの金額を――社内重役への賞与を正当化できるぎりぎりの金額を――政府に返済したのです。再び湧き出す賞与。回復を遂げた株式市場。メディアは不況の終わりを讃える賛歌を斉唱し始めます。人々の耳には経済成長の再開の知らせが届きました。メディア、評論家、経済学者、ウォール街専門家等々、公の舞台では誰もが世界の終わりを回避できたと一斉に安堵のため息をつきました。深慮遠謀を促す堅実派の声もあがり、不況の第二段階への突入を危惧して警鐘を鳴らす者もいましたが、危機は過ぎ去ったという立場が社会通念となりました。それでも失業率は記録的高さを保ったまま、住宅差し押さえや担保回収の勢いも収まらず、実質賃金は停滞したきりなのですが。

（3）　never again!　読んで字のごとく「二度と繰り返さない」という意味のフレーズだが、日本語にするとどうしてもぎこちなくなってしまう。英語では大きな過ちを犯した者が反省の決意を込めて言う言葉。ホロコーストをはじめ大量虐殺の悲劇を「二度と繰り返さない」という意味でも用いられる。なお、あまりにも多用されてきたため言葉に重みがなくなっているという批判の声もある。

政治に関して言うと、諸政府は破産銀行へ肉袒面縛（にくたんめんばく）の体たらくでした。匪徒（ひと）のご多分に洩れず、降伏者側への恩情など一切示ない。むしろガイトナー・サマーズ計画は国家に対する諸銀行の脅迫力を高めたのです。全面的国有化をご法度とするウォール街の聖言（マントラ）。一九九三年のスウェーデンの例のような一時的国有化による諸銀行の資本増強も、金融制度への世間の信頼を低め、不安定性を増長し、果ては将来的回復の見込みを消してしまうだろうという屁理屈で攻撃されました。オバマ政権をこうして催眠にかけた後、ウォール街はオバマの政敵（普通の人々にとっては噴飯ものの規制緩和を約束してくれる人たち）の鼓吹に新たな財力を注ぎ込もうと早速計画を練り始めました。

転遷は二〇一〇年一月になると重みを増します。米国最高裁判所が五対四で一九〇七年ティルマン法を撤廃したのです。ティルマン法は企業が政治的影響力をカネで買うのを禁止するためにテディ・ルーズヴェルト大統領が可決させた法律です。特に二〇〇八年以降の金融部門において自社に有利な立場をとってくれる政治家へ企業の重役が独断で小切手を切っても良いと裁判所が判決を下した。あの運命の木曜日、ウォール街のカネをせき止めていた水門が開け放たれたわけです。

こうした「裏切り」行為に対抗してオバマ大統領は奇襲に転じます。ウォール街の出鼻をくじく規制法案の執筆・制定を（八〇代になっても元気満々な）ポール・ボルカーに任せ、当局がウォール街の手綱をうまく引き締められるような条文にするよう指示を与えたのです。経済回復諮問委員会（ＥＲＡＢ）委員長に就任したてのボルカーは「ボルカー・ルール」を発案し、オバマ政権はこれの連邦議会での可決を約束しました。一九九〇年代にローレンス・サマーズが撤廃したニューディール派のグラス＝スティーガル法がボルカー・ルールのもとで息を吹き返す。デリバティブを含む奇抜な金融商品に諸銀行が手を出せないようにする算段でした。国家による倒産保険付で預金を扱う以上、銀行側には株式市場やデリバティブ取引に参加する資格はないとボルカーは考えたのです。しかしボルカー・ルール可決への苦心惨憺（さんたん）も虚しく、最後はウォール街に軍配が上がりました。

ウォール街の銀行家側にも眠れぬ夜がなかったわけではありません。世界牛魔人の到来を予言して（第四章で詳述した通り）一九八〇年代には魔獣の世話係も務めた人物を敵に回したのですから。とはいえ、寝不足が解消されるまでそう時間はかかりませんでした。二〇一一年一月にボルカーは引退し、ERABからも退陣。ウォール街に大きな譲歩を強いる一瞬の機会が過ぎ去ったのです。こうして最も醜悪な侍女が野放しにされました。世界牛魔人なき環境で侍女が歩むべき道は何なのか。この問いを巡る思索は本書の結びまで保留しておくことにします。

捕食統治の再来・空虚なる経済学・市場原理主義の奇妙な悲劇

自由市場原理主義は政治思想や経済理論として牛魔人の侍女になりました（第五章「有毒な理論」参照）。ソビエト連邦によるマルクス主義利用さながらに遵守よりも違反によって崇敬されたわけです。[4]いずれも経済学の名作に基づく高潔な理想がさもしい目的のために——特定の社会集団による富と権力の簒奪のために——悪用されました。

高級官僚による政府機関の制圧は一九二九年以前の米国において日常茶飯事でした（第二章参照）。

（4） more honoured in the breach than in the observance 『ハムレット』第一幕四場に登場する慣用句。含蓄豊かな表現なので、ぜひシェイクスピアの作品の該当節を味わっていただきたい。

泥棒男爵の後には新星企業の親玉が、そのすぐ後にはウォール街が国家を攻略。[vi] 捕食者国家に生殺与奪を許した社会に対して、歴史は一九二九年金融崩壊という天罰（ネメシス）を与えました。

ニューディール政策と第二次世界大戦が世界計画を生み、経済社会的再編成のおかげで企業、政府、そして米国労働者の三者をより効果的に包摂する契約が結ばれます。契約は数十年間に渡って維持されました。懐かしい資本主義の黄金期。[vii] 一九七一年に世界計画が終焉を迎えると戦後契約も解除され、米国経済及び世界経済が意図的に「解体」されて世界牛魔人のための道がひらかれたのです。

すべて必然の出来事でした。米国二重赤字の絶えざる拡大。そのための資本流入を米国に誘引するには世界計画解体を避けては通れなかったのです。計画の内破は世界牛魔人治世の必須条件でした。魔獣の恩恵は誰に渡ったのか。所得上位層、すなわち金融機関、化石燃料部門、そして軍産複合体に付随する諸産業部門（主に電子機器、情報技術、航空・機械技術の各部門）に癒着のある米国国民です。またウォルマート式超搾取型企業の株式を有する幸運児にも余慶がありました。牛魔人が味方をしてくれたからです。そこへ自由市場原理主義というイデオロギーの侍女が駆けつけました。

自由市場原理主義の核となる理想はモスクワでのマルクス主義と同じ末路を辿（たど）ります――政治家の下剋上の道具として真っ先に消耗されたのです。一九八一年大統領就任初期のロナルド・レーガンは供給側（サプライサイド）経済学、財政均衡、大きな政府の萎凋（皮肉にもマルクスが初出の表現です）等々を主軸に政治を語りました。数ヶ月ほどこうした政策と戯れた後、一九八一年内に失業率が急騰したということもあり、レーガンは一気に態度を転向します。ちょうどレーニンが工場国営化の難航を悟って新経済政策（ＮＥＰ）を急遽（きょ）採用した例と重なる出来事でした。政府を縮小して財政を健全化するのではなく、逆にアクセルを全力で踏み込んだわけです。二重赤字が肥大する中、ケインズ主義的戦略を貫徹したおかげで失業率は下がり、世界牛魔人が順風満帆の船出を遂げました。

二〇〇八年金融崩壊による変化は三つあります。第一に、迷宮に瀕死で横たわる牛魔人。傷は深く、もはや欧州、日本、中国、そして東南アジアの経済停滞回避のために輸出黒字を喰らうこともできません。第二に、金融市場の崩壊とそこから湧き出た民間通貨の抹消。その燃え滓も危機の暴風に吹き飛ばされました。第三に、既存の政治家が牛魔人の侍女たちを律する覚悟を決めたこと。新参政治家たちもそうする約束を固く結びました。

この三つの内、今も維持されている変化は一つ目だけです。米国・欧州共に政治家たちは横たわる牛魔人の侍女たちに真っ向勝負を挑むべく立ち上がるはずでしたが、躊躇してしまいます。手をこまねいている内に、いつのまにか他の（より冒険的な）政治家たちに先手をとられてしまったわけです。鋳造したての公共通貨が諸銀行に救済金として流し込まれたときも、ウォール街を含む世界各地の民営銀行が新型の有毒民間通貨をつくる原資として利用されてしまいました。狂宴の再活によって諸銀行の政治勢力が十分に回復すると、正義感に燃えていた政治家たちは逸機を悟ります。無謀な戦いを挑むよりは再戦の機会に備えて待機した方が優ると見て、いそいそと退場する顛末となったのです。

終幕――一挙両損

傲慢な主が病床に伏した後、侍女たちが舵を握ると何が起こるのでしょうか。答えは侍女の人格によります。残念ながら、現代を統べる侍女たちの治世では世界牛魔人時代の機能的な部分――世界の黒字を再循環させて欧州とアジアの輸出黒字への総需要を生み出し続けること――が除却され、最悪の特色（不義、横暴、不安定等）だけが維持されています。

二〇〇八年までは国際貿易不均衡が怒涛の拡大を続けても、世界牛魔人が世界中から十分な資本を呼び込んで各地の黒字を再循環させていたおかげで、毎年黒字の明滅が起きていました。資本流入を背景にウォール街は独自の民間通貨を発行し、世界に超巨額の流動性が注入されたおかげで黒字総額の水位が着実に上がってもいました。たしかに波乱万丈な狂宴ではありましたが、一種の論理が貫徹されていたのも事実です。

昨今では牛魔人が釣り合いを取るわけにもいきません。米国経済は総力のほんの一部しか発揮できないまま低力巡航を続けており、失業率の高さは物品や住宅、サービスへの需要を蝕んでいます。ウォール街は政治との癒着のおかげで快方に向かってはいるものの、新たな消費・投資ブームを引き起こすのに十分な民間通貨を発行できていない。ブームなくしては欧州、日本、そして中国も絶・対・に持続的経済成長の道に戻れません。[viii]

魔獣による安定性の魔法が解けた後で世界牛魔人の侍女たちが統べる現代社会。二〇〇八年までの時代が持続不可能なものだったとすれば、二〇〇八年以後の時代は緊張に満ち満ちており、今の私たちには想像もつかないような天変地異が起きる可能性を将来世代に突きつけているのです。

第八章　牛魔人の後世への遺産（レガシー）

沈みゆく太陽・手負いの虎・酔狂のエウローパ[1]・焦燥の竜

沈みゆく太陽——日本の失われし十年

米国が溺愛する日本は世界計画の帆柱として奇跡的な戦後経済成長を遂げました。成長は二つの段階を踏みました。1950年代までは米国から重工業製品を、その他の諸外国から原料を輸入しつつ、軽工業製品を輸出。ほどなくしてより成熟した貿易形態へと歩を進め、輸入を希少な原料に絞る一方で重工業製品の輸出にも踏み込みます。

日本の賃金は戦後期に右肩上がりを続けますが、経済成長と生産性の伸びに比べると緩やかでした。差額は政府の指示のもとで民間部門を利するインフラ建設（流通設備等）及び各種研究開発や訓練に、また雀の涙ほどの金額が一般国民への社会安全網（ソーシャル・セーフティネット）に当てられました。

巨額の資本投資を追い風に進む生産活動は驚くべき「規模の経済[2]」へと結実。三井、三菱、住友等

（1）Europa　欧州の名前の由来となるフェニキア人の王女。白い牡牛に姿を変えたゼウスに乗って現世に舞い降りた。ミノスの母でもある。またアッカド語で「日没」を意味する「エレブ」を語源とするという説もある。本書の文脈では特に味わい深い参照である。

の超集中型擬似寡占構造、通常「系列」のおかげです。系列とは序列構造をもつ複合企業のことであり、自前の大型銀行や工場を傘下に置きつつ「中小企業」[3]を網の目のように結び合わせた階層組織です。中小企業は雇用の八〇％以上を占めていたものの生産性への貢献度は低く、平均すると大手企業の半分以下でした。

日本経済の奇跡の土台には、大規模な相互連関型複合企業の周りを公転する中小企業の一群とインフラ・金融需要を満たす政府の組み合わせがありました。この見地に立てば日本がなぜ外需に依存したのかも容易に理解できるでしょう。投資と生産に比重が置かれる中で賃金が生産性に常に追い越されている状況では、日本製品のほんの一部しか国内経済で消費され得なかったからです。牛魔人が倒れ臥(ふ)した後で日本が深刻な経済不安定に直面した理由もここにあります。

日本が衰退の航路に船出したのは一九九〇年代のことです。評論家たちは失敗の根因を突き止めようと日本の銀行部門を血眼になって精察し、自由市場熱愛者(アフィシオナード)たちは「日本の諸銀行は国に管理されている」と知って膝を打ちました。この説にはしかし穴があります。国家への諸銀行の従属は日本経済にとって成功と課題を同時に生んだ諸刃の剣だったからです。往年の政府＝銀行同盟のおかげで当局は投資判断の主導権を握ることができ、おかげで戦後期の産業化という国家政策の実施が比較的容易に実行できた。この「癒着」なくしては日本の奇跡もありえません。政府は日本企業に金融化をしっかり思いとどまらせ、くだんの金融業務は大蔵省が日本銀行と連携をとりつつ代行しました。産業界が中核事業（すなわち「優れたものづくり」）に専念するよう督励を受ける一方で、政府及び各系列傘下銀行は各産業部門における資本循環の維持責任を担いました。

世界計画時代の米国の加護の下（ほぼ百世不磨の自由民主党による）事実上の一党独裁体制のおかげで日本政府は市民社会から擬似分離していました。一九七一年に世界計画から世界牛魔人へと主役の座が渡り、新たな劇物語（ドラマ）が幕を開ける。日本の政策立案者たちはそこで重要な役割を演じました。初めの米ドル減価[4]を受け、日本の経済社会は抜本的再編を迫られます。対米輸出の転覆を防ぐために日本の官僚が採った緊急対策は二つ。新規科学技術開発による競争力維持と、海外直接投資、米国国債購入、そしてニューヨーク証券取引所参加による米国への資本輸出です。つまり寡占的産業構造を維持する上で日本は米国当局の思惑通りに世界牛魔人を肥やす道を選んだのです。

日米間の暗黙の了解は単純なものでした。米国債券購入や米国への投資によって日本は自国黒字を再循環させ続ける。その代償として米国市場への特権的参入が認められ、日本国内だけでは実現不可能な規模の需要を日本製品に与える。ただしこれには一つ条件がありました。海外資産は時とともに利益を生み、いずれ国内経済へ本国返還（レパトリエート）される運命にあります。日本が資本輸出国から不労所得（レンティア）国家へと歩を進める危険性が生じたわけです。それは石油危機以後の日本の経済成長戦略――電子工学、半導体集積回路、コンピューター、電子機械工学（産業用ロボット工学）等の高付加価値兼低エネルギ

（2）economies of scale　生産規模の拡大によるコスト減や効率性向上を指す経済用語。

（3）small and medium-sized enterprises (SMEs) or *chusho-kigyo*　英語の読者への解説文であるため短縮した。以下「SMEs」「*chusho-kigyo*」共に「中小企業」と訳していく。同義の言葉でもあえて日本語版を原典で用いている辺り、バルファキスの異文化への関心や配慮が見て取れるだろう。

（4）devaluation　本書では固定相場制の期間内の文脈では「平価切下げ」、一九七一年ブレトン・ウッズ体制崩壊後の文脈では「減価」と訳し分けていく。「revaluation」に関しても同様。

ー産業を主軸とする戦略――と真っ向から対立する筋書きでした。

一九八五年九月二二日、米国、日本、西ドイツ、フランス、そして英国はプラザ合意を締結。ねらいは米ドル減価による米国の貿易赤字（及び財政赤字）削減、すなわち世界牛魔人の調教です。昨今の評論家は中国の巨額の対米黒字を取り消すために米国はプラザ合意にならった協定を突きつけるべきだと言います。なるほど、プラザ合意は締結後二年以内に五〇％以上もの円高を実現したかもしれない。しかしこの文脈からはプラザ合意の真意が抜け落ちています。日本が不労所得国家になってしまえば、日本の長期戦略だけでなく世界唯一の不労所得国家の地位の堅持を望む世界牛魔人にとっても都合が悪い。この進展の防止こそプラザ合意の真の目的だったのです。[i]

一九八五年以降の円高は日本経済に大幅かつ長期的な減速を強いました。日本製品の米国での価格が上昇する中、日本銀行は投資の持続を図って系列体制へと流動性を大量注入します。近代史上最大の流動性蓄積はかくして起きたのです――日本不動産への巨額の投機活動という副作用を伴って。一九九〇年代初期に当局は不動産バブルを凋(しぼ)めようと金利を心ばかり引き上げましたが、今度は住宅価格やオフィス価格が暴落。日本国内諸銀行の帳簿は返済不可能な巨額ローンの貯水池と化したのです。

日本の当局は不良債権に関して諸銀行を十分に追及しなかったではないかという主張をよく耳にします。間違ってはいませんが、系列構造を通じて諸銀行が大小さまざまな諸企業と密な関係を保っていたという事実を見落としてはなりません。もし日本政府が不良債権の帳消しを認めていたならば、国内銀行部門全体が瓦解して日本産業の奇跡も直ちに終幕となっていたでしょう。実際には政府と日本銀行は諸銀行の必要に応じてありったけの流動性を注入しました。悲しいかな、そのほとんどは諸銀行内のブラックホール（すなわち不良債権）へと吸い込まれ、実質的な新規投資とはならなかったのですが。

一九三〇年代半ば以来初めて先進国資本主義経済が「不況時の流動性の罠」にはまったのです。通貨当局は金利を限りなくゼロに近づけつつ諸銀行に流動性を注入し、なんとか投資活動を再活性化しようとしました。しかしその努力も虚しく、日本のゾンビ銀行から期待の投資が湧き出ることはありませんでした。それでも政府は財政刺激策を矢継ぎ早に展開。道路を造り、橋を架け、鉄道が国土を縦横無尽に駆け抜けましたが、工場こそ延命できても「病」の根治はかないませんでした。

興味深いことに、二〇〇八年までは日本の「病」は世界牛魔人に活力を与えていました。日本の「ほぼゼロ」金利政策は東京からニューヨークへの利益追求型資本逃避（キャピタル・フライト）に拍車をかけます。日本政府はすでに巨額の資本を米国債券に投じていました。また米国株式購入や米国企業買収、ソニー、トヨタ、ホンダ等による米国生産工場の開設等によって、日本企業も海外直接投資という形で米国に多額の資本を送り込んでいました。そこへさらに第三の資本潮流（フロー）が加わります――「キャリー取引」です。投機家が超低金利で円を借り、米国へお金を移してより高金利で再度融資をする。キャリー取引は牛魔人への資本流入を激流に変えました。こうして加速した金融化の風は逆説的にも牛魔人の失墜を招くのですが。

牛魔人の急成長に寄与したのは日本の人為的危機だけではありません。各国通貨を米ドルに括り付ける試行錯誤（通称「ドル固定相場制（ペッグ）」）が金融化と組み合わさった結果、金融危機の連鎖が発生したのです。実体経済溶解の連鎖は一九九四年メキシコペソ危機を端緒とし、東南アジア（タイバーツ、韓国ウォン、インドネシアルピアの破綻）やロシアを経由して再びラテンアメリカ（特にアルゼンチンの悲劇）へと帰ってきました。どの危機も発端は安価な海外資本の侵入が誘発した不動産バブルです。一度バブルが弾けると、冷酷な資本流出の後に国際通貨基金の良人諸君が上陸し、当国の経済圏は金融焦土と化しました。

ようやく灰からの復活を遂げた国々は無我夢中で貯蓄に走ります。無理もありません。あの悪夢の再来だけは是が非でも避けたかったからです。各国の貯蓄はこうしてニューヨークへと結集し、牛魔人にさらなる活力を与えました。一九九四年から二〇〇二年にかけて世界中の周縁諸国を縦横無尽に駆け巡った金融危機。それが二〇〇八年金融崩壊のための手の込んだ舞台稽古にすぎなかったということは、ラテンアメリカ危機や東南アジア危機から残響する「二度と繰り返さない」という叫びが逆説的に証明するとおりです。

二〇〇八年金融危機と世界牛魔人の強制退陣を経て、欧米は日本の流動性の罠が自国にまで飛び火してくるのを見て大慌てになりました。「ゾンビ銀行を懲らしめよ」と日本当局を戒めていたはずの欧米評論家の声も都合よく忘れられ、むしろ欧米は日本に「失われし十年」をもたらした戦略をそのまま採用します。つまり西洋世界もゾンビ銀行を受け入れたのです。日本のゾンビ銀行の政治的貧弱さとは対照的に、欧米のゾンビ銀行は新経済社会体制を意のままに牛耳りました——これぞ破産主義社・会・です。

手負いの虎——日本、米国、そして東南アジア危機

東南アジアに先進資本主義を根付かせたのは朝鮮戦争や（より深刻な）ベトナム戦争です。その後で覇権国の役割を担ったのは日本であり（第三章参照）、東南アジアの虎に必要な科学技術を貸し、成長を軌道に乗せるための初期動力を提供しました。ただし日本が東南アジアに対して担った役割は、世界計画や世界牛魔人のもとで米国がドイツや日本に対して担ったそれとは異なります。日本は東南アジア諸国に対して（世界計画期の米国が欧州に対して有していたような）巨額の貿易黒字を抱えていたわけでもなく、東南アジアの貿易黒字の（世界牛魔人期に米国が欧州・日本の黒字にしたような）吸収に専念する時間的余裕ももっていませんでした。むしろ東南アジアは構造的かつ長期的な対日貿易赤字状態にあり、経済成長の原動力を対欧米貿易黒字に求めるしかなかったのです。

世界牛魔人最盛期、特に一九八五年から一九九五年にかけて、米ドルの価値の下落は日本によるアジア諸国への海外直接投資を伴いました。日本の系列企業はたった数年間で韓国、マレーシア、インドネシア、そして台湾へと羽ばたき、新規インフラ設備の生産や建築のための資本財を輸出しました。この進展は一九八五年プラザ合意に織り込まれており、米国の指示に従う対価として東京に約束されていたものです。米国政府、国際通貨基金、そして世界銀行という西洋先進資本主義の精鋭たちが総力を挙げて東南アジア諸国の政府に圧力をかけ、資本市場の完全自由化を迫りました。端的に言うと、日本による東南アジアへの投資の道をひらきつつ、ウォール街による不当利得行為の対象範囲拡大を図ったわけです。急激な経済成長のおかげで西洋への投資よりも潤沢な利益が期待できたのですから。

重圧に屈した東南アジアに海外資本が流れ込むと不動産価格や株価が押し上げられ、対日貿易赤字が膨らみました。日本が国産品の需要を国内に十分確保できない現状も相俟（あいま）って、東南アジア製品の輸出市場を日本の外に確保する必要性が切迫を極めます。そこで助け舟を出したのはまたしても米国でした。日本は千差万別の佳良な工業製品こそ量産できても、その受け皿となる需要だけは生み出せない。対して米国は牛魔人の手ほどきを受けて他国製品への需要の大量創出の術を心得ていました。こうして米国は日本も含む東南アジア全域の輸出市場と化し、他方で韓国と台湾は主に日本から製品を輸入するようになりました。一連の出来事のおかげで日本はおそらく史上初の生存圏を獲得。世界計画の設計者たちが一九四〇年に思い描いたものの中国における毛沢東の予想外の勝利によって潰えたあの夢がここにきてついに実現したわけです。

プラザ合意以後、日本発の流動性や海外投資は洪水となって東南アジアの各地へ押し寄せます。虎の経済（タイガー・エコノミー）は対米貿易黒字増の上にさらなる資本流入を獲得。不動産バブルの先触れです。一九九〇年代末頃に至るとバブルも弾け、海外資本は侵入時の速度をも上回る勢いで急速撤退しました。残された国々は身の毛もよだつ悪夢に襲われます。廃墟と化した建築現場。滝のような勢いでの自国通貨減価。干上がる投資。失業が社会的緊張を高め、貧困も右肩上がりを始める。そこへ国際通貨基金が参上すると、最悪の事態が訪れます。あたかも公共部門が汚職と機能不全にまみれているかのような扱いを受けつつ、そうした国にこそ相応しいような政策を導入しろという融資条件が突きつけられたのです。悲しいかな、その政策内容は虎の経済に全くそぐわないものでした。問題は公共部門の支出や汚職ではなく、金融諸機関の債務超過と流動性危機だったからです。

国際通貨基金の「緊縮原理主義」の論理に従って強行された緊縮政策。東南アジアの虎たちが回復し始めたのも、この禍々しき愚策実施期間が過ぎてからのことでした。牛魔人の峻抜雄健（しゅんばつゆうけん）と自国通貨の減価が救いとなったのです。一九九〇年代末の危機を切り抜けた後、諸国政府は鋼の誓いを立てます。国際通貨基金を招き入れるなどという愚行は二度と繰り返さない。全身全霊を尽くして勝ち取った経済発展をウォール街率いる海外諸銀行に破壊させるという失態も二度と繰り返さない。

その日からというもの、東南アジア諸国は次なる困窮に備えてドル準備の貯蓄に力を入れるようになりました。この準備金はニューヨークへ押し寄せる資本の津波と合流し、牛魔人の活力、驕慢、そして支配力を維持しました。

二〇〇八年金融崩壊以降円高が加速し、日本の輸出型経済成長戦略が追撃を受けます。他方で虎たちは自国通貨を米ドルに固定。では二〇〇八年に米ドルや日本円の減価が起こった理由はそもそも何だったのでしょうか。通説では、危機に際して資本が隠れ家を求めて経済大国に流れたということになっていますが、これでは急速な対ドル（及び対東南アジア諸通貨）円高が説明できません。正解は、日本が欧米と熾烈な擬似ゼロ金利競争を繰り広げる中、日本の民間資本が海外に留まる動機を失ったからです。日本の資本――金融崩壊の炎に耐えた生き残り――の本国返還（レパトリエーション）の奔流によって円高が一気に進み、日本産業は米国や東南アジアに対して不利な立場に置かれたのです。

日本貯蓄の本国返還は世界にいまだ癒えぬ大きな傷跡を残しました。円高による日本経済低迷の深刻化。世界経済が景気後退という魔物に必死で抗う中、円キャリー取引の終焉は世界中で金利引き上げを誘発。二〇一一年三月一一日の津波という悲劇は日本への資本流入にさらなる拍車をかけつつ短期的経済活動の縮小や（大掛かりな復興活動が軌道に乗った後で）中期的経済活動の活性化の引き金にもなりました。眩暈（めまい）がしそうな大変動の渦中で中国が自国通貨の自由交換許可や米ドルへの固定（ペッグ）解除を渋る真の理由も、日本の資本のこの本国帰還です。虎を反面教師とした竜の知恵[5]。

二〇〇八年金融崩壊の瓦礫の隙間から東アジアへと差し込む唯一の希望の光は、東南アジア諸国が輸出品への需要に大きな不安を抱えつつも対日貿易態勢（ポジション）を強化できたことです。それでもなお、その他の諸外国に対する貿易黒字の保持は困難を極めるでしょう。竜王が北から睨（にら）みを利かせている現状ではなおさらです。

まとめましょう。東南アジアにおける覇権を確立できなかったのが日本型資本主義のアキレス腱でした。米国との相異点はここです。韓国、台湾、マレーシア、シンガポール等々は科学技術や資本財の面でこそ日本に依拠していたものの、需要の確保という面では日本の外へと視野を広げざるをえませんでした。東アジア全域が世界牛魔人の裁量に委ねられていたわけです。中国が超大国へと伸し上がるのもこの文脈においてです――日本式の病にも一九九〇年代末の東南アジアの虎たちを捕らえた罠にもかからないぞと肝に銘じながら……。

ドイツの欧州

世界計画第二の弥帆、ドイツに話を進めましょう。牛魔人の時代以降紆余曲折を経たドイツには、日本と比べたときにいくつかの重要な相違点があります。一九七一年以後の米ドル安から自国の輸出型経済成長を守る際に日本にはなかった防具がドイツにはありました。米国がドイツのために苦労して開拓した経済圏、欧州共同市場、現代における欧州連合、すなわちドイツの生存圏です。欧州他国に対するドイツ輸出品の役割も、強靭なドイツマルクを援護しつつ欧州各国の産業発展の中核を成してもらおうという、世界計画設計者たちの思い描いたとおりに維持されました。現にドイツ製品はフォルクスワーゲンや冷蔵庫などに留まらず、欧州の生産体制全体の正常な機能に欠かせない各種資本財までを含んでいたのです。

　ドイツが欧州という機関車の先頭車両だと考えるのは早とちりです。一九七三年以後の欧州大陸の経済発展構造はたしかに世界的ドイツ企業を後ろ盾とする強固な資本財市場に依拠していたかもしれない。しかしくだんの諸企業の経営維持に必要な需要はドイツ国内では不足しており、隣国だけでなく大海原にまで果敢に事業を拡大していく必要がありました。日本のようにドイツもまた魅力あふれる工業製品を効率よく生産する才能にかけては右に出る者がいない国でした。同時に自国産製品への十分な内需確保が無残な失敗に終わったという点でも両者は似通っています。しかし日本とは異なりドイツには欧州近隣諸国から成る生存圏という強みがありました。ドイツ製品への需要の大半を近隣諸国に確保できたため、ドイツは日本と比べ牛魔人への依存度を低く抑えることができたのです。

　近年では欧州に根ざす「多様性」を扱った議論が白熱しています。しかし多様性は欧州に固有の性質ではありません。米ドル圏は「均質」だと言えるでしょうか。ドイツの各州（レンダー）は発展度や活力が均一だとでも言うのでしょうか。もちろん答えは否です。拡大以前の欧州連合の経済圏は概ね（おおむ）三種類。恒久的黒字国（ドイツ、オランダ、ベルギーのフランドル地方、オーストリア、北欧諸国）、恒久的赤字国（イ

（5）the dragon has learned its lesson from the tigers' bitter experience　ここで「虎」は東南アジア諸国、「竜」は中国を指す。要するに東南アジア諸国からの日本の資本の大量撤退を受けて中国は海外資本の大量受け入れに対して慎重になっているのだという主張である。

タリア、ギリシア、スペイン、ポルトガル)、そして特異的例外としてのフランスです。[ii] フランスは黒字組の一員にこそなれずにきたものの、大きな強みを二つ有しています。一つ目は政治諸機関の手腕。ナポレオンの遺産のおかげもあるのか、フランスの政策立案部門は欧州で唯一米国連邦政府(ワシントン)に肉薄できる力を持っていました。二つ目は他の黒字国の追随を許さない巨大な銀行部門。その権威を背景にフランスは欧州経済全体の貿易や資本循環をつかさどる司令塔となったのです。

一九八五年以降世界牛魔人が米国の貿易赤字を一心不乱に増やしたおかげで、ドイツの貿易収支は大幅に改善されました。五穀豊穣の風は国境を越えて吹き渡り、欧州全体に貿易黒字をもたらします。共通通貨、ユーロへと結実する活力はこの文脈で醸成されたのです。どの経済圏にも通貨統合を後押しする道理がありました。

一九七〇年代以降、ドイツは消費財・資本財では輸出大国、総需要では輸入国としての地位の確立を目指して欧州戦略を展開。成功の鍵は欧州他国よりも低い成長率と高い投資率の保持でした。政策のねらいは単純であり、欧州の生存圏からありったけの黒字を吸い取って大西洋の対岸の牛魔人へ捧げることで、対米ひいては対中輸出拡大の土壌を育てようとしたのです。

このドイツ戦略には一つだけ穴がありました――競争的減価です。イタリアを始めとする欧州諸国はこれを駆使して対独赤字を抑えました。ドイツにとっての理想は古き良きドイツマルクを維持しつつ為替相場変動を一定の範囲に留めるための欧州通貨装置を作ること。これは後に欧州為替相場装置(ERM)と命名されましたが長続きはせず、一九九〇年代初期に投機大襲撃に遭ってあえなく破綻します。これを受けてドイツは共通通貨を渋々黙認。為替の値動きに付け込んだ投機行動を許さない恒久的通貨同盟がこうして誕生します。

ドイツの外でも欧州の人々には共通通貨を欲しがる別の理由がありました。赤字国のエリート階級は度重なる減価にうんざりしていました。ドイツマルク建ての口座残高や真夏の別荘の資産価値が何の前触れも無く一気に落ちる心配をするのはもう嫌だという、実に単純な理由です。労働者階級もいくばくかの賃上げがインフレーションで露と消えてしまうのを黙認するしかなかった。そこへギリシアやイタリアのエリート層が共通通貨という夢を約束してくれたのですから、労働者側の同意を得るのも簡単でした。これはしかし大きな代償を伴う一手でもありました。インフレ率三％以下というユーロ圏参加条件を満たすために、赤字諸国は生産性の高い自国経済部門を人為的に低迷させたからです。賃金収入の減少は、金利引き下げのおかげで安価になった融資が補いました。一九七〇年代・一九八〇年代米国では労働者階級がいなせなクレジットカードに免じて実質賃金の低下を承諾するよう迫られた。同じように欧州赤字諸国の社会的弱者も多額の負債を背負わされたのです。

ユーロ計画の鍵を握っていたのは欧州きっての風来坊、フランスです。フランスのエリート階級がフランとドイツマルクの為替相場固定（ロックイン）を望んだ理由は三つ。第一に、フランスの強固な労働組合に対抗できるだけの交渉力を得るため。ライン川の向こう岸ではドイツの労働組合が雇用主や連邦政府を相手にささやかな賃上げを勝ち取っていたからです。第二に、すでに強力な銀行部門をさらに堅固にするため。第三に、フランスがドイツに勝る唯一の分野——国際政治機関の構築——において、エリート政治階級が欧州を支配する機会を得たためです。

裸のドイツマルク(6)

ユーロ通貨の結成は赤字諸国やフランスの不況を慢性化・深刻化し、ドイツを始めとする欧州黒字諸国には前代未聞の利益をもたらしました。これを原資にドイツ企業は米国、中国、そして欧州東部への海外進出を進めます。こうしてドイツその他の欧州黒字諸国は欧州における世界牛魔人の影に――すなわち映し身(シミュラークル)(7)[iii]に――化けたのです。牛魔人が世界に需要を提供するかたわら、映し身が欧州から需要を吸い尽くす。ドイツの世界的機動力を維持するために欧州隣国という裏庭へ不況の種が蒔かれたわけです。

鳥瞰すればユーロ圏の進歩具合は良好であり、総所得も上がっていました。とはいえ、水面下ではフランスや赤字諸国の産業部門が不況という竈(かまど)にくべられてもいました。野心家フランスや落伍者諸国がドイツマルクに便乗したければ当然支払うべき代償というわけです。見返りに安価な融資と負債主導型大量消費社会が実現できたわけですから。

二〇〇八年金融崩壊が起きる前まで、欧州の牛魔人羨望は欧州大陸の鈍重な経済成長とアングロ・ケルト流の優位性を謳(うた)う長編論考作品という形をとりました(第五章冒頭部参照)。たしかに欧州の経済成長率は四〇年間減衰の一途を辿(たど)る中で無気力状態に陥っていますが、原因は労働市場の硬直でも金融制度の関節炎でも社会保障制度の浪費癖でもない。真の原因は欧州全土を魅惑したドイツ黒字の魔法なのです。世界牛魔人の平穏な冬至の日々(ハルシオン・デイズ)においては対米貿易黒字こそ多くの欧州諸国の頼みの綱でした。しかしこれも二〇〇八年の一大事によってあえなく断ち切られてしまったのです。[iv]

映し身は機関にも変身しました。ユーロ圏加盟条件を定義する、かの有名なマーストリヒト条約です。財政赤字はGDP比で三％、公的債務対GDP比は六〇％という上限を守ること。金融政策はインフレ退治の専門機関、「中立的」な欧州中央銀行が決定・実施すること。二〇〇八年以後では「救済禁止条項」の名で知られる補填禁止条項も特筆に価します。加盟国が財政危機に瀕してもユーロ関連諸機関（欧州中央銀行、ユーログループ等々）や他のユーロ圏加盟国は一切助け舟を出さないよう定められたわけです。

マーストリヒト条約はユーロを便乗者（フリーライダー）から守る合理性の盾として欧州の民衆やエリート層に売り込まれました。そのときに流行ったのは「共同口座」の比喩です。口座名義人ならば誰でも拠出の負担や事前の承諾無しで現金を引き出せてしまう。それでは口座残高がすぐに空になるのも当然ではないかという論調です。ユーロ圏に比喩を適用するなら、個々の加盟国が放蕩に走ることで共通通貨の信頼と価値が失われてしまうという風になります。

（6）The Deutschmark's New Clothes　アンデルセン童話『裸の王様』を参照している。
（7）simulacrum　原注にもあるとおりフランスのポストモダン思想から出てきた概念。オリジナル対コピーという関係ではオリジナルがコピーを一方的に規定する（例えばプリントをコピー機に入れても元のプリントに書かれた以上のものは印刷されない）のに対して、「シミュラークル」はオリジナルと相互規定の関係にあるだけでなく、場合によってはオリジナルから独立して存在することもある。ただしバルファキスはそれほど厳密な意味でこの語を使っているわけではなさそうだ。本書の文脈では米国という「本家」牛魔人を欧州という「身体」に「映す」というイメージで使われているため「映し身」という造語を試みたが、他にも「化身」「幻影」といった牛魔人の巨体を想起させる訳語も考えられる。

通貨同盟には便乗者問題への解答となる仕組みが必要不可欠ですが、それだけでは同盟は成立しません。まだ何かが足りないのです。その「何か」の欠如は単なる失態にすぎなかったのでしょうか。それとも内密な戦略の一環として意図的に放置されたのでしょうか。正解は後者ではないかと思います。一九四四年ブレトン・ウッズ会議においてハリー・デクスター・ホワイトがケインズの国際通貨同盟案を却下したのもまさにこの戦略の一環だったのです（第三章参照）。米国が世界計画のもとで巨額の黒字を保持する権利を主張したように、ドイツもまたマーストリヒト条約に黒字再循環装置を組み込まない方針を要求しました。そのねらいは、赤字諸国（及びフランス）がドイツ製品への有効需要を提供する「義務」を、ユーロ圏創設を契機として磐石の安きに置くことでした。

米国の世界覇権とドイツの欧州連合支配権の最大の相違点は、黒字再循環の重要性への理解が米国にはあったということです。黒字再循環装置を正式に制度化したくなかったという点で米国はケインズと立場を異にしました。そこで世界計画のもとでは日本やドイツへ資本を太っ腹に散財する癖がつきます。世界計画が汚辱にまみれて塵に帰すと、世界牛魔人が満面の笑みを浮かべて再循環という役割を引き継ぎ、資本や貿易黒字の潮流を逆転させてウォール街に有利な戦局を築きました。超教派（エキュメニカル）の魔獣（ビースト）が生きてさえいればユーロ圏の欠陥体制の維持も可能だったのです。

8・1　エウローパの渡海

本書の中核をなす比喩をエウローパ神話へと広げてみたいと思います。起源となる神話は牛魔人のそれと同じです。フェニキアの麗しき姫君エウローパにゼウスは惹かれていました。白い牡牛に変身した神は背中に乗るようエウローパを誘いました。そしてひとたび姫を乗せると降りる暇も与えず一目散にエーゲ海を駆け抜けてクレタ島まで到達したのです。ゼウスとエウローパの間に産まれたのがミノス王です。つまりエウローパは牛魔人の義祖母に当たります。（牛魔人誕生の物語は第一章を参照）。

この神話にはさらなる情味があります。正妻ヘラのもとへと帰る前にゼウスはエウローパにある贈り物をしました。ねらった獲物は必ず捕らえる猟犬、ライラプスです。（的を必ず突き破る槍も贈られました）。それから年月が過ぎた後、あるときライラプスはテウメッソスの狐――誰に追われても必ず逃げ切る力を神々から授けられた猛獣――を狩る使命を託されます。ゼウスはライラプスとテウメッソスの狐の対決から生じる矛盾に悩み苦しんだ挙句、たまらず両者を石に変えて夜空へ放りました。ユーロの修繕策を求めて悪戦苦闘を続ける欧州政策立案者たちにとって、不可能な使命の衝突を描いたこのたとえ話は愉快なものでしょう。

牛魔人が二〇〇八年金融崩壊という斬撃に倒れ、ユーロに亀裂が走る。ギリシアが最も脆弱なつなぎ目だったわけですが、本質的問題はユーロの構想そのものに――特に黒字再循環装置の欠如に――深く根ざしていました。この問題に深入りする前に、まずは戦後ドイツの両片が一つになった時期へと遡（さかのぼ）って大局を俯瞰しましょう。

ドイツ再統一の世界旋風

一九八〇年代後半から不意に始まったソビエト連邦の腐蝕はベルリンの壁崩壊を招きました。ドイツのヘルムート・コール首相は東ドイツを機敏に併合。通説ではドイツ再統一の巨費のせいで一九九〇年代の経済低迷や不況が起きたのだとされていますが、この解釈には賛同しかねます。

たしかに再統一はドイツ財政を（約一三億ドル〈一三〇〇億円〉規模で）圧迫し、マーストリヒト条約さえも翻って一蹴するほどの態度変更をもたらしました。しかし再統一によってドイツ労働者階級の交渉力が下がったことも事実。一九七〇年代米国で石油危機、ウォルマートの台頭、そして企業側の攻勢から起きた現象が、一九九〇年代ドイツでは再統一によって発生したのです。また旧ソビエト帝国にはドイツ資本に追い風を吹かせた崩壊が他にもたくさんあります。ポーランドやスロバキア、ハンガリーやウクライナで格安の労働力がドイツ企業の射程圏内に入りました。

再統一の巨費に対するドイツの解答は**競争的賃金引下げ**でした。実際ユーロ圏醸成期間中にドイツは再統一の風で帆を満たしつつ労働市場における（ユーロ圏基準で）格安賃金の常態化を進めていたのです。世界牛魔人の米国戦略を模倣するがごとく、ドイツに宿る映し身（シミュラークル）もまた生産性の伸びを大きく下回る率に賃金成長を抑えました。イタリア等の諸外国による通貨減価に対してユーロ導入という鎧をドイツ産業が纏（まと）う。こうして賃金引下げの恩恵が恒久化されたのです。

ドイツの資本と労働組合が織り成す協調組合主義と新重商主義の協商（アンターン）。それに基づく賃金の団体交渉体制こそ、他の欧州諸国に比べてドイツの生産性の伸びと賃金成長の差が資本家に有利に働くゆえんです。実質賃金低下の継続と活発な投資活動を背景に、経済の伸び悩みはむしろドイツ製品の国際競争力を高めました。二〇〇四年が明けて世界牛魔人がいよいよ頭角を現すと、ドイツの貿易黒字もその御利益（ごりやく）を受けて大空へと羽ばたいてゆきます。資本蓄積は上昇し、失業者数もかつての絶頂期の半分の二〇〇万人まで減少。ドイツ企業利益に至ってはなんと三七％も増加しました。

ドイツのエリート階級にとっては薔薇色の展望ですが、芯では銀行部門に着々と腐敗が進んでいました。世界牛魔人に巣食うウイルスに牛魔人の映し身はあえて感染します。ニューヨークやロンドンにおける二〇〇八年金融崩壊勃発がウイルスを覚醒[v]させたことで、ユーロの実存的危機がいよいよ始まったのです。

始めは史実、お次は茶番――欧州の銀行救済

欧州は二〇〇八年金融崩壊を「アングロ・ケルト人の問題」だと嘲笑。金融界の金鉱熱（ゴールド・フィーバー）と呼ぶべき現象も欧州大陸にまでは吹き荒れまいとたかをくくっていました。しかし真相はすぐに明らかになります。ドイツ諸銀行の平均レバレッジ倍率は自己資産一ユーロ（一二〇円）に対してなんと五二ユーロ（六二四〇円）。ウォール街やシティ・オブ・ロンドンすらもしのぐ惨憺たる比率です。保守性と信頼性の代名詞であるような州立諸銀行（ランデスバンケン）ですらドイツ納税者の血税を吸い尽くす魔物であることが判明しました。フランスでも話は似たようなもので、諸銀行はCDO投資を三三〇億ユーロ（三兆九六〇〇億円）以上抱えていることを告白。なんとも悲しくなる金額です。また欧州諸銀行による高リスク債権も忘れてはなりません――ユーロ圏赤字加盟国[vi]（八四九〇億ユーロ〈一〇一兆八八〇〇億円〉）、欧州東

部（一五〇〇億ユーロ〈一八兆円〉以上）、ラテンアメリカ（三〇〇〇億ユーロ〈三六兆円〉以上）、そしてアイスランド不良債権（約七〇〇億ユーロ〈八兆四〇〇〇億円〉）がそこには含まれます。

米国政権がウォール街を助けたように、欧州中央銀行、欧州委員会（欧州連合の事実上の「政府」です）、そして加盟諸国もまた欧州諸銀行の救済に駆けつけました。しかし欧州の場合は事情が大きく異なります。相違点は二つ。第一に、通貨としてのユーロの特異性。米ドルの場合、世界の準備通貨である限り連邦準備制度と米国財務省は（少なくとも中期的な）通貨価値低下の心配をせずに安心して白地小切手を切れます。国際通貨基金のデータが示すように、二〇〇九年末時点での世界の外貨準備の六二％は米ドル建てでした。この値は二〇一〇年欧州債務危機以降さらに上昇しています。

第二の相違点はユーロ圏の設計上の不備に起因します。共通通貨による加盟国同士の結束があるにも関わらず、公債は厳密に分離されている。そのため加盟諸国は各自で自国銀行の面倒を見なければならず、しかも制度全体の「断層化」を防ぐための黒字再循環装置もない。想像してみてください。「米ドル圏」の加盟州（カリフォルニア州やネバダ州等）が州内の銀行を各州自力で救済するよう要請され、しかも米国連邦政府からは一切財政援助がなかったとしたらどうなるでしょうか。

欧州中央銀行と欧州委員会は機関の構造上の問題を抱えたまま銀行危機の鎮静に尽力しました。二〇〇八年から二〇〇九年まで諸銀行の損失を「社会負担化」[8]して公債に変換。欧州経済は予想通りの不況へ突入します。二〇〇八年から二〇〇九年にかけての年度内ＧＤＰ減少率はドイツが五％、フランスが二・六％、オランダが四％、スウェーデンが五・二％、アイルランドが七・一％、フィンランドが七・八％、デンマークが四・九％、そしてスペインが三・五％でした。

　ここでヘッジファンドや諸銀行は突然の啓示(エピファニー)に打たれます——貰った公的資金の一部を使ってユーロ圏加盟国の債務不履行に賭けようじゃあないか。不況による税収減と（銀行が起こした）公債急増によって政府は財政難に陥っているのだから……。

　考えれば考えるほど大船に乗った心地も強まりました。ユーロ圏加盟のせいで重債務諸国（ギリシア等々）すらも自国通貨の減価ができず、負債と不況の二段攻撃を正面から受けるしかない。このことに気がついた銀行家たちは早速重債務諸国に照準を合わせました。まずは最脆弱国ギリシアの債務不履行に賭けます。始めは少額でした。ロンドンの老舗胴元では数十億ポンド規模の博打は取り扱い不能だったからです。そこで諸銀行やヘッジファンドは長年の相棒ＣＤＳを頼ります。第六章で詳述したように、ＣＤＳとは対象の債務不履行発生時にあらかじめ定められた金額が支払われる保険商品です。

　最新流行通貨の取引量が増えるにつれて危機も悪化の一途を辿(たど)りました。理由は二つ。第一に、ギリシアやアイルランドを対象とするＣＤＳの増加は、アテネやダブリンへの融資の金利の引き上げを意味しました。赤字の朱色が真紅へと深まる。その先に待ち受けるのは事実上の破産です。第二に、企業は生産活動への投資目的で融資を求め、政府は膨らむ負債の借り換えをなんとか試みるわけですが、そのような企業や政府から掠め取った資本を肥やしとしてＣＤＳへの資金流用が増額されてゆきました。

（8）　socialized　社会主義化や国営化をもじった言い回しで、新自由主義イデオロギーへの皮肉がこめられている。

要するに欧州版銀行救済はまたしても金融部門に民間通貨発行の好機を与えてしまったのです。二〇〇八年までウォール街が生み続けた民間通貨は持続不可能であり、灰に帰する運命にありました。同じように欧州の新型民間通貨発行部隊も数学的精度で次なる溶解へと猪突猛進していたのです。今回待ち受けるのは公債危機（別名ソブリン債危機）。その第一幕は二〇一〇年初期のアテネで演じられました。

ギリシア国民が負債を背負う

二〇〇九年一〇月、新選ギリシア社会主義政権は政府赤字が実は国民所得の一二％強であると発表。（当初の六・五％という見積もりもすでにマーストリヒト条約の許容範囲の二倍以上だったのですが）。ギリシアの債務不履行に賭けるＣＤＳが爆発的に売れます。三〇〇〇億ユーロ（三六兆円）の負債の借り換えに際してギリシア政府が負担すべき金利も高騰。二〇一〇年一月に至るとギリシア政府の債務不履行回避には機関援助が必須だという状況がはっきりします。

ギリシア政府はユーロ圏へ非公式に支援を求めましたが、ドイツのアンゲラ・メルケル首相の返答は有名な「三つの拒否（ナイン）」でした。ギリシア救済の拒否（ナイン）。金利軽減の拒否（ナイン）。ギリシア債務不履行の拒否（ナイン）。財政の（ひいては民間金融の）歴史上初の拒否（ナイン）三本立てです。同じことを二〇〇八年九月一五日にポールソン財務長官が言っていたらどうなっていたでしょうか。「救済はしないぞ」（これは実際に言いました）。「低金利融資の手配もしないぞ」（これもおそらく実際に言ったはずです）。「破産申告も許さんぞ」（これは絶対に言えません）。第三の「拒否」はありえないはずのものですが、これこそギリシア政府が受けた通告だったのです。ギリシアへの援助もフランスやドイツの諸銀行に対するギリシア負債（フランスへは約七五〇億ユーロ〈九兆円〉、ドイツへは約五三〇億ユーロ〈六兆三六〇〇億円〉）の債務不履行もドイツ政府の許容範囲を超えていたのです。

ギリシア政府は暴利を甘受するしかなく、いつか嵐も過ぎ去るはずだと淡い期待を抱きつつ破産へと突き進みます。悪夢の五ヶ月です。メルケル首相はギリシアをぎりぎりまで波風にさらしました。限界が来たのは二〇一〇年五月、世界債券市場が二〇〇八年信用収縮（クレジット・クランチ）のような暗雲に覆われたときのことです。ギリシア債務危機に投資家たちは周章狼狽（しゅうしょうろうばい）。二〇〇八年式の債務不履行連鎖を恐れて全ての債券の購入を渋ります。これを受けてユーロ圏、欧州中央銀行、そして国際通貨基金は二〇一〇年五月二日にギリシアへの融資一一〇〇億ユーロ（一三兆二〇〇〇億円）に合意。ギリシア国庫の力では新旧いずれの融資も返済できなくなるほど高い金利が設定されました。

大不況と闘う財政破綻政府に新型の高金利融資をやって、果たして財政が奇跡的に健全化するのだろうか……。当然の疑念を胸に、投資家たちはギリシア（及びその他の脆弱ユーロ圏加盟国）の債務不履行に賭け続けました。欧州連合は数日後にたまらず欧州金融安定法人（ＥＦＳＦ）の創設を発表。建前上はユーロ圏加盟国が公的負債の返済に窮したときに備えての七五〇〇億ユーロ（九〇兆円）の軍資金ですが、ＥＦＳＦの有毒な構造は第七章で論じたとおりです。

数日間の平穏を経た後、市場はＥＦＳＦを再吟味し、一時しのぎにすぎないという結論に達します。ユーロ危機は回山倒海の勢いで続きました。当然です。新規高金利融資では赤字国家の破産への転落を防ぐことはできませんし、ユーロの設計上の欠陥にも全く介入できません。毒々しい映し身（シミュラークル）の破壊力は二〇〇八年金融崩壊による世界牛魔人の破滅を機に解き放たれたのです。

ユーロ危機は銀行危機を発端とする制度的失敗である――この見解が正しいとすると、欧州は病気よりも悪い治療法を処方したことになります。溺れる遊泳者の救助をカナヅチに任せるようなものだからです。二人のカナヅチが命がけでお互いの身体にしがみつきながら一緒に海の底へと沈んでゆくだけ。なんとも不憫な光景です。

カナヅチが象徴しているのはもちろんユーロ圏の赤字諸国と欧州銀行制度です。ギリシアやアイルランドのような国が紙屑同然の国債を発行し、諸銀行がその重圧に押しつぶされてブラックホールと化す。そこへ欧州中央銀行が流動性を湯水のごとく流し込むものの、事業向け融資は雀の涙ほどしか捻出できない。そのかたわらで欧州中央銀行、黒字諸国、そして国際通貨基金は銀行危機の議論を頑なに拒み、赤字諸国に対する緊縮策の強要に全身全霊を捧げている。こうしてすべては終わりなき円環へと収斂してゆきます。緊縮策の強要は赤字諸国の不況を一層悪化させる。ギリシアやアイルランドはお金を返してくれるのだろうかという不安に拍車がかかり、銀行家たちは疑念を深めてゆく。こうして危機は再燃するのです。

登山家集団の転落とユーロ危機

最後の一国が倒れるまで、赤字国家が一国また一国と将棋倒しになってゆく――ユーロ圏危機を語るときによく使われる比喩です。これに優る代案を提示してみたいと思います。一本の縄でつながれた登山家の一団が絶体絶命の状態で岸壁に立っている。屈強な者から貧弱な者まで文字通り結束を強制されているわけです。そこへふいに地震（二〇〇八年金融崩壊）が襲います。仲間の一人（「ヘレン」[9]と呼びましょう）が足を踏み外しますが、縄のおかげで一命を取り留めます。ヘレンは宙吊りになり、身体の重みが仲間たちを引っ張る。頭上からの落石もある。二番目に弱い登山家（すなわち「周縁国」）の足元がぶれ始め、パディー[10]も足を踏み外す。残された登山家にさらなる負担がかかり、三番目の「周縁国」が落下の危機にさらされます。残りの「救世主国」にかかる重みは増す一方です。

ユーロ危機が未解決のままである原因はまさにこれです。第七章ではＥＦＳＦの構造をウォール街の有毒ＣＤＯと比較検討しました。一国また一国と債券市場を離脱してＥＦＳＦに雨宿りするうちに、次なる「周縁国」が高金利と格闘させられ、標準国の負担も増えるという地獄絵図なのです。悲劇的な事故をスロー再生で見せられているような心地になります。ところが**ユーロ**危機の全容は実はもっと酷（ひど）い。欧州国がＥＦＳＦの「受益国」へと「変容」する度に深まる銀行危機があるからですが、これは登山家集団の比喩では捉えきれません。

断崖絶壁の悲劇の進展にあわせて、銀行部門という闘技場での劇物語も濃密になってゆきます。財政赤字が膨らむ。緊縮策が赤字諸国の経済縮小を加速させ、銀行部門への不安に拍車をかける。二つの物語が生み出す負の相互作用を受けて、また一つ「周縁国」が断崖から足を踏み外す。

誠に奇妙ですが、欧州には数週間で危機を解決する道があるのです。それは何でしょうか。またも

（9）　Helen　典型的なギリシア系の人名。「ヘレニズム」といったギリシア文化を指す言葉にも登場する。
（10）　Paddy　典型的なアイルランド系の人名。パトリックの略。アイルランド人に対する侮蔑語として使われることもある。

し本当に突破口があるのならば、欧州はなぜ躊躇（ちゅうちょ）しているのでしょうか。

簡捷な危機解決方法と欧州の躊躇（ちゅうちょ）という謎

まずはユーロ圏の二重危機――債務諸国の危機と銀行部門の危機――をすぐさま解決する方法から解説します。欧州の今の対策はうまくいっていません。債務危機と銀行危機の相互強化関係を無視し、危機の根本原因――ユーロ圏の中枢における黒字再循環装置の不在――から目をそらしているからです。有効な改善策を実施するためのお手軽な措置をここで三つ挙げてみます。

第一歩目として、欧州中央銀行は諸銀行への手厚い支援を継続すべきです。ただし、赤字諸国への債権の大半を帳消しにするという条件を設けた上での話ですが[vii]。（欧州中央銀行はこれを補って余りあるほどの交渉力を持っています。欧州各国で事実上破産している諸銀行に流動性を保障するという芸当をやってのけているほどですから）。

第二歩目は欧州中央銀行による全加盟国の公的債務の一部引き受けです。マーストリヒト条約で認められた債務上限（すなわちＧＤＰの最大六〇％）までの債務に対して額面価格で直ちにこれを実行すべきです。補填の財源は加盟諸国ではなく欧州中央銀行自らの負債として欧州中央銀行が債券を発行すればよい。こうすれば加盟諸国には引き続き債務の管理に専念しつつマーストリヒト条約の上限額までは欧州中央銀行債券の保証付きで低金利を支払うという道が開けます。

第三歩目では欧州連合の老舗機関がもう一つ登場します――欧州投資銀行です。潤沢な事業への投資力は世界銀行の実に二倍。現時点では有効活用されていない能力ですが、原因は「加盟国も投資金額の一部を負担しなければならない」とする既存のルールです。ユーロ圏の赤字諸国はこれすらも負担できないほど悲惨な状況に置かれているのです。そこで欧州投資銀行を出資者とする事業への資金繰りに、欧州中央銀行が特別に発行する債券（詳細は前段落参照）を用いる許可を加盟国に与えたとしたらどうでしょうか。こうすれば欧州投資銀行はユーロ圏が必要としていたあの黒字再循環装置の役割を担えるようになります。欧州中央銀行の後ろ盾を受けつつ欧州内外の黒字諸国から融資を募り、欧州の赤字諸国への投資にあてるという役割です。

まとめます。始めの二歩は債務危機への解答、三歩目はユーロ圏の補強です。黒字再循環装置があって初めてユーロ圏は成熟するのです。二〇〇八年金融崩壊を引き金としたユーロ危機もこの装置さえあれば防げていたでしょう。

そうだとすると、欧州はなぜこのような改善案の実施を躊躇（ちゅうちょ）しているのでしょうか。答えはこれまでの議論の中に隠れていますが、改めて明記させてください。煮えたぎる危機はフランスや欧州赤字諸国に対する圧倒的な交渉力をドイツ政府に与えています。ユーロ危機が穏便に解決されてしまえば、ドイツを始めとする欧州黒字諸国はこの交渉力を失ってしまいます。

言い換えると、欧州黒字諸国はユーロ圏とその外の世界をまたいでいるのです。一方では共通通貨によってユーロ圏の他国を自国政府と結びつけ、ユーロ圏内で莫大な黒字を確保する。他方では危機が赤字諸国に特に大きな打撃を与えている現状を加味しつつ、ユーロ圏脱退の可能性をちらつかせることで欧州の討議場において圧倒的な交渉力を手にする。こうして、例えばドイツ首相が特定の項目を議題から外したいと言えば全会一致でこれが認められるわけです。黒字諸国がユーロ圏脱退の可能性を失う形で危機が収束してしまうと、ドイツの首相も二十数名いる首脳の一人にすぎない存在へと成り下がってしまいます。

本章のユーロ危機解決案では第二歩目があるおかげでドイツはユーロ圏から脱退できません。共通機関である欧州中央銀行が（債券発行によって）巨額の負債を抱えるわけですが、この共通負債を加盟国ごとに割り振るのは無理です。[viii] 加盟国脱退が不可能である理由はこれです。さらに第三歩目が実施された暁には欧州に念願の黒字再循環装置が設置されることになります。そうなればドイツに住まう映し身（シミュラークル）も分をわきまえるようになるでしょう。

経済の仕組みだけを考えた場合、ユーロ危機が起こる必然性は全くありません。危機には世界牛魔人の治世のもとでドイツが欧州に築いた地位を守るという役割があるだけです。牛魔人なき今、欧州は危機に、ドイツは現実逃避に浸っているのです。

竜の飛翔と焦燥

時は二〇一〇年一二月四日。ヒラリー・クリントン米国国務長官とオーストラリアのケビン・ルッド首相の会話（二〇〇九年三月二八日付）を記録した公電がウィキリークスによって発表されます。そこにはこう書かれていました。「国務長官は中国経済の台頭に言及した上で次の質問をした――『我が国の銀行役に対して毅然とした態度をとる術を教えてください』」。

本書では「世界経済のゆくえ」などと銘打っておきながら中国がほとんど登場していません。何たる欠落だというお叱りの声は甘んじて受けます。世界史上屈指の超大国による豪胆な返り咲きの物語はきっと後世に語り継がれてゆくにちがいありません。二〇世紀の米国がそうだったように、中国は未来への鍵を握っているのだと断言できます。とはいえ、中国の台頭や将来展望を理解するためにはまず世界牛魔人が創った世界を把握する必要があります。天翔ける竜は幼少期をその世界で過ごした後、世界牛魔人の死が生んだ諸行無常の只中で成熟していく運命にあるわけですから。

鄧小平（とうしょうへい）は日本や東南アジアの虎たちを中国再誕の道しるべとしました。中国が経済成長戦略方針に掲げたのは「二刀流経済」。一方ではシンガポール・香港式の経済特区が中国全土に散りばめられ、無限の労働力の海に資本主義商業が詰まった島を点在させる。他方では統率部が（日本にならって）投資活動を指揮しつつ、科学技術移転や海外直接投資を西洋や日本の多国籍企業と直接交渉する。世界での立ち位置に関しては東南アジアのそれに近いものを採り、輸出型経済成長に必要な外需は欧米から確保する。

中国の鋭気（エイラーン）の源泉は世界牛魔人であると言って差し支えありません。欧米や日本の多国籍企業は中国の生産基盤構築を強く後押しし、費用の低さを生かして中国から他国へ、特に米国へ輸出をしたのです。中国製の安い輸入品を利用してウォルマート式米国企業は驚異の低価格を実現。おかげで米国の賃金やエネルギー価格のインフレーションも抑えられ、牛魔人もご満悦。米国への資本流入の継続条件が達成されたからです。

中国が飼育の手取りを覚え、得手に帆を揚げて牛魔人から贔屓（ひいき）されるようになると、中国統率部も米国政治への関心を高めてゆきます。中国の経済成長のゆくえを左右する可能性があったからです。一九八五年プラザ合意は日本を窮地に追い込みました。一九九八年東南アジア危機は虎穴から金融規制を取り払ってウォール街、シティ・オブ・ロンドン、そして欧州の諸銀行を金融市場へ殴りこませようという米国の思惑から生まれました。こうした事例を中国は他山の石としたのです。

通説では、この教訓のおかげで中国は人民元高を求める米国の威圧にも抵抗できているのだとされています。二〇〇八年金融崩壊以降、米国は人民元高を強く推してきた。理由は一九八五年プラザ合意への署名を日本に迫ったときと同じである。米国は内需の小ささの解消を急いでおり、自国通貨の減価（又は他国通貨の増価をねらった外交）をすることで外需の拡大を目指した。不況に悩む政府としては至極自然な一手ではないか。一般的な説明は以上ですが、ことの全容を捉えきれているとは思えません。

たしかに米国に本拠地を置く米国企業は先述の理由から人民元の増価を求めましたが、今回注目の米中通貨戦争も従来型の現象にすぎないといえるかどうかは微妙なところです。懐疑の根拠は二つ。第一に、米国政策立案者たちが世界牛魔人の死を受け入れ、米国の二重赤字拡大（又は維持）戦略を破棄する心構えができているかどうかがはっきりしません。第二に、人民元増価は米国でも屈指の規模、財力、そして機動性を誇る諸企業に手酷い打撃を与えるでしょう。こうした企業は諸外国への輸出品の大半を中国で生産しており、人民元高は利益幅に食い込むことになるからです。iPad、HP社製コンピューター、（往々にして中国製部品を含む）米国製自動車といった商品が全て値上がりするわけです。米国政府が人民元高を目指して北京でせっせと根回しをするかたわら、舞台袖には西洋多国籍企業の軍勢が控えており、人民元高が一線を越えた際には中国から撤退してインドや場合によってはアフリカへ移転するぞと脅しをかけているのです。

米中の横綱相撲の土俵の外でも、中国の怒涛の成長は他の発展途上諸国にたしかな足跡を残しました。過酷な競争に耐え切れず塵と潰えた国もあれば、西洋の国々や多国籍企業への隷属から解放された国もあります。中国隆盛の最初の犠牲者の一人はメキシコです。米国に面する――そして米国やカナダと共に北米自由貿易協定を結んだ――低賃金工業生産国という立場の確立に全身全霊を捧げていたため、中国の進出はメキシコの生産者にとってまさに悪夢でした。他方でオーストラリアからアルゼンチン、ブラジルからアンゴラまで、多彩な国々が吉夢に恵まれもしました。オーストラリアは中国企業に国内鉱物資源を事実上献上し、アンゴラでは二〇〇七年に国際通貨基金の年間世界融資総額よりも高い金額の海外直接投資が主に国内石油部門へと流れ込みました。

中国が牛魔人主任飼育係へと一気に昇進した結果、ラテンアメリカ一帯[11]は劇変します。アルゼンチンやブラジルは農地を中国の消費者一三億人への食料品供給装置に変え、中国の工場の飢えを満たそうと国土から鉱物資源を掘り出しています。安価な労働力と西洋市場への参入権（世界貿易機関加盟の恩恵）を背景に、中国生産者は低付加価値部門（靴、玩具、繊維製品等）における製造競争でメキシコを始めラテンアメリカ諸国を蹂躙。ラテンアメリカは産業を解体させられ、一次産品生産国への退行を強いられているのです。

世界を巻き込む地殻変動。アジア大陸へと重心を移すことで、ブラジルやアルゼンチンは欧米食料品市場への参入を巡る長い闘争から撤退するかもしれません。米国やドイツ、フランス等の農家を優

（11）Latin America … one continent　中南米とは異なる点に注意。中南米にメキシコを足し、ガイアナとスリナムを引くとラテンアメリカとなる。

遇する欧米の保護貿易措置によって門前払いにされ続けてきたのでなおさらです。ラテンアメリカの貿易パターンの変遷はつい最近まで「米国の裏庭」の扱いを受けてきたこの地域に態度変更をもたらしているのです。

ラテンアメリカの諸政府も「中国のための一次産品生産国」への転換に身を任せています。産業解体を好んでいるわけではありません。一九九八年～二〇〇二年型の危機が再発して国際通貨基金に自国民の人肉抵當（じんにくていとう）[12]を許すよりはマシだというだけのことです。

クリントン国務長官の発言を思い出してください。中国を「米国の銀行役」と呼んだ理由がお分かりでしょうか。図8・1が示すように、米国は二〇〇〇年以降財政赤字補填を欧州や日本ではなく中国に頼るようになってきました。では中国に対して「毅然とした態度をとる」とは一体どういう意味なのでしょうか。北京へ赴いて再び増価圧力をかけるという意味だったのでしょうか。米国の対中貿易赤字に歯止めをかけようというねらいがあったのでしょうか。

なんとも言えないところですが、より強力な動機があります。米国多国籍企業の利権の保護です。一九八〇年代以降メキシコやブラジルのような国々に製造拠点を展開してきた企業にとって、中国との競争激化は実に味の悪い展望でした。[ix]

（12）extract pounds of flesh　シェイクスピア『ヴェニスの商人』から来る言い回し。劇中でシャイロックは頓智を利かせて刑を免れるが、キリスト教に改宗させられもする。含意のはっきりしない終末であり、ラテンアメリカの対欧米外交の複雑さを表すのに相応しい。

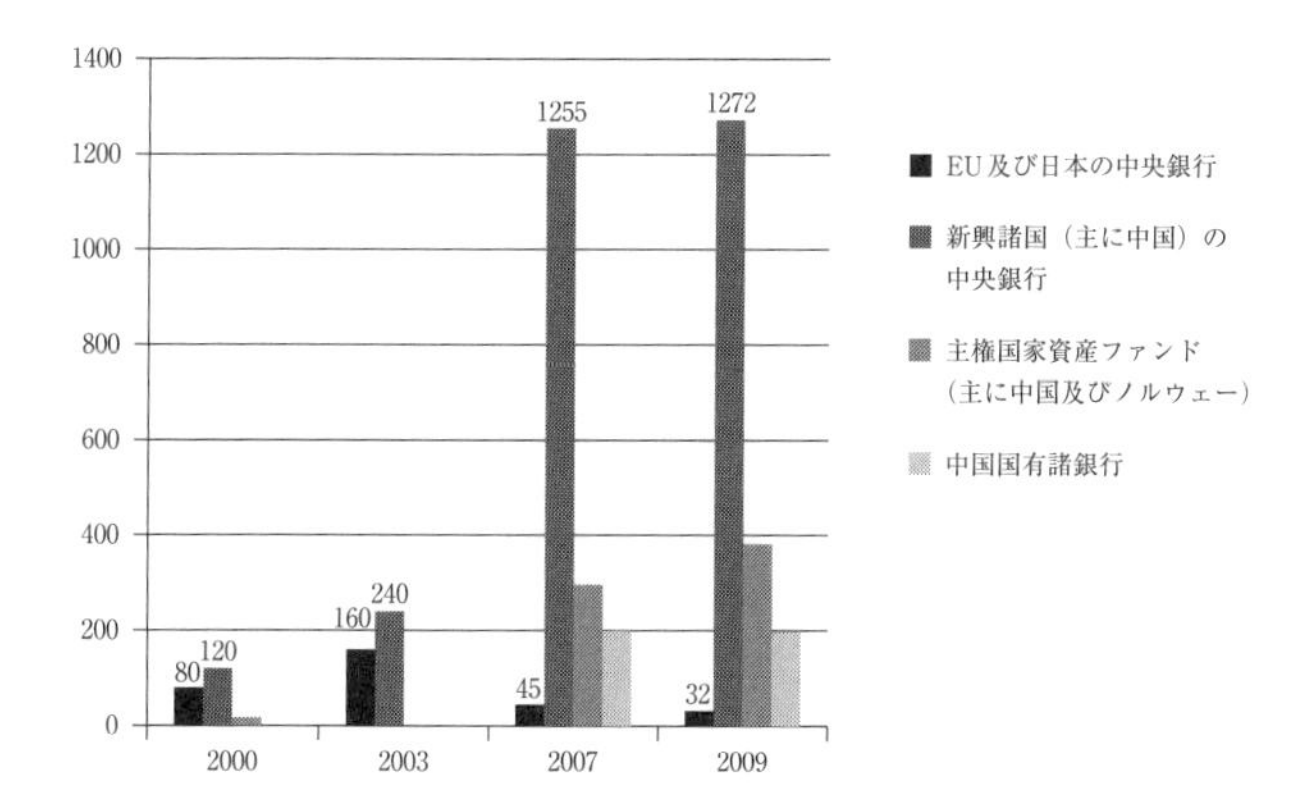

図8.1　諸外国政府機関の米国資産保有高の上昇推移（単位：十億米ドル）

8・2　米国の銀行役たち

図8・1をご覧ください。節目の年を四年比較し、米国以外の政府機関や官制金融機関による米国（公共・民間）資産保有高の実態を分析しています。古きよき御曹司、欧州と日本が米国の金融支援国として二〇〇三年以降黄昏の刻を迎える様子が見て取れるでしょう。対して中国政府の米国支援規模はうなぎ登り。近年の牛魔人の艱難辛苦（かんなんしんく）が中国保有の米国資産への大きな脅威となった理由はこれです。

中国の爆発的成長を前に米国はある悩みを抱えていました。牛魔人の号令に従って中国が速歩行進を続けたのも二〇〇八年金融崩壊までのこと。それまでは貿易黒字を牛魔人に頼り、米国国債や米国民間部門への再投資を強要されていたわけですが、牛魔人はもはや二〇〇八年までのような勢いで中国製品の雪崩を受け止めることができない。中国が生産活動の比重を高速鉄道のような高度技術型大規模事業に移した後ではなおさらです。こうして中国はニューヨークに資本を送り出す必要性から解放されました。

中国が米国資産に巨額の投資をする動機は一つしか残されていません。過去の巨額投資は中国労働者の血と汗の結晶であり、それが米国公債危機などによってあっさりと価値を失ってしまっては困るからです。かたや米国政府は人民元の増価への十分な賛同を米国企業から得られないまま大言壮語に明け暮れている始末。牛魔人若かりし頃のような財政赤字拡大にも踏み切れず、かといって一九八五年の日本のときのように中国をねじ伏せる政治力もない。米国は中国を前にして途方に暮れているのです。

吠え猛る牛魔人なき世界では中国も国内産業への内需を十分に確保できず、がんじがらめの状況にぎこちない対応をみせています。例えばブラジル中央銀行は中国からの海外直接投資が二〇〇九年にはたった三億ドル（三〇〇億円）だったものが二〇一〇年には一七〇〇億ドル（一七兆円）に増えたと言いました。なぜこのようなことが起きるのでしょうか。中国は一体何をたくらんでいるのでしょうか。

周知の通り、ブラジルやアルゼンチンのような国は鉄鉱石、大豆、石油、肉等への竜の食欲を満たすことで潤ってきました。ところが二〇〇八年に牛魔人が致命傷を負うと、中国への一次産品輸出を頼りに経済成長を続けていた国々では対米ドル自国通貨高が一気に発生します。これが引き金となってさらに三つの変化が起きました。

第一に、ラテンアメリカ経済の高度成長は新たなキャリー取引を米国から誘発。米国の成長率や金利はほぼゼロで横ばいを続けていたため、資本逃避（キャピタル・フライト）の条件が整っていたわけです。

第二に、ブラジルやアルゼンチンにおいて米ドルに対する（ひいては「同じ杭につながれた」人民元に対する）各国通貨高が発生しました。結果として安価な中国新製品の波がブラジルやアルゼンチンに押し寄せました。

第三に、中国は一連の出来事をうまく継続循環させようとラテンアメリカへの投資を増強。この一手は特筆に価します。これまで中国はアフリカを始めとする諸外国の事業へ投資を行ってきましたが、これは中国産業のための天然資源の確保がねらいでした。ところが今回のブラジル等への新規投資はどうも別の戦略を匂わせる。つまり、中国は自家製の世界計画を始動させているかもしれないのです。米国以外の国々へ資本輸出の一部を分散させることで、中国製品への外需を他の地域にも根付かせようという算段です。

二〇〇八年の牛魔人没落によって中国製品への外需には空洞が生じました。中国と新興諸国との関係は、中国側の外需穴埋め戦略への手掛かりなのです。はっきり言えますが、中国、米国、そしてその他の新興諸国は三つ巴（どもえ）の度胸試しを始めるはずです。覇権国が生まれる見込みは無く、勝利の条件も定かではありません。これでは（公式・非公式問わず）効果的な世界黒字再循環装置の創設も泡沫の夢です。世界経済を包む漆黒の暗闇――これこそ牛魔人の遺産なのです。

終幕――西洋の破産主義社会と東洋の儚い国力の狭間で

権力の中心地に漂う雰囲気から察するに、かつて「第三世界」と呼ばれていた国々は危機に悠々と波乗りしているようです。「新興諸国」の成長の足場として利用されてしまっている欧米。かつて資本主義の中枢を担った二大大陸も今では破産主義制の放卵という醜態をさらしています。

世界牛魔人を巡る騒乱の二〇〇八年は世界再編への道をひらきました。惨劇再演の機会を窺ってじっと横たわる牛魔人。致命傷に近い傷を受けて倒れた後も、その衝撃の余波は世界を震わせ続けています。ウォール街の半壊が魔獣の精気を奪ってもなお、米国のかつての御曹司たちは反旗を翻せずに終わりました。

欧州も自家製の危機に浸かりました。六〇年間にも及ぶ欧州統合の歩みを白紙に戻しかねない危機です。東南アジアも強力な隣国への――今回は日本ではなく中国への――依存度を高めています。

米国以外の経済大国の中でも、牛魔人の王権奪還をねらうだけの機動性をもった国は中国のみ。その中国さえも現時点での大役就任は時期尚早だと自覚しています。中国製品への需要すら十分に確保できていないからです。中国版世界計画の創造に向けて特にラテンアメリカで新たな動きが始まっていますが、それすらも御曹司候補国（ブラジル等）との軋轢を生んでしまっています。米国の世界計画は諸外国が戦争で焼け野原になった直後だったからこそ円滑に設計・実施され得たのだということを今一度思い起こすべきでしょう。

中国は約束された勝利の到来を悠然と待てばよいのだとする論者もいます。しかし中国統率部にはそのような自信はない。牛魔人なき世界が需要に飢えているこの現状を痛感しているからです。また貿易黒字の拡大加速こそドイツ、日本、そして中国の生存条件であるということもよくわかっている。そのためには誰かが黒字を吸収してくれる必要があるということも。

これまでは世界牛魔人がこの「誰か」の役割を果たしてくれていました。今や魔獣は潰え、空位を埋める跡継ぎもいない。時間稼ぎに中国政府は成長経済を人民元高から守りつつ刺激策を講じています。ほとばしる成長性を維持したいという願望があるからですが、前方には暗雲が立ち込めています。一方で、中国のＧＤＰにおける消費支出の割合は下がっています。巨大工場の規模に見合う内需が確保できていない証拠です。他方で、財政刺激策は不動産バブルを生んでしまっています。このままバブルが弾けてしまえば、国内経済は氷散瓦解の相を呈するでしょう。では経済成長を頓挫させずにバブルを凋める道はあるのでしょうか。アラン・グリーンスパンですら解決できなかった最上級課題ですが、中国当局も薄氷を踏んでいます。

第九章　牛魔人なき世界

本書の初版脱稿[1]からほぼ二年が経ちました。[i]のたうつ魔獣の暗澹たる病後を描いたわけですが、牛魔人の傷口は本当に世界黒字再循環という奇跡を起こせなくなるほど深かったのでしょうか。米国や欧州、果ては世界各地の経済圏が難航を強いられ、不安の蔓延が「新常識」と化した現状の説明として、本論は今もなお最善なのでしょうか。

議論に重みを持たせるには、過去を論理的に説明するだけでは不十分です。本論への反証となりえる未来の事象をはっきりさせる必要があります。本書初版の理論の本質は、その後二年間の動向を経てもなお有効なのでしょうか。検証に入る前に、まずは本書の縦糸である「世界牛魔人仮説」を図表の助けを借りつつおさらいしましょう。仮説さえ把握できれば、それを反証しうる事象も自ずと明らかになります。その後で、本章では世界牛魔人仮説の核の部分が反証可能性という経験的吟味に十分耐えうるということを示してゆきたいと思います。それはこの劇物語の三つの舞台――米国、欧州、中国――で繰り広げられている政策議論を照らし出す説明にもなるはずです。

世界牛魔人仮説の概要[ii]

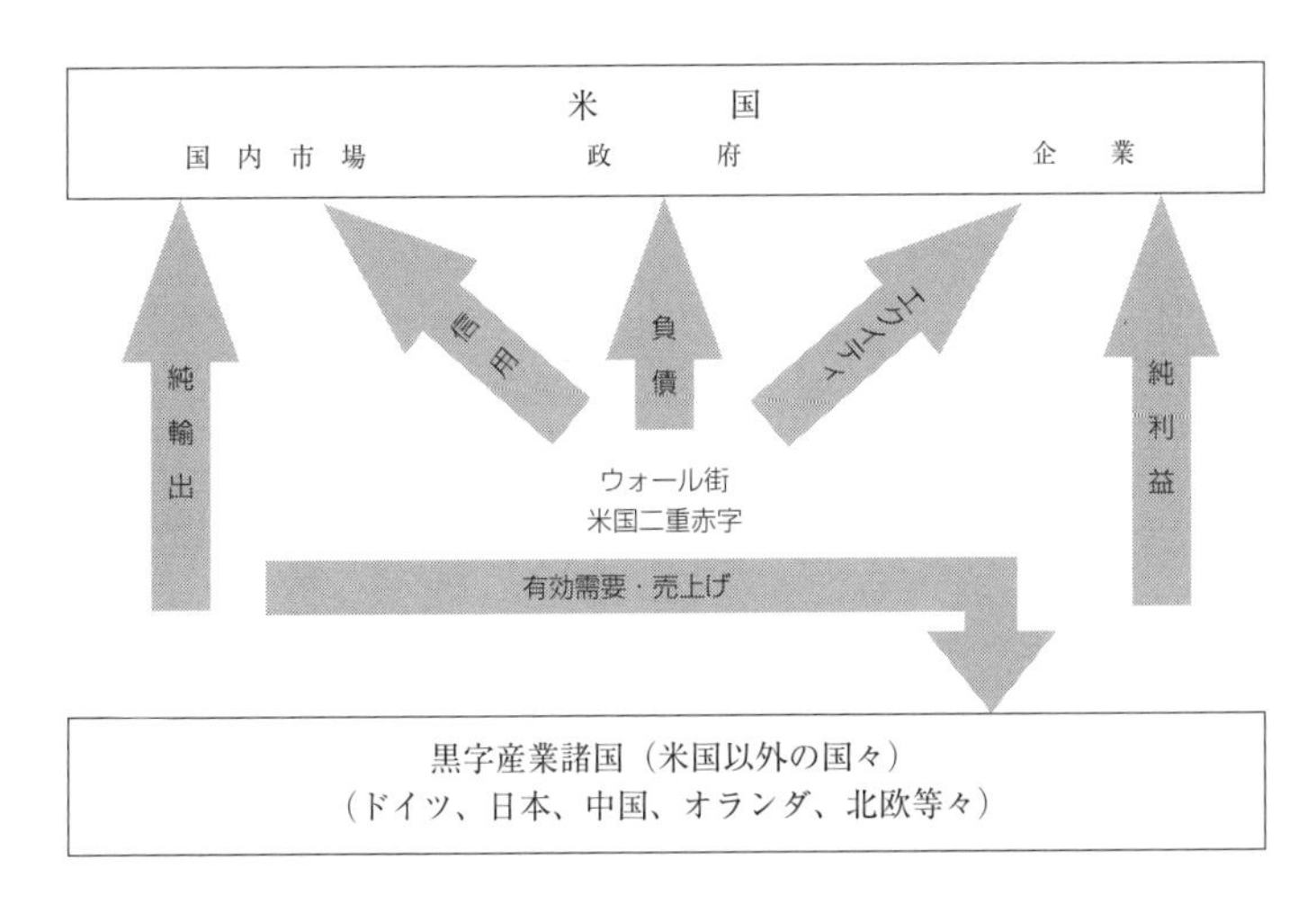

図9.1　世界牛魔人の世界黒字再循環装置

米国は一九七〇年代以降から世界の余剰工業製品の大半を吸収してきました。米国の純輸入高はドイツ、日本、中国等の黒字諸国の純輸出高すなわち外需の源でもありました。黒字諸国の起業家たちが生んだ利益はさらに大きな利幅を求めて毎日ウォール街へとんぼ返りします。流れ込む海外資本をウォール街は三つの用途に当てました。一つ目は米国消費者への信用（クレジット）提供。二つ目は米国企業への直接投資。そして三つ目はもちろん米国短期国債の購入（すなわち米国連邦政府赤字の補填）です。

この世界黒字再循環装置を本書では「世界牛魔人」と命名しました。その中核にあるのは米国の膨大な二重赤字――貿易赤字と連邦政府の財政赤字です。これなくして世界の商品・資本循環は「完結」せず、世界経済も安定しない。これが本書のテーゼです。

（1）原著の初版脱稿なので、二〇一一年前後。

ウォール街は船頭としての権力を濫用し、世界中から米国に流れ込む純利を土台に民間通貨の巨大ピラミッドを構築しました。これが循環体制の崩壊を招きます。ウォール街諸銀行による民間通貨発行、別名金融化はドロドロとした金融生命力を分泌させて再循環装置に燃料を注ぎ込み、欧米（民間通貨発行という祭りに欧州諸銀行もすぐに参加しました）やアジアの需要の爆発的成長を支えました。悲しいかな、それは自滅への道でもあったのです。

二〇〇八年秋にウォール街の民間通貨ピラミッドが発火して灰に帰したとき、世界黒字循環を「完結」させる能力も一緒に燃え尽きました。米国銀行部門には米国の（貿易・財政）二重赤字を制御する力はもはやなく、輸入を持続させるのに十分な需要を米国内に作り出すこともできなくなりました。（そもそも二〇〇八年秋までは需要創造のための資金繰りを他国の貿易黒字に頼るような制度設計だったわけです）。暗黒の刻を迎えた世界経済は、それ以降態勢を立て直せずにいます。世界牛魔人に代わる世界黒字再循環装置をみつけない限り復旧は無理でしょう。

簡潔にまとめましたが、以上が本書初版の要となる仮説です。それは果たして歴史の試練に耐えることができたのでしょうか。

牛魔人は死んだ！　米国二重赤字万歳！(2)

もしも世界経済が牛魔人に代わる世界黒字再循環装置を待たずして復活していたならば、本書の改訂版は出版されなかったでしょう。（初版の内容への反省と謝罪で済んでいたはずです）。ユーロ圏が緊縮政策をバネに再興を遂げていたならば、また中国が国内消費の低迷に歯止めをかける起死回生の一手を発見してさえいれば、本書の柱となる説も瓦礫の山となっていたでしょう。残念ながら、そうはなりませんでした。世界は今でも未知の海域をさまよっており、不安と恐怖の悪風が漆黒の水面（みなも）を波打たせています。

治癒神（パナケイア）が庇護の羽根を広げてくれなかったからといって、世界牛魔人仮説が立証されるわけではありません。本論の有用性が二年間維持された[3]のかどうかを見極めるには、そこから得られる未来予測をじっくりと詳述し、現実と照らし合わせて精察すべきです。それでは早速考えてみましょう。過去二年間で何が起きていれば、世界牛魔人仮説は間違っていたという結論が出るのでしょうか。[iii]

想像してみてください。危機が起きた後も、米国は巨額の赤字を抱えたまま世界各国の輸出品や輸出資本を吸収し続け、しかもその規模は二〇〇八年以前とさして変わらない——二〇〇九年以降の状況がもしこうだったならば、世界牛魔人仮説は否定されるでしょう。世界牛魔人は死んだ、そして世界経済の今の苦しみは魔獣の死が招いたものなのだという主張が成り立たなくなるからです。

今度は現実に目を向けてみましょう。まず特筆すべきは、米国二重赤字の健在という事実です。二〇〇五年、牛魔人治世の絶頂期に米国連邦政府は五七四〇億ドル（五七兆四〇〇〇億円）の赤字を計上。

（2）　The Minotaur is dead! Long live America's deficits!　イギリスで王位継承が行われる際に斉唱される節のもじり。元は「The king is dead! Long live the king!」。

（3）　last two years　本章の執筆は二〇一三年と思われるが、二〇二〇年以降もなお世界牛魔人仮説が有効であるかどうかを改めて考えてみるのも有益だろう。その際には、例えば証券株式市場（即ち金融経済）と実体経済の乖離や世界資本の流れ、米国内での新規融資・投資や消費者支出の推移などに注目してみるのもよいかもしれない。

同年度の米国の消費者や企業は世界各国から計七八一〇億ドル（七八兆一〇〇〇億円）という凄まじい量の輸入品を吸収。海外製品の生産者の利益の七〇％弱がウォール街へと流れ込みます。銀行家は俗に言う「金融工学」を駆使してこれを大幅に増強し、米国の赤字を補填しつつ残りを再び世界一周の旅へと出航させました。このお金は行く先々でバブルの肥大に貢献することになります。

二〇〇八年の惨劇は米国赤字にとって大きな分岐点でした。所得の各分野（労働、資本、賃貸等）の地盤が崩れたことで資産価値が沈没し、住宅差し押さえ件数や失業者数が激増。米国国民による輸入品の消費量が激減したのも頷けます。実際に二〇〇五年には七八一〇億ドル（七八兆一〇〇〇億円）だった貿易赤字も二〇〇九年には五〇六〇億ドル（五〇兆六〇〇〇億円）まで縮小しました。ただし同年の米国財政赤字は（二〇〇五年には五七四〇億（五七兆四〇〇〇億円）ドルだったものが）一兆四〇〇〇億ドル（一四〇兆円）へと暴騰。ウォール街を支えて実体経済（メインストリート）を刺激しようという政府の努力が原因です。二〇一一年には貿易赤字が七三八〇億ドル（七三兆八〇〇〇億円）というほぼ二〇〇五年と同程度の金額にまで再浮上しました。財政赤字も同年に空前絶後の一兆二二八〇億ドル（一二二兆八〇〇〇億円）にのぼった後で横ばいを始めています。

危機は米国二重赤字に歯止めをかけなかった――この点は認めましょう。むしろ赤字は増えたのですから。それでもなお一つの問題が残っています。そもそも米国は二〇〇八年以降も海外諸国の余剰製品・利益を再循環させて、世界の製品への需要を二〇〇八年以前と同じ規模で安全水域に保てていたのでしょうか。公式統計を注視すれば「否」の一文字がくっきりと浮き彫りになるはずです。世界牛魔人の失墜は事実によって裏付けられた仮説なのです。証拠となるデータは二つ。

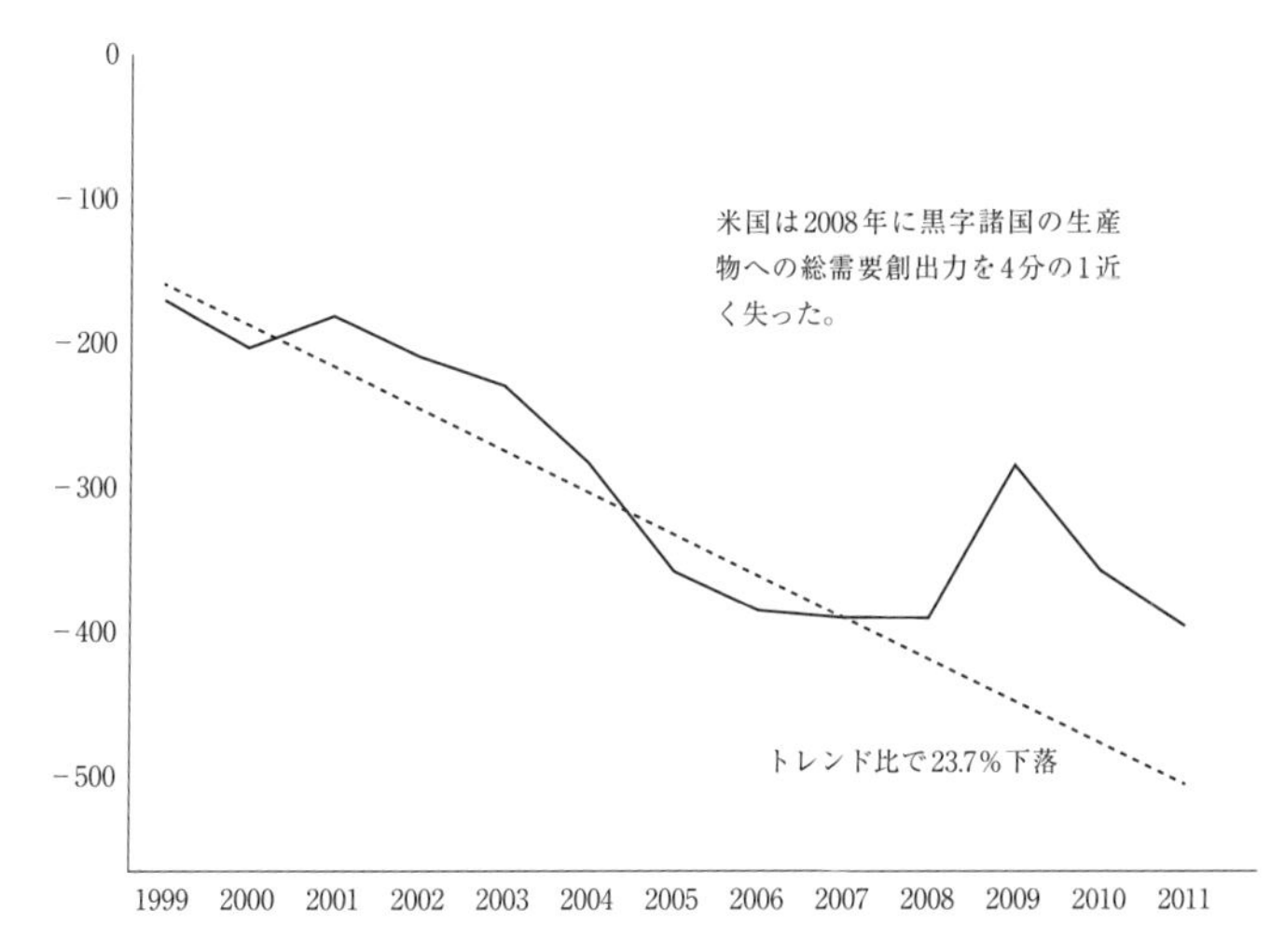

図9.2　主要黒字諸国（ユーロ圏黒字加盟国、中国、香港、日本、韓国を含む）に対する米国貿易赤字（単位：十億米ドル）

出典：米国経済分析局

第一に、米国は世界各国の純輸出高を二〇〇八年以前と同じ速度で再循環させる能力を失いました。踏み込んで言うと、二〇〇八年金融崩壊は二〇一一年の米国の他国輸出品への需要を二三・七％も下げたのです。（図9・2をご覧ください。米国が主要貿易相手国から吸収した純輸出高が傾向値と比べ二四％弱も少なくなっているのがわかります）。

　第二に、国内民間部門への投資を二〇〇八年以前の水域で保つために必要な資本循環を、米国はウォール街を介して維持できていません。二〇〇八年金融崩壊が起きなかった場合の傾向値と比べ、米国は二〇一一年までに海外保有資

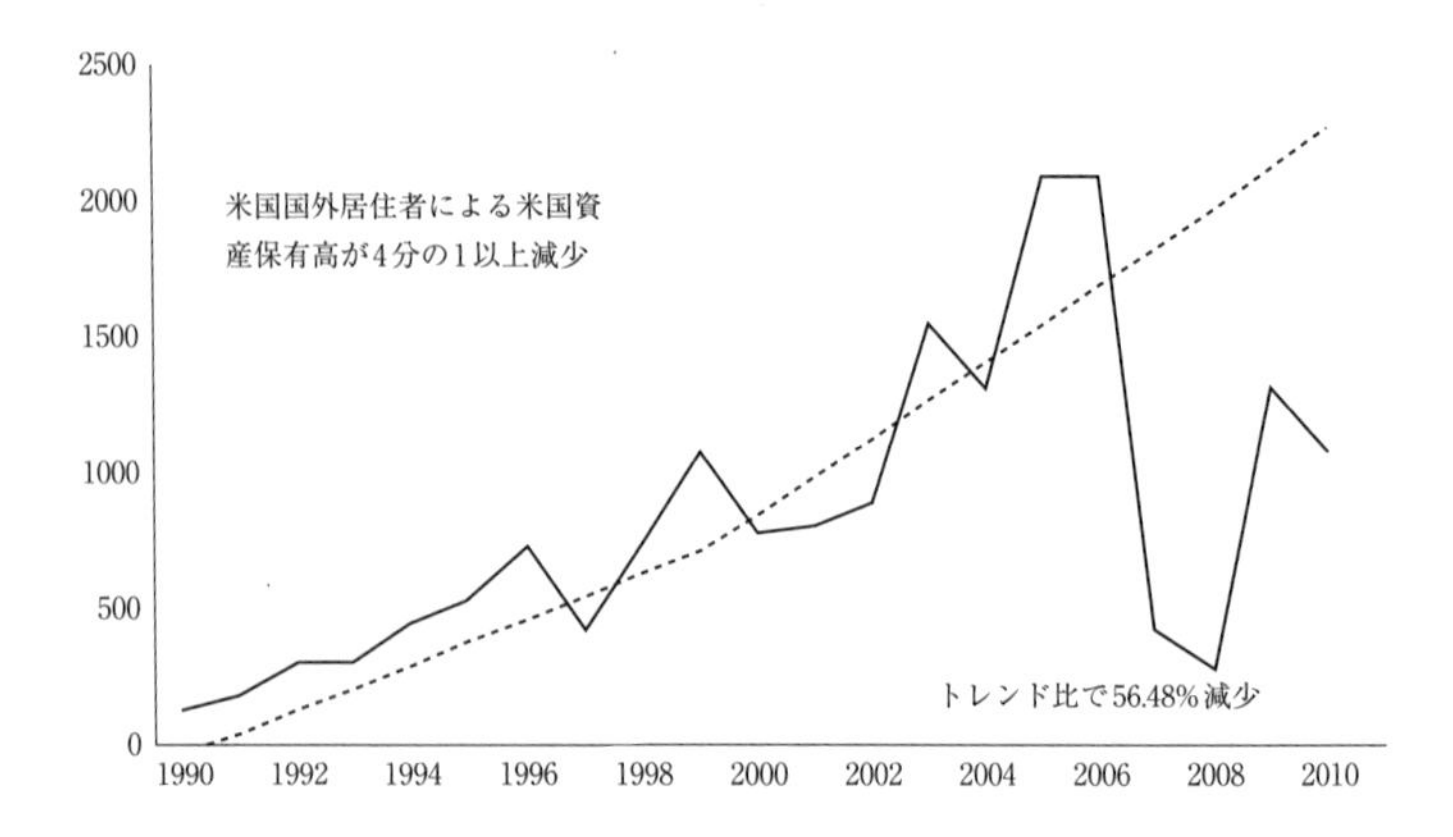

図9.3　米国における海外保有資産（デリバティブを除く、単位：十億米ドル）

出典：米国経済分析局

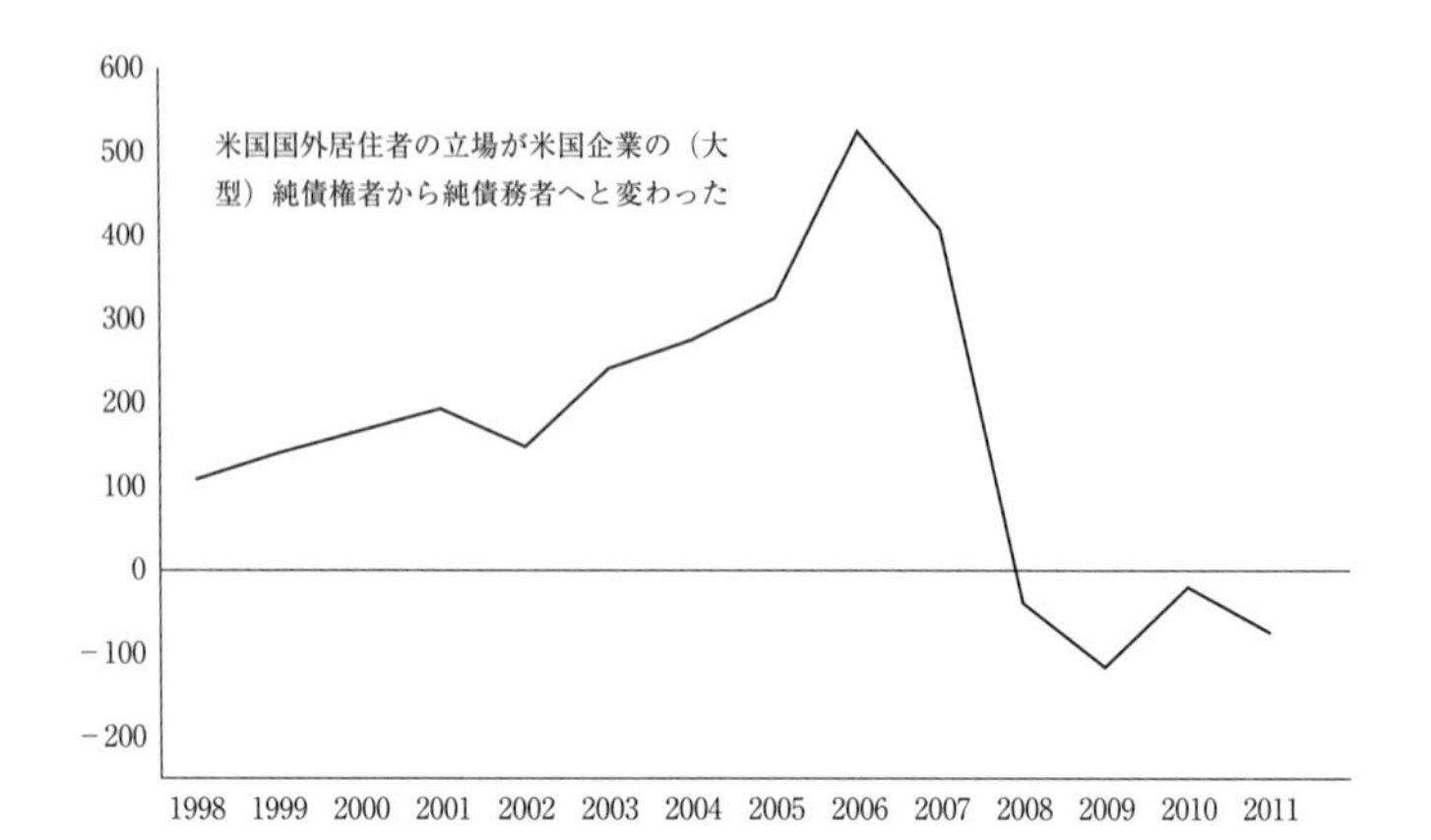

図9.4　米国国外居住者による企業債券純購入高（単位：十億米ドル）

出典：米国経済分析局

産を五六・四八%も失ったのです（図9・3参照）。突然の衰微ですが、その本質的な原因はどこにあるのか。答えは、二〇〇六年には五〇〇〇億ドル（五〇兆円）だった海外資本純流入高――米国企業への融資の水源――が二〇一一年にはマイナス五〇〇億ドル（マイナス五兆円）にまで干上がってしまったからです（図9・4参照）。

　こうして事態の全容が清澄に立ち現れてきます。危機の後も米国の赤字状況は変わりませんでした。財政赤字はほぼ二倍に膨らみ、貿易赤字は一時的に下がったもののすぐにまた同じ水域に収まったからです。しかし、米国二重赤字は地球規模で商品や利益の循環を支える装置としてはもはや機能できていない。山のような純輸入高と資本流入高（及び両者の均衡）も二〇〇八年で途絶えてしまったのです。米国市場の純輸入高は二四%減り――世界の需要を金融崩壊以前のたった六六%[4]しか創出できなくなり――米国民間部門への資本もウォール街が二〇〇八年に破綻しなかった場合と比べてたった五七%しか呼び込めていません。

　かの偉大な世界牛魔人も今では米国公債への海外資本流入の加速（図9・5参照）という現象に名残を留めるだけ。世界が混沌に包まれる中、激動の時代をさまようお金が安息の地を求めて準備通貨へと群がっているわけです。米国以外の国々が米国の企業部門や不動産部門への資本注入量を減らし、米国側も他国からの純輸出高への容量を減らしている。この状態が続く間は、魔獣の死、そして魔獣に代わって黒字再循環という機能を担う新装置の不在はどちらもはっきりしています。こうしてあの悲壮な叫びが木霊するわけです――「世界牛魔人は死んだ！　米国二重赤字万歳！」

（4）　66 per cent　おそらく凡ミス。正しくは七六%だろう。

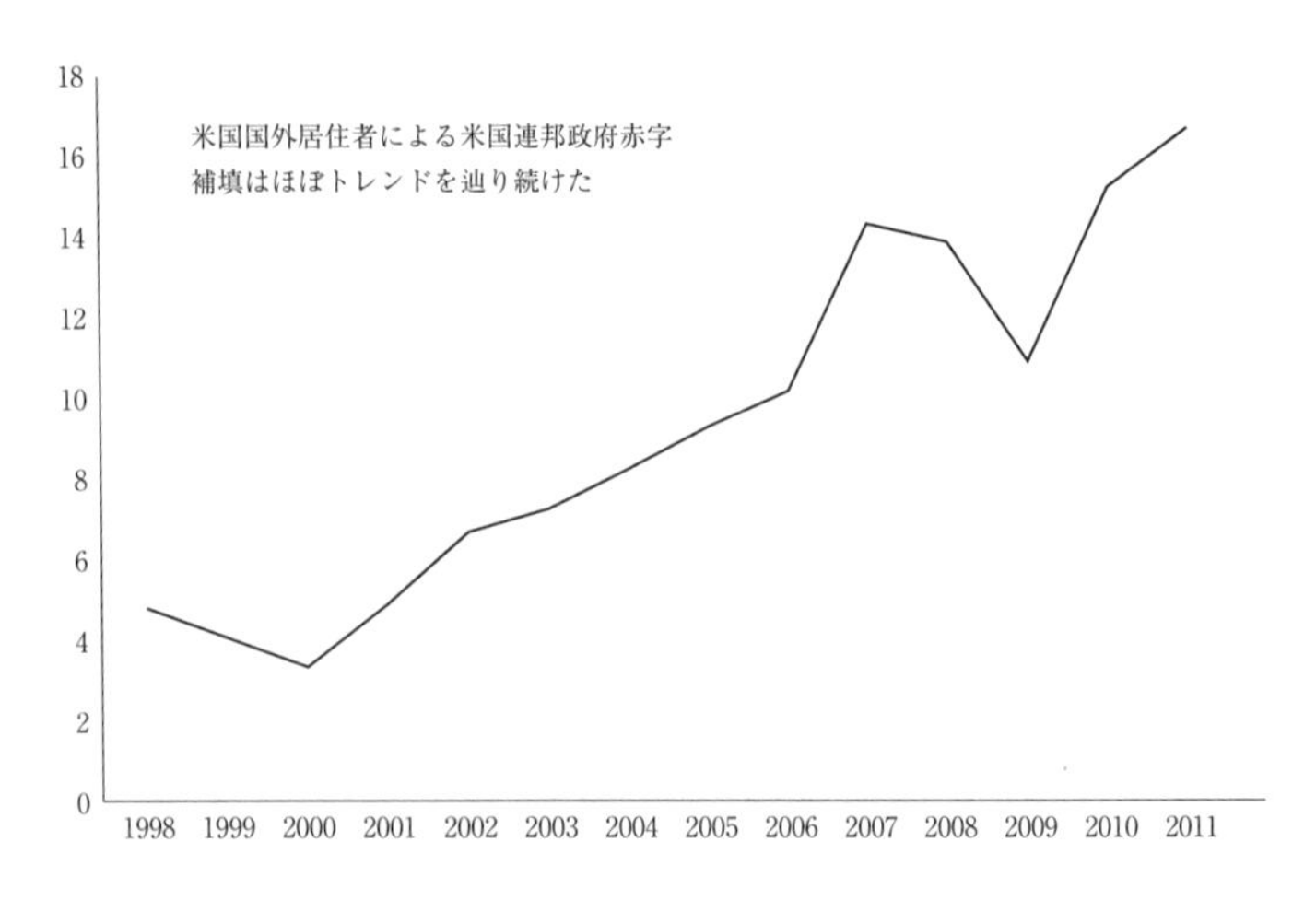

図9.5　米国国外居住者による米国短期国債（T-Bill）購入高（単位：兆米ドル）

出典：米国経済分析局

牛魔人なき米国

ウォール街が米国二重赤字を操縦して世界の余剰製品や利益を再循環させる能力を失ったとき、米国経済の活力もぐっと下がりました。それ自体は悪いことではありませんが、この場合は累積債務（未返済の住宅ローンや銀行間の不良債権）の処理という問題が残っていました。

経済活動の低迷が許容できるような筋書きもありえます。雇用が着実に回復され、低賃金が物価安と組み合わさって消費を促し、経済が黙々と復調してさえいればよいのです。悲しいかな、銀行部門は私腹を肥やすために金融政策をまんまと牛耳っており、古きよき二〇〇八年以前の時代と同じように米国社会から内発的な成長の芽を毟り尽くしています。傷口に塩を塗るように、欧州は（欧州大陸の大半が自家製の恐慌に溺れているというのに）ハーバート・フーヴァー式緊縮政策という自滅の道をまっしぐら[iv]。中国も構造的欠陥から内需を充実できずにいる。危機が今なお猛威を振るっているのも理の当然なのです。

第七章及び第八章では破産主義社会の新興が鮮明に描かれました。銀行家が搾取と捕食を基調とする政治力を銀行破産に乗じて伸ばしていく。痩せ細る国民所得が諸銀行の破産規模（ブラックホール）の度合いに応じてどんどん蝕まれていく。ガイトナー・サマーズ計画が米国の市民社会を欺いて裾を掻（か）く様子は第七章に叙述した通りです。連邦準備制度の対策もつまるところウォール街を無罪放免で公然と復活させる手続きにすぎませんでした[v]。米国財務省による中途半端な刺激策も財政支出の激減を加味すると焼け石に水であり、物品やサービスへの米国内需の凋落を防ぐには全く不十分でした。

オバマ政権もすぐに息切れしてしまいました。金融崩壊の首謀者たち（ローレンス・サマーズ、ティモシー・ガイトナー、そしてベン・バーナンキ）が「救世主」として犯罪現場に舞い戻る。数兆ドル（数百兆円）規模でカネを印刷・借入し、銀行「仲間」に惜しみなく散財をする。実におぞましい光景であり、熱烈なオバマ支持者さえも幻滅させるに十分でした。その後の展開は容易に想像がつくでしょう。デフレ期には革命左派ではなく狂信右派の勢力が（例えば一九三〇年代のように）頭角を現すものです。米国では銀行家への侮蔑[vi]、連邦準備制度への非難、「まっとうな」貴金属本位通貨[vii]への唱道の声（クラリオン）、そして政府と名のつくもの全てに対する憎悪を追い風に茶会運動（ティーパーティー）が勢いをつけてきています。

茶会運動の隆盛は皮肉にも連邦準備制度の介入を増やしました。理由は単純です。オバマ政権は道を踏み外し、連邦議会共々有効な経済刺激策を打ち出せなくなってしまいました。米国の巨視経済（マクロエコノミー）の舵を切る方法は残り一つ——連邦準備制度の金融政策です。とはいえ、政策金利は一九三〇年代以来の流動性の罠という冥府に幽閉されている[viii]（第二章参照）。そこで連邦準備制度は米国を悲惨な恐慌から守るには量的緩和——第八章で一九九〇年代日本の「失われし十年」の文脈で論じた政策——に賭けるしかないと判断しました。

バーナンキ氏が重い腰を上げたということは、何かよほどの理由があるのだろうと思われるかもしれません。その直感は当たっています。一九九〇年から二〇〇八年まで米国の総需要は長期傾向値（九八%から一〇四%）でほぼ横ばいを続けていました[ix]が、二〇〇九年に一気に転落し、それ以降立ち直れていません。現在総需要は危機が無かった場合の値（すなわち傾向値）と比べて実に一四%も低くなっています。ただでさえ大きな落差ですが、家庭が負債の重圧に喘いでおり、諸銀行が融資を渋っている現状では弱り目に祟り目です。こうして失業率は高く保たれ、米国の人々は社会からの脱落や恒久的な就業不能といった窮地へと追いやられているのです。

バーナンキは米国の総需要の血色を回復させようと量的緩和政策に踏み切ったわけですが、意に反して茶会運動や共和党主流派に格好の標的を与えてしまいました。量的緩和とは米国の魂を汚す悪魔の妖術だ。通貨の価値をおとしめ、負債という薬物に依存しきった国家をいよいよ薬漬けにする。その先にはメフィストフェレスがお気に入りの拷問器具を準備している——そう、造幣局だ。束の間の安息を与えてくれるが、代償として中期的ハイパーインフレーションが待ち構えている……。

言うまでもなく、こうした物語は完全に虚偽です。量的緩和の効果の薄さは批判して然るべきですが、連邦準備制度による量的緩和は一九七〇年代のような物価上昇を再び招いてしまうなどという主張は馬鹿げています。もっとも「真実」という言葉は反抗右派の辞書には含まれていません。あるのは（公的に創られた富を一部の人間の懐へ入れる上で役立つ）恐怖心を煽る空想のみです。

量的緩和　複雑怪奇な希望的観測

二〇一三年現在、量的緩和第三弾（QE3）が検討されています。これが何を意味するのか、慎重に考えてみる必要があります。巷で耳にする謬見は大きな勘違いに基づいており、今ある危機の性質をよく物語っています。

連邦準備制度の発表によると、米国の中央銀行は予定変更があるまではこの先不動産担保証券（MBS）を毎月四〇〇億ドル（四兆円）ずつ買い続けるそうです。誰から買い取るのか。民間銀行やその他の金融機関からです。では、購入資金はどこから調達するつもりなのか。該当金融機関が連邦準備制度のもとで開いた口座へ電子通貨を打ち込むだけです。金額はMBSを帳簿から消すために必要な値となります。ただし、連邦準備制度口座へここで振り込まれる米ドルは顧客や事業への融資には使えません。他の銀行の紙券資産との交換だけが認められます。これは重要な点です。量的緩和が通貨発行と同じではない理由はこれだからです。「取引」の内容はやや専門的になりますが、詳しく見ていく価値があります。

連邦準備制度がX銀行からMBSを一〇〇〇ドル（一〇万円）分買ったとします。このときX銀行の帳簿では「資産」から一〇〇〇ドルが引かれ、連邦準備制度のX銀行の「準備口座」へ利用可能通貨が一〇〇〇ドル足されます。「準備口座」には利用条件が連邦準備制度によって設けられています。具体的には、準備口座の一〇〇〇ドルは他の銀行への融資か他行からの紙券資産購入にのみ利用可能なのです。つまり、連邦準備制度が購入した一〇〇〇ドル「相当」のMBSが経済に流れ込むためには、X銀行が他の銀行（例えばY銀行）から別の紙切れを買う必要があるのです。ただし、お金を実体経済まで届けるためには、証券が新品である——例えばY銀行が顧客に一〇〇〇ドルを新規融資してこれをX銀行に売る——必要があります。もし証券の内容が量的緩和以前の古い債務だった場合、量的緩和は一〇〇〇ドル相当の証券を銀行間で入れ替えるだけとなってしまいます。それではこの一〇〇〇ドルは所得の循環へ合流できません。

量的緩和がインフレーションの引き金になりえない理由はこれです。QE1とQE2が巨額だったにも関わらず二〇一二年の米国インフレ率が二年前よりも低い理由もここにあります。では量的緩和はそもそも何を目的としているのか。バーナンキ氏の説明では、連邦準備制度によるMBS購入は次の連鎖を引き起こすことになっていました。


一．MBS価格の上昇は将来価格成長期待値を上げるため、より低い金利でも買い手がつくようになる。

二．MBS金利の低下は新規住宅ローンの金利低下につながる。

三．住宅ローンの金利低下は新規住宅への需要を高める。

四．住宅需要の高まりは住宅価格増につながる。

五．住宅価格増のおかげで持ち家の価値が住宅ローン価格よりも低い人——すなわち「住宅ローンの奴隷」――の数が減る。

首尾よく進めば、米国社会における住宅ローン（金融家の言葉を使えば「マイナス資産」）の奴隷の件数減少は多くの恩恵をもたらすはずでした。家計支出が増える。家を売って雇用のある地域へ移住できるようになる。既存の負債の返済期間を延ばして支出を増やすこともできる。投資家はＭＢＳ購入から企業債券へと舵を切ることができる。企業への直接融資が増えるという意味では、最後の項目は特筆に価します。ＱＥ３が米国を不況から救うまでの筋書きとしてバーナンキ氏が思い描いていた遠大な構想は以上です。

問題点にお気づきでしょうか。この話には一つ単純な落とし穴がありました。つまり、量的緩和の好循環が回り始めるには、かなり無理のある信念が人々の心の中に複数同時に根付いている必要があるのです。

- Ｙ銀行の顧客（太郎さんや和子さん）が、不動産市場は中期的に低価格を維持し、雇用は安定しており、住宅ローンを組む機は熟したと信じている。
- Ｙ銀行側には「資産」項目のさらなる肥大も厭（いと）わずに太郎さんや和子さんへ住宅ローンを融資する覚悟がある。心もとないローンだが、Ｘ銀行が連邦準備制度の「準備口座」から量的緩和資金を使って買い取ってくれるだろうという期待を抱いている。
- 太郎さんや和子さんのような人を中長期的に雇おうと思っている企業にも、Ｘ銀行がＹ銀行から太郎さん・和子さんの住宅ローンを買うだろう、またこうした取引によって自社製品への需要が高まり、雇用を正当化できるようになるだろうという信念がある。

要するに、量的緩和から雇用創出と不動産市場回復が成就されるには実に多くの「思い込み」が求められているのです。悲観主義の自己達成が蔓延している現状では、奇跡でも起きない限り人々が一斉に心変わりするわけがありません。

まとめましょう。ホワイトハウスと連邦議会が膠着状態に陥り、米国が統治不能国家となってからは、連邦準備制度こそ不況に対処できる唯一の政府機関でした。量的緩和は不況をある程度和らげましたが、それも派手な演出のおかげにすぎません。コルチゾンが痛み止めや症状緩和として有効でも病の根治にはならないのと一緒です。人々の前方に聳える負債の山を切り崩し、一九七〇年代以降（第四章で示したように）この問題の根因であり続けてきた「低賃金」を賃上げで解消するまでは、量的緩和とて解決策にはなりえないのです。

なるほど量的緩和の副作用は連邦準備制度を目の敵にする右派勢力が叫ぶほど酷くはないかもしれない。それでも副作用はあるのです。量的緩和は銀行家に海外融資の動機を与えます。例えば一九九〇年代日本の量的緩和はキャリー取引を誘発し、米国への資本の流れを激しくしました。すると発展途上国（ブラジルが好例）の通貨の為替相場が高騰し、商品価格（特に食料品価格）が一気に上がります。こうして米国の低所得層の首が絞められ、発展途上国も迫り来る資本の大波に直面させられるのです。資本退潮がこれに続き、東南アジア諸国、アイルランド、スペイン等の例が示すように、すべてが消し飛ばされる場合も多々あります。

袋小路を右往左往する公の議論こそ米国最大の悲劇だと言えるかもしれません。量的緩和、金本位制への回帰の長所や短所、連邦負債の持続可能性、生活水準の劇的な低下による問題解決の可能性――こうした論点への執着は国民の注意を問題の本質から遠ざけています。米国は第二次世界大戦後初めて地球規模の黒字再循環装置を失った。これこそが米国の人々の苦悩の根因なのです。新たな再循環装置なくしては米国（及び世界）再興への展望も管窺蠡測（かんきれいそく）[5]を免れえないでしょう。

牛魔人なき欧州

破産主義社会は米国の「発明品」であると同時に欧州の窮境でもあります。これは前章で論じたとおりです。両大陸には相違点もあります。少なくとも米国の人々はユーロ圏のような超欠陥制度の枠内で戦う必要がなかった。とりわけ酷（ひど）い目に遭った州（ネバダ州やオハイオ州等）がさらに自治体負債か州内銀行破産かという不毛の二者択一を迫られていたならば、州民はいよいよ途方に暮れて天を仰いだはずです。米国が免れた問題はこれだけではありません。中央銀行が内部分裂によって機能不全に陥っていたわけでもなく、ドイツ中央銀行（すなわち連邦銀行（ブンデスバンク））のような趣味――連合内（すなわち

（5）　severely circumscribed　「極端に限定されてしまっています」くらいが普通の訳だが、問題の規模に見合うだけの大きな展望が打ち出せていない米国へのバルファキスの憂いをしめくくる言葉としては弱い。「管窺蠡測（かんきれいそく）」には「管をもって窺い蠡をもって測る」即ち「対象の規模に到底及ばないありあわせの手段で現実と向き合う」という意味がある。

ユーロ圏内）で最悪の打撃を受けた地域を部外者扱いし、巨視（マクロ）経済学の法則に従えなくなるまで「財政的水責め」の刑に処すという趣味——の持ち主と付き合う必要もなかったからです。[x]

ここ二年間で欧州は重箱の隅をつつくような議論ばかり続けています。雄大な欧州史の文脈に置いてみれば、その狭量が一層際立つでしょう。欧州中央銀行によるイタリアやスペインの国債購入には「条件」をつけるべきか。欧州中央銀行が買う債券には金融用語で言う同率（パリパス）条項を（民間機関保有の債券との連関で）設けるべきか。欧州中央銀行は欧州の諸銀行全てを管理すべきか、それとも「制度内の」銀行に照準を絞るべきか。

財政政策と金融政策の駆け引きへの妄執でもない限り、こうした問題に心から興味を持つなどできるはずがないでしょう。しかし欧州の未来を決定するのはまさにここに列挙した諸問題（及びそれらへの対応策）なのです。その重要性はウェストファリア条約やヴェルサイユ条約、ひいてはローマ条約にさえ匹敵しえます。二〇〇八年金融崩壊が解き放った遠心力に欧州の結束が打ち勝てるかどうかが懸かっているからです。

その上で言いますが、既述の枝葉末節はこれ以上論ずるに値しません。通奏低音として流れている悲壮な現実の音楽は、専門用語への耳を持たなくとも聴き取れるからです。欧州の構造は牛魔人の断末魔の叫びからくる衝撃に耐え切れず、これが理由で欧州は分裂しているのです。前章ではユーロ圏の構築過程や設計上の不備、そして欧州版の破産主義社会の発達の叙述に項を費やしました。特に「登山家たちの転落」の節は、ギリシアに始まり、本書初版が出た後はスペインやイタリアをも——どちらも欧州屈指の威厳と生産性を兼ね備えた国ですが——襲ったドミノ効果をよく捉えています。

第八章の分析を思えば一目瞭然ですが、マドリードやローマの財政破綻は無駄遣いが原因では断じてありません。二〇〇八年の時点でのスペインの政府債務はドイツよりも軽く、イタリアの財政赤字も一貫して低かった。真の原因は、世界牛魔人からくる需要を輸出品の受け皿として頼る欧州巨視経済（マクロ）の状態そのものなのです。魔獣が倒れ、ウォール街の民間通貨が水泡に帰すと、その余波は二つの大波となって欧州を転覆させました。

第一に、破産銀行と破綻国家による死の抱擁の連鎖。ギリシアを皮切りにアイルランドやポルトガルから次々と倒れてゆき、ついにはイタリアやスペインまで陥落しました。第二に、牛魔人の映し身（シミュラークル）（前章でドイツ経済を表した比喩です）。ユーロ圏脱退を執拗にちらつかせることで、通貨統合に持続性を与えるような合理的改善案を一蹴しました。

二年前に第八章を書き終えて以来、欧州では改めて吟味すべき出来事が何か起きたでしょうか。私の知る限りでは、欧州統率部による次の三手が特筆に価します。おかげでユーロ圏の一気の崩壊は食い止められ、欧州分裂の火をじわじわと緩慢燃焼させる道が選ばれたからです。

一．欧州中央銀行は二〇一一年一二月から二〇一二年二月までの間で約一兆ユーロ（一二〇兆円）を発行し、これをユーロ圏の破産諸銀行へ無価値な担保と引き換えに融資しようと決断。民間諸銀行はその一部（三〇％以下）を財政難に陥った国々（イタリア等）へ融資しました。この一手（長期資金供給オペレーション、通称ＬＴＲＯ）のおかげでユーロ圏は八ヶ月から九ヶ月の猶予を得ました。

二．二〇一二年三月のギリシア負債一部帳消し。本来ならば正式な債務不履行に相当する出来事ですが、なんとそれは債務国側が二〇一一年度末よりも重い債務を二〇一二年度末に背負う羽目になるという、経済史上初の事態へと進んだのです。[xi]

三．欧州中央銀行総裁は二〇一二年八月にユーロ圏の分裂を現実として認めました。[xii] そこで欧州中央銀行は金利を許容範囲に抑える目的でイタリアとスペインの既発債を買い入れる意向を発表。ただし、総裁のマリオ・ドラギ殿にはドイツ政府への忖度という任務もあり、追加の緊縮策が監査に合格した場合のみ「無制限の国債買い切りオペレーション」（ＯＭＴ）を実行すべきだと決定。こうして欧州の中央銀行は「ドイツとの友好関係」という祭壇の上で「中央銀行の独立性」という根本原理をこっそり生贄に捧げたのです。[xiii]

二〇一二年六月の首脳会議決定が抜け落ちているぞという抗議の声もあるでしょう。イタリアとスペインの首相の断固たる主張を受けて、欧州首脳は銀行危機と債務危機の分離に合意したのですから。具体的には、ユーロ圏加盟諸国の各銀行制度を統一して「中央」から資本を注入するが、これを諸銀行の拠点国の債務にはしないことが決まったのです。この合意さえ実施できれば、ユーロ危機の怒涛の進撃に大きな楔を打ち込めます。そうは問屋が卸さないと、ドイツ統率部はそのわずか数日後に海千山千な撤廃運動を仕掛けました。突破口となりえた決定も今では流産に終わり、合意文書も紙屑同然となってしまったと言って差し支えないでしょう。

謎は深まるばかりです。ドイツはなぜこうも執拗にユーロ危機解決策に歯向かうのでしょうか。一般的な答えはこうです。資金を提供するのはドイツである。加盟諸国には責任を持って行動する覚悟が求められている。それが確認できない限り、ドイツは周縁国の負債の肩代わりや欧州の連邦化を進める動き（銀行同盟や財政統合等）には賛同できない。しかしながら、この答えはむしろ北欧諸国の態度を表しており、今の議論には関係がありません。ドイツの深謀遠慮に光を当てるために、思考実験をしてみましょう。

想像してみてください。ドイツ財務相がベルリンの首相官邸を訪ねてゆきます――おどおどしながら、黄色のスイッチと赤色のスイッチがついた制御盤を携えて。そして首相に向けて、どちらかのスイッチを押すよう頼みます。押すと何が起こるのか、財務相の説明はこうです。

赤色のスイッチ　こちらを押した場合、ユーロ危機を一瞬で解決することができます。欧州経済は豊かに成長し、加盟諸国の負債もマーストリヒト条約の上限額より低い値まで下がります。ギリシアの（及びイタリアやポルトガル等の）人々が苦しむこともなく、ドイツやオランダの人々の血税を使って周縁諸国の政府や銀行の負債を保証する必要もありません。ユーロ圏の金利差（スプレッド）は一律三％以下となり、ユーロ圏内の不均衡も軽減され、投資の量も総じて伸びていくでしょう。

黄色のスイッチ　こちらを押した場合、ユーロ圏はここ十年間とほぼ同じ状態に留まります。多少の制御は利くものの、ユーロ危機の炎は燃え続けることになります。分裂の可能性は否めませんし、ユーロ圏解散はドイツにも甚大な被害を与えるでしょう。とはいえ、黄色のスイッチを押しても分裂はおそらく起こらないはずです。欧州中央銀行が助け舟を出してくれますからね。ドイツは低金利を維持し、ユーロの価値も順調に——ドイツ製品の生産者から見て「順調」に——低値を保つでしょう。周縁国のスプレッドは暴騰こそしても爆発には至りません。イタリアとスペインは負債＝デフレ悪循環へと突入し、国民所得が三年間で一五％も下がるでしょう。フランスも擬似財政破綻への道を着実に歩み始めるでしょう。国民一人当たりのＧＤＰは黒字諸国では緩やかに上り、周縁諸国では一気に沈むでしょう。「堕落」国家（ギリシア、アイルランド、ポルトガル等）はラトビアのように、あるいはコソボのようになればよい。国民所得を二五％から四〇％失って高度人材の集団離国（エクソダス）を味わい、一度焦土になった後で、我が国の人々が海外旅行に行ったり不動産を安く買ったりするために存在すればよいのです。総じてユーロ圏の失業率は英国や米国よりもかなり高いままとなり、投資もジリ貧、経済成長も起きず、貧困が広く深く根付くでしょう。

読者諸君は、ドイツ首相の次の一手を予測できますか。またドイツの普通の有権者はどちらを望むでしょうか。

あくまで仮定の話なので、実際にこうした事態になるまでは誰にも正解は判らないでしょう。ただし、この二択問題は英国や米国の文脈で考えた場合よりもはるかに複雑なのです。黄色のスイッチは英国首相や米国大統領にとっては何の魅力もありませんが、ドイツ首相にとってはなんとも抗し難い選択肢なのです。赤色のスイッチを選びたくても、ドイツの有権者からの反応を想うと手が震える。ギリシアやイタリア、スペインやポルトガルの人々を恐慌から「あっさりと」救ってしまっては、ライン川の東、アルプス山脈の北で票を失う羽目になるからです。

ここ二年間でドイツに根ざした世論はこうです。ドイツが危機の猛火を浴びずに済んだのは、ドイツの人々の倹約と努力のおかげである。それに比べて南の国々はどうだろう。キリギリスさながらに浪費を重ね、金融の冬の厳しい寒風に何の備えもしていないじゃないか。こうした世論の風潮には道徳的正義感が付き物。善良な人々の心に、キリギリスを制裁したい――多少の自己犠牲も覚悟の上で制裁したい――という欲望が芽生えます。また二〇〇八年までユーロ圏の健全性とドイツの黒字が維持された理由も大きく誤解されました。世界牛魔人の悪戯による需要づくりが見落とされたわけです。ドイツやオランダが数十年間もユーロ圏内外で消費財・資本財輸出国家として君臨できたのも、米国を源泉とする周縁諸国外需のおかげでした。

知る人ぞ知ることですが、二〇〇八年以後のユーロ圏において世界牛魔人の死は（イタリア、スペイン、アイルランド、ポルトガル、ギリシア等の）赤字諸国よりも（ドイツ、オランダ、オーストリア、フィンランド等の）黒字諸国の総需要をより厳しく襲ったのです（図9・6参照）。突然の資本撤退が赤字諸国に財政難をもたらしたのは事実ですが、二〇〇八年金融崩壊はドイツのような国の「国体」を最も手酷（ひど）く痛めつけたのです。ドイツでは（前章で見たように）賃金も絞りに絞られ、まさに踏んだり蹴ったり。ギリシアを始め地中海の国々を怒りのはけ口としたくなるのも無理はありません。「目には目を」と地中海も応戦。欧州内部で沸き立つ憎悪は独特の色に染まり、排外主義に、ひいてはナチズムにすら（こともあろうにギリシアで）追い風が吹いている。結果として大陸全体が赤色ではなく黄色の

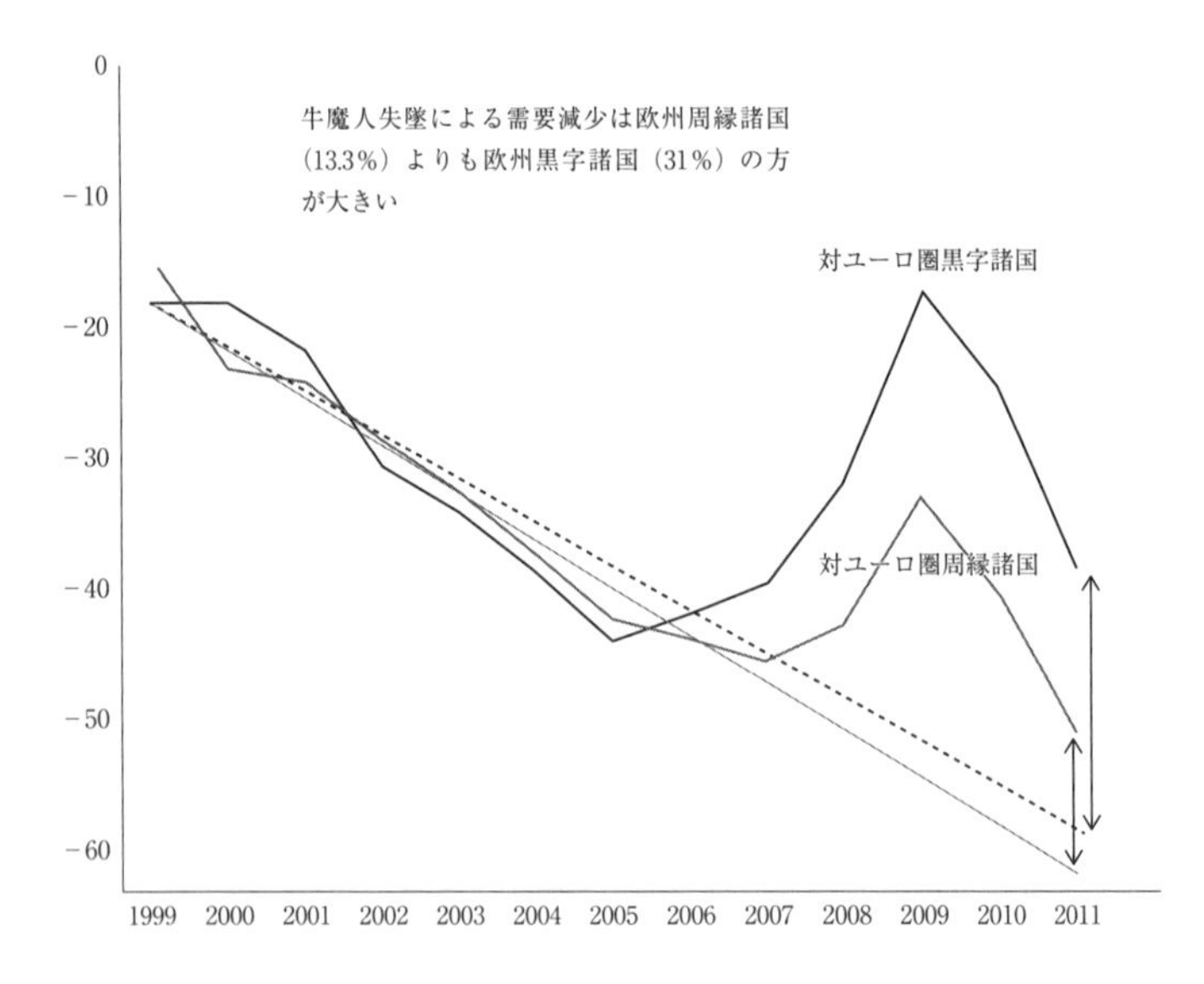

図9.6　米国貿易赤字、対ユーロ圏周縁諸国（イタリア、スペイン、アイルランド、ギリシア、ポルトガル）及び対ユーロ圏黒字諸国（ドイツ、オーストリア、オランダ、フィンランド）

出典：米国経済分析局

スイッチを押す構えをとっているのです。

まとめましょう。ユーロ圏という掘っ立て小屋は牛魔人による黒字再循環のおかげでなんとか維持されていました。魔獣の退場によって、欧州共通通貨圏は岐路に立たされました。再設計に踏み切るのか、それとも悲痛な分裂の時代を迎えるのか。牛魔人以後の世界では別の黒字再循環装置が必要ですが、黒字諸国はこの必要性（そして自国の黒字の一部もいずれは再循環されなければならないという現実）を否認し続けています。結果として欧州は「逆錬金術」の相を呈しているのです。錬金術師は鉛を金に変身させようと試行錯誤するものですが、欧州の錬金術師たちはエリート階級の誇り、欧州統合計

	1990年	1995年	2000年	2005年	2009年	2011年
個人消費	49	44	45	40	34	29
投　資	35	42	36	42	48	58
政府消費	12	13	17	12	11	10
純輸出	4	1	2	6	7	3

表9.7　中国の総需要の内訳（GDPに占める割合）

出典：中国国家統計局

画という金を鉛のような機関へと退化させました。

牛魔人なき中国

本書初版の最終章では世界牛魔人に代わって一世を風靡すべく飛翔する竜に焦点を絞りました。二〇一一年一月の時点で私は話を次のように締めくくりました。

> 時間稼ぎに中国政府は成長経済を人民元高から守りつつ刺激策を講じています。ほとばしる成長性を維持したいという願望があるからですが、前方には暗雲が立ち込めています。一方で、中国のGDPにおける消費支出割合は下がっています。巨大工場の規模に見合う内需が確保できていない証拠です。他方で、財政刺激策は不動産バブルを生んでしまっています。このままバブルが弾けてしまえば、国内経済は氷散瓦解の相を呈するでしょう。では経済成長を頓挫させずにバブルを凋（しぼ）める道はあるのでしょうか。アラン・グリーンスパンですら解決できなかった最上級課題ですが、中国

当局も薄氷を踏んでいます。

あれから数年間で起きた出来事は、当初の予想通りの展開を辿っています。図9・7をご覧くださ い。中国の消費比率は右肩下がりを続けています。二〇一一年の生産高一ドル当たりの中国国内消費者市場流通量はたった二九セントです。たしかに輸出は中国の投資力や生産性向上力を高め、年間内需へのささやかな貢献にこそなっていますが、投資こそ需要不足解消の主役となるべきだという見方が日に日に強まっています。とはいえ投資の推奨は前段落が示すような諸刃の剣でもある。ただでさえバブルが危険水域に達している不動産市場へ金角や銀角を解き放つようなものだからです。

実際二〇一一年に中国当局は新規住宅ローンの審査基準を厳格化。生産性のある投資は守りつつ「白い象」[7]やハコモノへの資金提供には待ったをかけました（中国の中産階級は多額の借金をして空のアパートを居住ではなく営利転売目的で購入していました。バブル醸造の典型です）。

住宅需要こそ下がったものの、政府介入は住宅バブルだけでなく工業生産量も凋めてしまっているようです。兆候は判然としています。例えば発電量は二〇一二年初期頃から横ばいです。二〇〇八年から二〇〇九年にかけても同じことが起きましたが、その後すぐに工業生産量の成長率がぐっと下がり、中国政府がたまらず打ち出した景気刺激策も消費率をさらに押し下げる羽目になりました。こうした事態を避けるために、政府は住宅バブルのリスク増を甘受しつつ住宅ローン提供条件を緩め始めています。

まとめましょう。世界牛魔人の失墜が世界の総需要の四分の一を抹消させた後では、欧州黒字諸国と同じように中国でも経済復興が頓挫しています。世界には不安が広がっています。中国の景気刺激策、米国の量的緩和、欧州の緊縮策といった処方箋はむしろ危機からおぞましい余病が併発する危険性を高めたからです。牛魔人の遺灰から新たな黒字再循環装置が来臨しない限り、世界には深憂の寒風が吹き続けるでしょう。

（6）　let the genie out of the bottle　『アラジンと魔法のランプ』に登場するランプの精への参照だが、日本語では『西遊記』から比喩を拝借するのが相応だと判断した。ちなみに『西遊記』で金角と銀角が吸い込まれるのはランプではなくひょうたんである。

（7）　white elephants　タイを語源とする英語の慣用句。白い象は王族へ献上されたが、維持管理費が高くついた。転じて高価な割に役に立たないものを表すようになった。

後記

歴史の担い手

我々は帝国になった。我々の行動は新たな現実を生む。きみたちがその現実を丹念に考察する間、我々は次なる行動を起こして現実をつくりかえる。それをまたきみたちが考察する。そうやってものごとは進んでゆくのだ。我々は歴史の担い手だ。残されたきみたちには、我々の行動を考察することしかできない。[i]

米国高級官僚の言ですが、戦後米国の雄々しき野心の核心を突いた至言です。米国は既存の現実を一度ならず二度までも破壊してつくりかえたのですから。一度目は巡り合わせでした——第二次世界大戦が米国に「現実をつくるもの」という役割を強要したのです。米国の対応は実に見事でした。**世界計画**のもとで世界資本主義は栄華を極めます。世界計画の寿命が近づいたときも、米国は現実の「考察」などには一切時間を浪費しませんでした。

むしろ米国は壊れゆく現実を積極的に解体し、世界規模の大きな危機を引き起こすことで生気溌剌な新現実を生み出します——**世界牛魔人**です。米国は史上二度目の現実創生をやってのけたわけです。「米国其像の如くに現実を創造たまへり(1)」というわけではなく、むしろ己の脆弱性を荘重な覇権へと見事に昇華したのです。

成功の鍵は世界黒字再循環装置（ＧＳＲＭ）の必要性の認識でした。覇権は単なる支配や粗野な搾取とは一線を画します。真の覇権国は己の権力を補充する上で臣民からの収奪ではなく**余剰＝黒字生産力**の強化という道を選ぶからです。臣民から進貢を受けるには、覇権国側も還元の技術を体得する必要がありました。余剰＝黒字の充実こそが権力を不動のものにする。だからこそ余剰の大半を下層民へ還元するのです。

米国は戦後の世界の現実を二度も独力で創生しましたが、実用性の高いＧＳＲＭの設置とその完全統御には特にこだわりました。世界計画時代には米国が貿易黒字国の役割を当然のごとく演じていました。（貿易黒字から得た）余剰資本を日本や欧州へ再循環させることで成立した米国覇権。日本や欧州も米国産の物品やサービスを買う能力という形で資金獲得の恩恵を受けます。ここまでは計画通りでした。

その後不覚にも巨額の貿易・財政赤字を抱え込む羽目になったときも、米国は怯まず次の一歩を踏み出しました。世界を揺るがし、世界牛魔人時代への序曲を奏でたのです。世界の貿易や資本の潮流を一新させたこの巨大なＧＳＲＭを私は「世界牛魔人」と名づけました。海外の主要工業地帯に十分

（1）　America had reshaped the world . . . in its image　『創世記』からくる慣用句。文語訳からの引用を使って和訳した。

な製品需要を提供し、見返りに資本循環の約八〇％を誘引すること。米国は新たな役割を獲得したのです。一連の変革は十年以上にも及ぶ社会分裂、債務危機、不安の蔓延、そして世界規模のスタグフレーションからなる暴風雨を伴いましたが、それすらも米国エリート層にとっては妥当な「移行費」にすぎませんでした。歴史の担い手――歴代米国政権の秀才官僚たち――が世界各地の地域経済や米国の労働者階級の家庭に宛てて請求書を送っただけの話です。

成功の落とし穴と自制心

哲学者が言うとおり、自制心とは稀有で不可思議な人徳です。権力の増強に比して腐敗するという特徴をもった徳でもあります。信頼と成功の関係にも似たような性質があります。信頼が強ければ強いほど、個人や集団の成功も大きくなる。成功は強欲を生み、強欲は信頼を溶解させる。自制心も然り。成功をもたらすと同時に、成功は自制心への脅威ともなるからです。

自制心に含まれる成功の逆説は、第二次世界大戦後に米国が創った「現実」を両方とも崩しました。一度目は米国政府が「防御的操作（ネガティブ・エンジニアリング）」[2]によって自滅への道をひらいたとき。[3]二度目は米国の民間部門、特に金融部門が同じことをしたときです。成功の牙から二つの失敗が逃れるさまを見るために、二つの問題――一九七一年問題と二〇〇八年問題――を考えてみましょう。

一九七一年に失脚した世界計画。その躓きの石となったものは何だったのでしょうか。答えは米国政府の自制心の欠如です。つまり米国は「法外な特権」――世界の準備通貨の番人として公共の世界通貨を意のままに作り出す能力――の使い道を誤ったのです。

二〇〇八年に致命的な一撃を世界牛魔人に与えたのは何だったのでしょうか。ここでも答えは「米国の自制心の欠如」なのです。ただし今回の失敗は政府ではなく民間部門ひいては諸銀行によるものでした（それを見て見ぬ振りをしたのは政府だろうという主張はありえますが）。新型の「法外な特権」——世界金融の番人として民間の世界通貨を意のままに作り出す能力——を手に入れた米国金融部門は、自制心の燃え滓（かす）すらも残らないような壮烈な最期を遂げたのです。

牛魔人に活路はあるのか

本書初版では牛魔人の生存について私はかなり懐疑的でした。あれから二年が経ちますが、魔獣復活の望みは見事に雲散霧消しています。二〇〇八年金融危機は米国経済の「金色の臓器」を文字通り袋叩きにし、ニューヨーク発の「金融化」から精気を奪い去りました。牛魔人が海外資本への磁力を取り戻すことはもうありません。なるほどウォール街は完全復活を遂げ、二〇〇六年の絶頂期と比べ

（2） negative engineering　多義的な句だが、ここでは「コード実行の妨げとなっている問題に対処する工学」を意味するコンピューター科学用語の比喩的使用であると解釈した。本書ではベトナム戦争や「偉大な社会」等の対処療法的な政策への参照である。

（3） how these two failures were snatched from the jaws of victory　非常に巧みな言い回し。元の慣用句は「snatch victory from the jaws of defeat」すなわち敗北という名の鮫にとどめを刺されるすれすれのところで勝利という宝を掴み取るイメージである。バルファキスはこれに一捻り加えて、「成功しきるすれすれのところから二つの失敗が起きる」というイメージを喚起している。鮫や獣の頭部を彷彿とさせるのも重要な点だ。

ても遜色ないほどの利益を計上しているかもしれない。米国政府も前代未聞の量の海外資本を呼び込めているかもしれない。「大きすぎて潰せない」諸銀行は（少なくとも相対的には）さらに大きくなったかもしれない。それでもウォール街の自己資本は痩せ細っており、世界牛魔人の剛健を維持できるような海外資本潮流は誘引できていないのです。現に銀行家たちは二〇一二年に再びおぞましいほどの利益をあげながらも、政府の新規制のせいで投資家へ「十分な」配当ができなくなったぞと声高に文句を言っています。

銀行家がわめき騒ぐ背景には、諸銀行が独力で世界の黒字を再循環できなくなったという新たな現実があります。二〇〇八年から二〇〇九年にかけて欧米で確立された新体制。私はこれを破産主義と呼びました。内向的で魅力に欠ける「制度」であり、十分な資本流入を触発できていません。ちょうど一九七一年以降の世界計画と同じように、世界牛魔人もまた萎靡沈滞の泥沼で朽ち果てる運命にあるのです。

途方に暮れる世界経済

「新興諸国」隆盛という喜悦あれど、世界は相も変わらず西洋の支配下にあります。牛魔人なき今、私たちの日常は魔獣の侍女たちの手に委ねられているのです。ウォール街とウォルマート。ドイツの偏屈な地方重商主義(4)。黒字再循環装置がなくても通貨統合は機能すると豪語する欧州の失態。欧米や中国で広がる格差。牛魔人が退場した後もなお侍女たちが統べる世界はなんとも奇妙奇天烈な場所です。

その不条理を示す好例として、俗に言う「世界経常収支不均衡（グローバル・インバランス）」をとりまく言論が挙げられるでしょう。制度の**つくり**のおかげで一部の国々（ドイツや中国が好例です）の黒字が整然と増え続ける一方、他の国々では映し鏡のごとく赤字が増え続ける。[ii] 世界的不均衡の拡大こそ二〇〇八年への起爆剤だったのだと評論家たちは声を揃えて言います。ならば世界的不均衡の是正こそ本筋だと思い込んでしまっても無理はありませんが、残念ながら真実は全くその逆なのです。

二〇〇八年以後米国は深刻な不況に見舞われて貿易赤字を下げることになり、世界経常収支不均衡も相応の修正を受けました。ユーロ圏でも話は同じです。索漠（さくばく）たる周縁諸国も輸入量の大幅削減へと一気に舵を切り、欧州内の貿易収支も均衡に近づきました。こうした均衡回復はむしろ世界経済をさらなる不安定へと引きずり込んでいます。（諸地域内・間の）貿易赤字の減少は資本の動きの不均衡の**増加**を伴うからです。また経常収支の均衡化は返済不能な負債の山と死蔵貯蓄の山を伴います。生産的長期投資が躊躇（ちゅうちょ）され、大量の貯蓄がお蔵入りとなる。まさに泣きっ面に蜂です。

世界経常収支不均衡という悪霊を退散させたと思いきや、今度は悪霊の不在に苦しむ。実に奇妙な環境です。ここでも世界牛魔人という暗喩を使えば謎も解けてゆきます。一九七一年に消えた公式のGSRMの穴埋め役を担い、世界に再び安定をもたらした巨獣。魔獣なき今、私たちは恒久的不安定に苛まれながら、五里霧中な停滞（スランプ）の大洋を漂流しているのです。

（4） Germany's provincial mercantilism 「provincial」の多義性を生かした一語。州レベルでの重商主義という意味ではなく、むしろ欧州連合という「連邦」におけるドイツの立場を「州」に見立てている。同時に、ユーロ圏におけるドイツの経済政策の後進性を揶揄してもいる。

鍵となる装置の不在

世界資本主義を投資の増量、電子機器の品質向上、鉄道の加速、技術革新の習熟等々で安定させようなどというのは無理な話なのですが、これを信じてしまっているところに通俗ケインズ主義の錯誤があります。政府が財政支出の節度を守りつつ賢明な投資をしさえすれば万事うまくいくと思い込んでいるのです。同様に、諸中央銀行が物価安定に専念すればあとは需要と供給の魔術が世界資本主義を立て直してくれるだろうなどと思うのも誤りです。より深く危険なこの落とし穴の底には完全自由主義者（リバタリアン）が待ち伏せています。世界規模であれ地域規模であれ、資本主義には世界黒字再循環装置が欠かせません。世界をまたぎ、自由が根付き、機能こそ研ぎ澄まされてゆけども、市場にはこの装置を生む力がないのです。

もはや米国にはGSRMを提供する力がなく、欧州も分裂運動に気を取られてしまっているのだとすると、誰が次のGSRMを生み出してくれるのでしょうか。中国がやればよいという答えは残念ながら無効です。中国版の擬似世界化運動はたしかに着々と進められており、それなりの成果も挙がっています。インドやアフリカ、ラテンアメリカだけでなく、欧米や日本の多国籍企業をも巻き込む遠大なる貿易通商ネットワーク。その中心を担うのは北京だというわけです。中国は欧米や日本の各政府を牽制しつつ、機を見て人民元をさきのネットワーク内の普遍交換媒体として押し出し始めるはずです。しかしながら、このネットワークさえもいずれは世界経済という大洋と合流する運命にあります。その規模に見合う需要を創出する力は中国にはなく、よって独力で海に均衡という平穏を築くこともできないのです。

次なる冒険――歴史の新たな担い手を探す旅

世界黒字再循環装置（ＧＳＲＭ）なき世界の将来は知らぬが仏です。一方では西洋が死んだ牛魔人の侍女たちの毒々しい蜘蛛の巣に絡めとられている。二〇〇八年以後の世界の課題に取り組む力もなく、現実からの遊離にも歯止めがかからない。西洋の名に相応しい成果をあげるのはおろか新たな「現実」の創造すらできていません。他方では新興諸国がありとあらゆる制約を破る準備を整えています。新たな「現実」に生を授け、可能性の地平を押し広げてゆこうとしているのです。世界の並列回路を駆け抜けてゆく二つの電流。疾風のごとき経済成長に身を任せて走る国々と、終わらぬ低迷にまどろみながらも世界の軍事力、準備通貨、そして国際諸機関（国連安全保障理事会、北太平洋条約機構、経済協力開発機構、国際通貨基金、そして世界銀行）を独占する国々。この両者がぶつかり合おうとしているわけですから、大発火も時間の問題です。

ＧＳＲＭが世界経済社会の安定の必要条件であり、それなくしては第二次世界大戦前のような一触即発状態への背進の危険性すらある。現代が誇る大量殺戮兵器の存在も忘れてはなりません。未来への暗夜の灯火となりうる抜け道は存在するのでしょうか。

明るい未来への道はあります。新興諸国が大同盟を結び、投資や貿易の計画的移転によって事実上のＧＳＲＭを鍛え上げるという道です。例えば、現状では中国がブラジル政府の承諾無しにブラジル国内の生産的資産を買い漁っており、ブラジルの邪魔をしてしまっています。そこで新制度を開発し、ブラジルから中国への一次産品輸出販売や中国からブラジルへの科学技術移転にならってブラジルへの資本流入に関する政府間合意を形成すれば良いでしょう。このような合意がブラジル、中国、アルゼンチン、インド、トルコ、そしてアフリカ諸国の政府間で形成されれば、GSRMが機能し始め、経済成長が安定するでしょう。西洋の破産主義社会を孤立させられるようにもなります。海老で鯛を釣るとはまさにこのことです。

第二の道もあります。まばゆい希望の光が降り注ぐ道、西洋がついに覚醒してジョン・メイナード・ケインズの国際通貨同盟案(5)を実施するという道です。米国はケインズ案を一九四四年ブレトン・ウッズ会議で棄却しました。それが今実現される可能性など絵空事のように感じられるかもしれません。とはいえ二〇〇八年金融崩壊が一部の知識人の目を覚ましたのもまた事実。その一人に、国際通貨基金専務理事を務めた後で神に見放された男、ドミニク・ストロス＝カーンがいます。二〇〇八年の出来事を受けて世界経済はどう変わるべきなのかというBBC記者の質問に対して、ストロス＝カーンは驚くべき返答をしました。

今ほど国際通貨基金のような機関の重要性が高まっている時期はない。……ケインズは六〇年も前にすでに解決策を見抜いていたが、彼は時代のはるか先を行っていた。今こそあの案を実行に移すときだ。時は熟した。[iii]

ストロス＝カーンのいう「あの案」とは多国間GSRMの創設のことです。それは一九四四年ブレトン・ウッズ会議でケインズが提案したものに近いはずです。新たな黒字再循環装置は秀才官僚や一国の無法者金融部門に依存しきった制度――すなわち世界牛魔人――とはなりません。健全な世界組織が物品、利益、貯蓄、そして需要の再循環のための枠組みを透明性のある形で堅実に設定するのです。

あれから二年が経ちました。ストロス＝カーンの言葉は地球規模の新たな政策立案運動の始まりを告げる声というよりもむしろ「遺言」のような音色で響いています。BBCでの受け答えからわずか数週間後に手錠を嵌められてニューヨーク市警察のパトカーへ連行されるストロス＝カーンの姿は、二[6]

（5）International Currency Union　第三章「ブレトン・ウッズ」節の訳注を参照。

（6）a handcuffed Strauss-Kahn being forced into a NYPD car　二〇一一年五月一四日にストロス＝カーンは「マンハッタンのソフィテル・ニューヨーク・ホテルのスタッフである三二歳の女性ナフィサトゥ・ディアロへの強姦未遂」の疑いでNYPDに連行され、大きなニュースとなった。翌月にDNA鑑定から性的な行為があったという証拠は提示されたものの、同年八月に裁判所はディアロの証言が整合性に欠ける、また過去にも強姦に関する虚偽の供述をしていた記録がある等の理由から「性的な行為を強制されたという証拠が不十分」として無罪判決を言い渡した。バルファキスがここで参照している「姿」は手錠を嵌められてNYPDの警察官に連行されるストロス＝カーンの写真のことだが、フランスでは訴訟が行われるまではこのような写真を公開するのが法律で禁止されているにも関わらず、ストロス＝カーンの手錠姿は大々的に公開された。その後もストロス＝カーンは愛人や娼婦などと多くの性的な関係を持っており、道徳性に欠けた行為を繰り返している。バルファキスの嘆きの言葉は、ストロス＝カーンが象徴する金融部門における背徳行為の日常化への憂いの言葉であると同時に、そうした行為をスキャンダラスな演劇のように報道するメディアやそれを傍観する一般の知識人への皮肉交じりの批判としても読み解ける。

○○八年以後のエリート層の蛍火のごとき反省の弱さを鮮やかに物語る象徴です。世界資本主義の番人たち――大御所政治家、国際通貨基金専務理事や世界銀行総裁、中央銀行家や民間銀行家――はその後こぞって二〇〇八年の教訓忘却への道を走り出しました。喩えるならば速度違反で捕まった運転手と同じです。警察官に罰金を言い渡された直後は制限速度内で運転をするものの、数十マイル進んだ後は徐々に元の速度に戻ってゆく。「今度こそ大丈夫だ」と思い込んでいるからです。

茨の道が広がっています。世界経済の回復に必要な手立てを権力者たちがいつになく理解できていない時代。歴史の担い手の不在がいつになく骨身に沁みる時代。絶望の暗闇の中にあっても、歴史は突如新たな希望の火を灯すこともある。それに賭けるしかありません。楽観主義の閃光で闇夜を切り裂き、こう問い直してみることにしましょう――世界牛魔人の代わりとなるGSRMは人々の合意に基づいて丹念に設計されるべきですが、ではその旗振り役は誰が担うことになるのでしょうか。歴史の担い手として表舞台に躍り出るのは一体誰なのでしょうか。

本書を締めくくるにあたって、一つ本音を言わせてください。以前私は歴史の新たな担い手は新興諸国から登場するだろうと論じました。そうはいかないだろうと今の私は思い直しています。欧州はもはや一線から退きました。新興諸国はというと、世界変革の実施経験も浅く、危機にも見舞われており、足場を固められずにいます。歴史の次なる担い手の輩出はまたしても米国の役割となるでしょう。有終の美を飾る最終演目となるかもしれません。包括的なGSRMを築く道は他にないと私は強く感じています。

これがうまくいくためには、まず米国の政策立案者たちが現状を受け入れる必要があります。「米国の」世界牛魔人の死の意味を把握し、魔獣蘇生の無理を認めること。どこまでも衰退の危機にさらされた暗黒郷（ディストピア）という世界経済展望に威風堂々と立ち向かうこと。こうして初めて、さきの危機を創造の転機へと昇華できるような、理性に満ち満ちた平穏の大地が私たちの前方に開けてくるのです。

輝く未来の構築にあたって、中国、ブラジル、インド、南アフリカ等の新興諸国にも担うべき役割はあります。しかしやはり統率者となるべきは米国なのです。米国が立ち上がりさえすれば、後世の詩人や神話の作り手は牛魔人の死から新たな純粋人道主義（ヒューマニズム）の物語を紡ぐでしょう。米国が尻込みしている限り、一九三〇年代のポストモダンな焼き直しの時代も十年や二十年では終わってくれないでしょう。

せという命令をギリシアやポルトガルは受けましたが、これは巨視経済学的に不可能な要請だと私は言いたいのです。自国通貨の減価によって束の間の安堵を得るといったことすらできない状況では特に問題です。

xi　たしかに約一〇〇〇億ユーロ（一二兆円）が帳消しとなりましたが、ギリシアは「公的融資債権者」（欧州連合諸国・欧州中央銀行・国際通貨基金の三羽烏）及び民間債権者への借金返済のために新たな融資を受けるよう強いられもしたのです。不況が火を噴く中、ギリシア政府は公共部門支出削減や劣悪な新税制の承諾を強要されます。結果として国民所得は一気に落ち込み、政府債務の対国民所得比率も史上最悪の値にまでのぼり詰めました。

xii　もちろん有能な中央銀行家がこれほどはっきりと何かを認めることはありません。ユーロ圏の分裂を明示するにあたって、マリオ・ドラギ氏は「通貨切り換えリスク」の深刻化という言葉を選びました。ユーロ圏の物価が全て他の（おそらく）国家ごとの新通貨に切り換えられてしまうリスク、という意味です。

xiii　欧州中央銀行が実行に移した金融取引を止める頃合を判断するのは欧州中央銀行ではなく欧州委員会と国際通貨基金である――これを考慮に入れると「生贄」の意味もはっきりするでしょう。中央銀行の独立性という周知の教説は結局のところ実質を伴う原理ではなく、「貧しい」銀行家の他には誰一人として融資をしないという態度を正当化するための建前でしかなかった。そのことを示す証拠として、これ以上のものはありません。

後記

i　二〇〇四年一〇月『ニューヨーク・タイムズ・マガジン』掲載の記事でロン・サスキンドが引用した言葉です。そこでは引用元は明かされていませんが、おそらくジョージ・W・ブッシュ大統領のもとで次席補佐官等を務めたカール・ローヴが二〇〇二年夏に言った言葉だという見解が一般的です。

ii　ジョーセフ・ハレーヴィと私が米国の「世界経常収支不均衡」――すなわち二重赤字――の拡大を批判する記事（世界牛魔人の比喩の初出）を共同執筆したのは二〇〇三年でしたが、当時私たちの主張は完全に無視されました。二〇〇八年金融崩壊によって牛魔人が倒れた途端、みな掌を返したように突然世界経常収支不均衡を国際的にも（すなわち欧米に対する中国の黒字も）欧州においても（すなわち欧州諸国に対するドイツの黒字も）問題視するようになったのです。

iii　“Inside the IMF – Part Two.” BBC Radio 4. 二〇一一年一月一七日放送。

場合、連邦政府負債のどの部分がカリフォルニアの負担額に相当するのかを決める方法――またそれによって「黄金の州（ゴールデン・ステイト）」が借金を清算して花道を飾る方法――はあるのでしょうか。答えは否です。欧州共通債券発行後のドイツの場合も話は同じです――ドイツの欧州脱退も実に煩雑な手続きを要することとなるでしょう。

ix　メキシコの経済学者ロヘリオ・デ・ラ・オーは二〇〇九年オーストラリア放送協会によるインタビューにおいてこう述べています。「国際企業の子会社のような強力会社でさえ、生産高の減少や利幅の大幅縮小によって疲弊してしまっている。『中国効果（チャイナ・エフェクト）』は圧倒的だ」。

第九章　牛魔人なき世界

i　本書改訂版の刊行に向けて執筆された新しい章です。

ii　全体像を掴むためには第六章の再読をお薦めします。

iii　本書初版ではデータの大半が二〇〇九年止まりでした。改訂版には二〇一〇年度、二〇一一年度、そして二〇一二年度の初めの三つの四半期からのデータを反映させることができました。

iv　フーヴァー大統領が世界恐慌で担った役割については第二章をご参照あれ。

v　実体経済の負債帳消しや消費者向け・事業向け融資の拡大といった条件も一切つかない策でした。

vi　茶会運動出身の候補者たちは大企業やウォール街からの献金を躊躇（ちゅうちょ）なく懐に入れていたのですが。

vii　金本位制・銀本位制回帰論者にとって追い風が吹いたのは、今回の危機の不思議な一側面です。（グリーンスパン及びバーナンキの指揮下での）連邦準備制度のずさんな金融政策や規制緩和を目の当たりにし、ウォール街の民間通貨発行という現象を味わった後では、安易な増量や誤魔化しが利かない通貨への回帰を切望する気持ちもわからなくもない。しかし、通貨供給量を一つの金属（金、銀等々）の量へ固定すれば問題の解決になるなどと考える知識人の多さには驚かされます。金本位制に縛られた世界から一九三〇年代の世界恐慌は生じた（第三章参照）わけですが、これがまるで無かったことのように扱われているのです。

viii　金利はすでにほぼゼロであり、それ以上の引き下げが無理な状態でした（第二章参照）。また貨幣利子率もほぼゼロとあっては、物価の低下は実質金利の高騰を不況であるにも関わらず誘発する可能性がありました。これこそ流動性の罠の典型例です。

ix　名目GDP換算です。

x　負債＝デフレ恐慌の渦中で公共部門支出の大幅削減によって財政赤字を失く

(2008). *Predator State: How conservatives abandoned the free market and why liberals should too.* New York: The Free Press.（未邦訳）。

vii　一九五〇年代及び一九六〇年代を「黄金期」と呼ぶのは黒人社会をはじめ少数派の人々には失礼かもしれませんが、この時期の経済成長の安定が公民権運動にとって追い風となり、運動が成熟した際にその影響力を強化したことも事実です。

viii　中国は順風満帆ではないかという反論もありえますが、次章ではこれを反駁してゆきます。中国の経済成長は持続不可能な財政刺激策に基づいていますが、この策には持続に必要な長期的需要を創造する力がないからです。

第八章　牛魔人の後世への遺産（レガシー）

i　プラザ合意には目的がもう一つありました。日本とドイツの二強状態へと向かっていた電子機器市場に米国多国籍企業も参入させたいと願う米国の強い意志の承諾です。

ii　英国はこの分類からは外しました。サッチャー政権下での脱工業化以降、英国を他の欧州落第国と分かつ最後の砦は世界金融の重鎮、シティ・オブ・ロンドンです。アイルランドは現在危機の真只中にあり、国家としての立場が変わりつつあるので除外しました。

iii　フランス哲学者のジル・ドゥルーズはシミュラークルを「差と差が差異を通じて関係しあう系」と定義しています。G. Deleuze. (1968). *Difference and Repetition.* New York: Columbia University Press.『差異と反復』ジル・ドゥルーズ著・財津理訳（河出書房新社、一九九二年）参照。

iv　フランスや欧州赤字諸国がアジアとの赤字拡大と折合いをつけなければならなかった時期でもあります。

v　二〇〇八年に最高潮に達することになるウォール街詐欺の初期の被害者としてドイツ産業銀行（IKB）とその親会社のドイツ復興金融公庫（KfW）が挙げられます。どちらも政府支援を求めてベルリンに駆け込みました。支援費は計一五億ユーロ（一八〇〇億円）でしたが、これも氷山の一角にすぎませんでした。ドイツの人々や政治家に気づかれぬまま、世界牛魔人はドイツ資本に金融化というウイルスを忍び込ませたのです。病状が深刻化すると、ドイツの納税者たちは巨額の出費を肩代わりさせられました。

vi　ギリシア、アイルランド、ポルトガル、スペイン、イタリア、そしてベルギーです。

vii　技術論的に言うと、欧州諸銀行保有の赤字諸国債券をより額面価格の低い債券と交換するという方法で実施可能な考えです。

viii　例えばカリフォルニアが米国脱退を希望したと仮定してみましょう。その連邦準備制度は通貨を発行しようと努力をしているのですが、なかなか成功を収めることができていない。悲劇とはまさにこのことです。
[vi] 月額数十億ドル（数千億円）規模で今も毎日救済を行っているのにも関わらず、欧州の政治家は銀行家に頭が上がらないという始末なのです。
[vii] 金融危機調査委員会は連邦議会を通過した後二〇〇九年五月にオバマ大統領によって署名された「Fraud Enforcement and Recovery Act」（仮訳：詐欺取締・復興法）の一環として設立されました。
[viii] 「プトーホス」とはギリシア語で「貧民・乞食」を意味すると同時に、現代ギリシア語では「破産」も意味します。「トラーペザ」はギリシア語で「銀行」を意味しますが、語源は「テーブル」であり、古代ギリシアの都市国家では貸借が商会場（アゴラ）（すなわち「市場」）で長テーブルを挟んで行われていたことから銀行業を示すようになりました。

第七章　侍女たちの逆襲

[i] 実際には米国財務省の出資分五ドル（五〇〇円）は「問題資産買い取りプログラム」（TARP）を、連邦準備制度の出資分五〇ドル（五〇〇〇円）は「連邦預金保険公社」（FDIC）をそれぞれ資金源とします。FDICは銀行破綻から顧客預金を保護するためにニューディール派によって（一九三三年のグラス＝スティーガル法の一環として）設立されました。ガイトナー・サマーズ計画はTARPに一五〇〇億ドル（一五兆円）を、FDICに八二〇〇億ドル（八二兆円）をそれぞれ確保した後、民間部門（ヘッジファンドや年金基金）からは三〇〇億ドル（三兆円）しか出資されなくてよい状態を作ったのです。
[ii] 好都合な進展ではH基金の見返りは一〇ドル（一〇〇〇円）です。不都合な進展ではマイナス五ドルです。二つの数値の「差額」は一五ドル（一五〇〇円）。では、H基金は仮想市場に参加して利益を追うべきでしょうか。簡単な計算をすれば確認できることですが、H基金が利益をあげるには、好都合な進展の実現確率の値が可能損失（五ドル）を「差額」で割った値よりも――一五分の五、すなわち三分の一よりも――大きくなる必要があります。
[iii] ヘンリー・キッシンジャーはサマーズについて「ホワイトハウスで愚案の却下や修正を行う役職に任命されるべき」と言ったとされています。
[iv] 仮に奇跡が起きてH'基金がc証券を一〇〇ドル（一万円）以上で売却できた場合には利益も生じます。
[v] 計画では欧州連合の予算から追加で六〇〇億ユーロ（七兆二〇〇〇億円）、国際通貨基金から追加で二五〇〇億ユーロ（三〇兆円）が提供され、資金総額が七五〇〇億ユーロ（九〇兆円）となるはずでした。
[vi] 新自由主義型捕食者国家については以下をご参照あれ。James Galbraith.

社、二〇〇八年）参照。ソロスは正しくこう言っています。「市場は均衡へと向かうものだという信念こそ、現在の混迷の原因である。規制機関に責任放棄を促し、市場の力学に暴走を自己修正させるよう促したからである」。

[xiv] Paul Volcker. "An economy on thin ice." *Washington Post.* April 10, 2005.（未邦訳）。

[xv] 演説「Worldthink, Disequilibrium and the Dollar」二〇〇二年五月一二日ニューヨークにて。

第六章　金融崩壊（クラッシュ）

[i] 「流動性の罠」という用語はケインズが初出です。不況は金利の低下に伴って投資が回復するので自動的に修正されるという通俗経済学説の欠陥を指摘する際に用いられました。ケインズはさらに金利はゼロより低くなりえないという点も指摘（第二章参照）。不況で物価が下がり続ける中、実質金利（金利支払額とインフレーション率の差）は理論に反してむしろ上がってゆくのです。結果として不況は悪化してゆきます。

[ii] オバマ大統領は財務長官にティム・ガイトナーを指名しました。ガイトナーは、ビル・クリントン政権のローレンス・サマーズ財務長官のもとで国際担当財務次官としても務めていました。サマーズに関して言うと、ブッシュ大統領時代をハーバード大学学長として過ごした後、オバマ政権下では国家経済会議委員長としてワシントンに舞い戻りました。

[iii] J. M. Keynes. (1932). "The world economic outlook." *The Atlantic Monthly,* 149: 521-6.（「1930年代の大不況とケインズ」松川周二著、立命館経済学59巻2号73〜92項に邦訳所収）。

[iv] インドの物理学者・環境学者であり科学・技術・自然資源政策研究財団の設立者であるヴァンダナ・シヴァは、二〇〇八年金融崩壊直前に新興諸国で食糧危機が勃発した原因に優れた解説を与えています。詳しくは Vandana Shiva. (2005). *Earth Democracy: Justice, sustainability, and peace.* Cambridge, MA: South End Press.『アース・デモクラシー——地球と生命の多様性に根ざした民主主義』山本規雄訳（明石書店、二〇〇七年）を参照。

[v] 量的緩和は現金通貨発行の一形態として理解されることが往々にしてあります。厳密に言うとこれは間違った理解です。連邦準備制度は多種多様な紙券資産（米国政府債券や民間企業債券）を銀行などの金融機関から購入する。その際にくだんの諸機関へ当座貸越権（overdraft facilities）を与え、融資活動のための資金を確保してあげるわけです。つまり融資が行われるまでは（すなわち借金をしてくれる顧客が見つからなければ）全く何も変化が起きないのです。以上の理由により私は量的緩和を現金通貨発行への**試み**として表現しました。

[iii] ウォルマートは女性従業員一五〇万人に対して正当な賃金支払いや昇進を行っていないとして起訴されました。米国史上最大の裁判として有名です。

[iv] New Economics Foundation. (2006). *Growth Isn't Working: The unbalanced distribution of benefits and costs from economic growth*. London.（未邦訳）。

[v] 高い金利、米国企業による巧妙な人件費削減、ウォール街の民間通貨発行技術、米国世帯負債の増加、そして平均的な米国労働者の生活水準の低下です。

[vi] 前章で述べたように、本当はそうでもありませんでした。米国政府は裏で意気揚々と石油価格高騰を容認したのです。

[vii] 前章では世界牛魔人が普通の米国人に対していかに残酷な仕打ちを与えたかを見ました。魔獣の成功のおかげで、米国ではあまりにも少数の人々があまりにも莫大な富を手にしている一方、あまりにも多くの人々があまりにも貧しい生活を強いられていると言えるでしょう。James Galbraith. (1998). *Created Unequal: The crisis in American pay*. New York: The Free Press.（未邦訳）参照。

[viii] 株式を破格の安さで売って応募超過を引き起こし、株を配ること。いわゆる「短期利益目的発行」（'stag' issues）です。売却後のTSBはその所有権すら英国政府ではなく口座保有者の方にありました。政府は民有化を達成するために法律を捻じ曲げなければなりませんでした。例えばブリティッシュ・ペトロリアム（BP社）の場合は、政府顧問と株式引受人が同一人物であることすらあり、新規株式公開に先立つ株式市場崩壊という惨事も政府が株価を保証したことで回避されたのです。

[ix] 第一章で論じた三つの理論を思い出してください――効率的市場仮説、合理的期待仮説、そして実物的景気循環理論です。

[x] 本書では証明を詳細に見ていくことはできません。興味のある方はぜひ以下をご参照ください。Y. Varoufakis, J. Halevi, and N. Theocrakis. (2011). *Modern Political Economics: Making sense of the post-2008 world*. London & New York: Routledge.（未邦訳）。

[xi] 専門的に言うと、CDO作成に用いられた数式では、CDO内の異なる断面又は分割返済片（トゥランシェ）の各債務不履行可能性の相関係数は一定であり、値が小さく、可知的であるとされたのです。

[xii] 相関係数（前註を参照）の一定性を疑おうものならば職を失う危険性がありました。上司が理解できない公式の適用から莫大な賞与を得ていたわけですから、なおさらです。

[xiii] George Soros. (2009). *The Crash of 2008 and What It Means: The new paradigm for financial markets*. New York: Public Affairs.『ソロスは警告する――超バブル崩壊＝悪夢のシナリオ』ジョージ・ソロス著・徳川家広訳（講談

いては参戦国全員だけでなく世界計画にも甚大な被害をもたらします。オランダの例では、マーシャル・プラン支援金はインドネシアの――大戦末期に日本から己を解放したオランダ領国の――再占領にあてられました。面白いことに、米国はこの動きが気に入らず、一九五〇年にはオランダに対して朝鮮半島へ兵士を送るよう圧力をかけました。植民地支配という遠大な構想へのマーシャル・プラン資金の無駄遣いを償えというわけです。

ix　例えば一九四六年に米国はギリシアで大転換をし、ギリシアのナチス協力者たちと同盟を組んで左派に敵対しました。また同時期に米国はイベリア半島のフランコ＝サラザール独裁体制とも和解しています。ほどなくして米国はアフリカやインドシナだけでなくキプロスにおいてすらも反植民地運動に反対します。それまで米国は反植民地運動に関しては、積極的な支持こそ稀であれ少なくとも中立は保っていました。

第四章　世界牛魔人（グローバル・ミノタウロス）

i　死者二三〇万人、重傷者三五〇万人、難民一四五〇万人です。

ii　これはニューディール派経済学者のロバート・アイスナーによる試算です。アイスナーはノースウェスタン大学教授であり、米国経済学会の会長を務めたこともあります。

iii　V. H. Oppenheim. (1976-77). “Why oil prices go up: The past: we pushed them.” *Foreign Policy,* 25: 32-33.（未邦訳）。

iv　ザキ・ヤマニ長老（シャイフ）が王立国際問題研究所で行ったインタビュー（『オブザーバー』紙二〇〇一年一月一四日号）を参照。ヤマニ長老のサウジアラビア石油鉱物資源相としての任期は国内最長（一九六二年～一九八六年）でした。

v　Paul Volcker. “An economy on thin ice.” *Washington Post.* April 10, 2005.（未邦訳）。

vi　例えばルーマニアでは真冬の極寒期も含めて数年間も家庭向け暖房がありませんでした。

第五章　魔獣の侍女たち

i　ジョン・ランチェスターのアイデアに着想を得ました。以下を参照してみてください。John Lanchester. (2009). “It’s finished.” *London Review of Books,* 31 (10).（未邦訳）。

ii　米国の最低賃金よりは高い金額ですが、ウォルマート従業員の収入が貧困線を下回っており、フードスタンプの受給条件を満たしているという現状は変わりません。

第三章　世界計画（グローバル・プラン）

i　ホワイトは熱心なニューディール派であり、ケインズ主義を自認していました。ハーバード大学から経済学博士号を得た後、ヘンリー・モーゲンソウの財務次官補として米国財務省に勤めます。国際主義を貫いたホワイトは国際通貨基金の設立に携わっただけでなく理事にも就任しました。一九四七年には突然「ソビエトのスパイだ」と四方八方から嫌疑をかけられ、辞任に追い込まれます。その翌年にホワイトは心筋梗塞で他界しました。

ii　より正確に言うと、IBRDは世界銀行の先駆け機関であり、現在の世界銀行の傘下には一九六〇年創設の国際開発協会（IDA）も含まれます。

iii　ストロス＝カーンは「今こそあの案を実行に移すときだ。時は熟した」と言いました。二〇一一年一月一七日BBC Radio 4インタビュー「Inside the IMF」より。

iv　ホワイトの言葉は率直でした。「私たちの態度は一貫している――断固否（ノー）である」。

v　特筆すべきは、欧州の参戦諸国の米国への負債は終戦が近づくにつれて莫大な量へと膨れ上がり、結果として米国へ大量の金を納めることになったという点です。これはブレトン・ウッズ体制の中核に米ドルを据えようという米国の決断を後押ししました。

vi　英国政府が藁（わら）にもすがる思いであがき始めたのもこの頃からです。「特別な関係」を築いて米国の政策の執行役となる代わりに、英国は自国の多国籍企業の米国市場への参入特権とシティ・オブ・ロンドンのウォール街へのコネを手に入れました。

vii　興味深いことに、マージョリンは戦前の人格形成期をロックフェラー・フェローとしてハーバード大学で過ごし、在学中にはケインズの『一般理論』の読書会にも参加していました。この読書会にはジョン・ケネス・ガルブレイス（一九〇八年～二〇〇六年）とポール・サミュエルソン（一九一五年～二〇〇九年）も参加。ガルブレイスは後にルーズヴェルト政権の戦時「価格皇帝（ツァーリ）」として主要商品の価格設定を一手に引き受けることになります。サミュエルソンはノーベル経済学賞を受賞し、米国にケインズを（過度に単純化された「有毒な」仕方ではあったものの）紹介した人物として知られています。

viii　数年前のラジオのインタビューで言語学教授であり政治活動家のノーム・チョムスキーはマーシャル・プランに関する興味深い事実を指摘しました。アジアにおける欧州の帝国主義と米国、フランス、そしてオランダを結びつける事実です。それによると、フランスのマーシャル・プラン支援金の大半はインドシナの再植民地化に費やされ、これは後のベトナム戦争への序曲となり、ひ崩壊が起きたとき。同年、米国同時多発テロ事件という悲劇の後で株式市場への取り付け騒ぎが起きたとき。

xi　カール・マルクスが一八四四年に『経済学・哲学草稿』に書き付けた言葉です。

第二章　未来の実験室

i　Jared Diamond. (2006). *Guns, Germs, and Steel.* New York: Norton.『銃・病原菌・鉄――1万3000年にわたる人類史の謎』ジャレド・ダイアモンド著・倉骨彰訳（草思社、二〇〇六年）参照。

ii　Ibn Kaldun. (1967). *The Muqaddimah: An introduction to History.* trans. Franz Rosenthal. Bollingen Series XLIII. Princeton, NJ: Princeton University Press.『歴史序説』イブン・ハルドゥーン著・森本公誠訳（岩波書店、一九七九年）。

iii　このような惨劇を解説した良書として Carmen Reinhart and Kenneth Rogoff. (2009). *This Time Is Different: Eight centuries of financial folly,* Princeton. NJ: Princeton University Press.『国家は破綻する――金融危機の800年』カーメン・ラインハート、ケネス・ロゴフ著・村井章子訳（日経BP、二〇一一年）をお薦めします。

iv　音楽、映画、アプリ、連絡先等がすべてiTunesにアップされてアップル社製品（iPod、iPhone、iPad等）からアクセス可能になると、ノキアやソニーの製品への乗り換えには（より高性能な機器が入手可能になったとしても）莫大な機会費用が付随するようになります。他社の機器の設定に途方もない時間をかける必要が生じるからです。iTunesがアップル社にとてつもない独占力を与えた理由はこれです。エジソンやウェスティングハウスが目指したのもこのような力でした。

v　John Steinbeck. (1939). *The Grapes of Wrath.* New York: Viking Press, Chapter 25.『怒りの葡萄』ジョン・スタインベック著（一九三九年）。世界恐慌を舞台として物語が展開する名作小説です。（訳者注：邦訳は七種類ある）。

vi　J. M. Keynes. (1936). *The Genaral Theory of Employment, Interest and Money,* London: Macmillan, Chapter 12.『雇用・利子および貨幣の一般理論』ジョン・メイナード・ケインズ著（一九三六年）。第一二章。（訳者注：邦訳は三種類ある）。

vii　一六世紀後半のクリストファー・マーロウによる戯曲を思い起こしてください。そこではフォースタス博士が刹那的な愉楽と引き換えにその後の人生の二四年分をメフィストフェレスに譲渡し、契約書に博士自らの血で署名をしています。

原　注

第一章　序論

i　一九八七年一〇月一九日月曜日、世界株式市場は史上最高額の日当たり損失を記録しました。

ii　二〇〇八年一〇月二八日、カリフォルニア州の民主党上院議員ヘンリー・ワックスマン率いる下院監査政府改革委員会への演説。

iii　これには債務担保証券、略してCDOというなんとも神妙な名前がつけられました。

iv　CDOは俗に言う「仕組み金融商品」の最も一般的な例でした。CDOに着目する理由はこれです。言うまでもなく、有毒な紙券商品は他にもたくさんありました。

v　米国短期国債（T-Bill）とは米国財務省発行の借用証書のことであり、数ある負債の中でも最も安定したものとして認識されています。米国政府による保証がついているからです。このため、米国短期国債の金利は他の商品と比べかなり低くなる傾向があります。

vi　諸銀行が拡張してよい融資の上限額は準備預金の百分率という形で法的に定められています。一部の融資が不良債権化したり、通常よりも多くの預金顧客が一度に現金を引き出そうとしたりした際に金庫に十分な現金が留保されるようにするためです。ところが、CDOの購入に顧客の預金を使った場合、その預金はなんと銀行内に留まっているかのように、すなわちCDOの購入が行われる前と全く同じ状態であるかのように見なされたのです。

vii　二〇〇八年九月のあの運命の日にリーマン・ブラザーズの帳簿がCDOで埋め尽くされていたのもこれで説明がつきます。

viii　一九二九年の再来を防ぐために、同法は二種類の銀行の分離を徹底化しました。片方には普通の人々が預金の出し入れをして日常的に利用する諸銀行。もう片方には証券、先物、商品等々への博打の許可と引き換えに預金の受取は禁止された投資諸銀行。こうして普通の銀行が他の人のお金を賭けに使ってしまう心配はなくなり、投資銀行はリスクの海で各自泳いだり溺れたりすればよくなったのです。

ix　衝撃はあまりにも大きく、新たな世界恐慌を危惧する声もあがったくらいです。市場が回復へ向かうまでには実に数ヶ月間もの時間がかかりました。

x　一九九一年住宅市場不況以後。一九九〇年代の危機の連鎖（ロシアの債務不履行を受けてのLTCM破綻、東アジア危機等々）の後。二〇〇一年ITバブル

付録

ニューヨーク対談

財政民主化への道

ヤニス・バルファキス × ノーム・チョムスキー

バルファキスが語る、パンデミック以後の世界経済のゆくえ

ヤニス・バルファキス

ニューヨーク対談——財政民主化への道

ヤニス・バルファキス×ノーム・チョムスキー

二〇一六年四月一六日　ニューヨーク公共図書館（NYPL）にて

※内容をより明瞭かつ簡潔にするために、本編の一部を割愛したものを掲載した。割愛部分も含む全編については、以下のURLから読むことができる。
https://kenjihayakawa.wordpress.com/2021/01/21/varoufakis-chomsky/

ヤニス・バルファキス　こんばんは。今回は前置きもないみたいだし、早速始めよう。ここにこうして集まって話せることを嬉しく思う。「公共部門は役に立たない」という主張もこれでは立つ瀬がないね（会場笑）。ノームはどう思う?

ノーム・チョムスキー　きみが今言ったことは、私が今ここにギリギリ到着できたという事実とつながっている。というのも、私は妻とボストンから来た。片道七時間の旅だ。新自由主義的な政策によって社会が粉砕されていなければ、片道二時間半ほどで来れたはずなのにね（会場笑）。電車はかつて公共部門の誇りだった。一九五〇年に初めて公共電車に乗ったときのことを思い出したよ。あれから電車は一五分ほどしか速くなっていない（会場笑）。それも時間通り運行している場合の話で、それすらもあやしい。だから今回は飛行機に乗ることにしたんだけど、午後にずっと滑走路で暇つぶしをする羽目になった（笑）。

バルファキス　さて、ノーム、今日は何について話そうか。

チョムスキー　そうだねえ。例えば、「ここ数十年における世界の人々に対する新自由主義の襲撃」はどうだろうか。きみもこれについては実にすばらしい文章を書いているわけだし。

バルファキス　昨年は僕の人生の中でも特にドラマチックな一年だった。その経験を経て思うんだけど、新自由主義社会には大きな乖離が存在する。一方には、新自由主義の思想とイデオロギーがある。他方には、新自由主義的国際金融体制と交渉する中で――というよりも、括弧つきの「交渉」で、正確には「命令される中で」と言った方が良いけれど――僕が出会った現実がある。考えてみてほしい。自由至上主義（リバタリアニズム）や新自由主義の親分たちは税でまかなわれた活動をすべて否定する。では、僕がギリシャの財務相を辞め、今日ここにいる理由は何なのか。税によって担保された融資、債権者側が僕に無理矢理押し付けてきた融資一〇〇〇億ドル（一〇兆円）を僕が拒否したからだ。

チョムスキー　「三つの拒否（ナイン）」（three Neins,『世界牛魔人』第八章も参照）だね。

バルファキス　驚きだろう？　国際通貨基金（ＩＭＦ）、欧州中央銀行（ＥＣＢ）、そして欧州委員会（ＥＣ）が破産国家ギリシャに対して一〇〇〇億ドルの融資を受けるよう迫ってくる。しかも、その融資の保証人である欧州の納税者たちへ返済が不可能になるような条件をつけて迫ってくるんだからね。新自由主義者のやることとは思えない。税収によって担保された政府融資をすべて否定し、支払い能力を失った主体には融資を受ける資格はないと信じているはずなのにね。

チョムスキー　きみが指摘するように、この融資の九〇％はフランスやドイツの銀行に渡るんでしょょう。

バルファキス　初めの融資はそうだった。今回の融資は、債権者の右ポケットから左ポケットへ渡るだけ。「ギリシャは破綻していない」という体裁を保つためだけにね。僕が言いたいのは、新自由主義体制がいかに欺瞞的[1]かということ。新自由主義のイデオロギーに忠実でいようという意志さえ感じられない。「否」の一言を発するだけの反骨精神をもつ者は徹底的に叩きのめすという、十九世紀式の権力政治（パワー・ポリティクス）をやっているだけなのだから。

チョムスキー　それは何も今に始まったことではない。新自由主義にはある矛盾が含まれている。新しくもなければ自由でもないという矛盾がね（会場笑）。

バルファキス　まったくそのとおり（会場笑＋拍手）。

チョムスキー　きみが描写してみせた現状はたしかに欺瞞的だ。同じような欺瞞は「税で賄われた機関は否定すべき」という主張にもみてとれる。金融部門はそもそも税で賄われている。

バルファキス　いうまでもない。

チョムスキー　アメリカの主要銀行に関するＩＭＦ論文を思い出してほしい。そこでは、諸銀行の利益はほぼすべて政府による暗黙の保険のおかげで成立しているという結論が出ている。安価な信用（クレジット）、高い信用格付けを受ける能力、高リスクな取引を促すような報酬＝動機構造（インセンティブ）。そういう取引は大きな利益を生む可能性をもつが、もし失敗した場合は納税者のみなさまに損失をご負担いただく、というわけだ。

　あるいは、現代経済の基盤［となっている科学技術］に注目しよう。政府後援の研究所で技術開発が進められていく様子を、私は間近で見る機会に恵まれてきた。一九五〇年代からずっとマサチューセッツ工科大学で教えてきたわけだけど、政府はたくさんの助成金を注ぎ込んでいた。いや、当初はむしろ国防総省（ペンタゴン）が資金源だったというべきだね。未来のハイテク経済の基盤をつくり、民間事業という名を冠した営利団体の足場を固めるために、惜しみなく資金を注ぎ込んだ。資本主義の原理にのっとると、高リスクな事業へ長期的に投資をし、三〇年後にその事業が利益を生み始めた場合、投資家には利益の一部を得る権利がある。でも実際はそうならない。数十年にわたって投資を続けたのは納税者だったけれど、利益は納税者ではなくアップル社やマイクロソフト社の懐に入るんだ。

バルファキス　まさしくそのとおり。例えば、iPhoneを分解してみればわかるけど、各部に集約されている技術はすべて政府資金を使って開発されたものだ。例外はない。しかも、そこには他国からの政府援助も含まれる。例えばＷｉＦｉはオーストラリア政府が資金提供したよね。

チョムスキー　ＭＩＴ（マサチューセッツ工科大学）のような主要研究機関の内部にいると、色々と面白いことが見えてくる。例えば五〇年前にさかのぼってみると、当時私が勤めていたビルの中にはレイセオンやＩＴＥＣやＩＢＭなどの電子機器系の企業が陣取っていた。公費で開発されていた科学技術を潤沢なビジネスに変身させようという、はっきり言って泥棒行為をしていたわけだ。現代に戻って、今のＭＩＴのキャンパスを歩き回ってみると、以前とは異なるビルが目に入ってくる。ノバルティスやファイザーなどの大手製薬会社のビルだ。理由は何か。経済の最先端が電子機器からバイオ医療品へと変わったからだ。いわゆる「民間部門」の捕食者たちは、税によって賄われている基礎生物

（1）hypocrisyは以下文脈に応じて「欺瞞」と「偽善」に訳し分けていく。

学の諸研究分野にじっとにらみを利かせつつめぼしい成果にありつこうと陣取っている。「自由な事業活動」（free enterprise）や「自由市場体制」と呼ばれているものの正体はこれだ。欺瞞とはまさにこのこと。これよりひどい例はそうそうお目にかかれない。

バルファキス　たしかにそうだね。この偽善・欺瞞は二五〇〇年前からずっと資本家の企業文化全体を支え続けてきた。「国家は市場の敵であり、市場社会は国家から独立して存在する」という考えだけど、人類史においてこれほど悪趣味なジョークは他にない。「誰かが私的に築き上げた富を、国家が社会安全網（ソーシャル・セーフティーネット）を必要とする労働組合や労働者階級を代表して盗賊よろしく奪っていく」という物語は真実を完全に捻じ曲げてしまっている。有史以来、富とは集団がつくり個人が私有化するものであり続けてきた。例えば、イギリスで起きた「囲い込み」も、国王軍による国家の暴力なくしては起こりえなかっただろう。先祖代々の地から農民を追い出し、こうして労働や土地が商品化され、資本主義が誕生した。ついさっき、僕らはニューヨーク公共図書館のこの美しい建物に納められた地図のコレクションをみせてもらった。そこで見たアラバマの地図には、アメリカの先住民族から土地が強奪され、分割され、商品化されていく様子がありありと描かれていた。これもまた、国家による暴力的な介入なくしてはありえなかった出来事だ。こうした介入こそが土地の私有化を可能にし、さらには商品化を可能にした。

チョムスキー　アダム・スミスの著作で私が特に気に入っている節がある。新生の植民地——新たに「解放」された植民地——に対して「正しい経済理論」（sound economics）に従うようスミスが助言する箇所だ。それは今日ＩＭＦが第三世界諸国に対して行っている助言にも通ずる。スミスはこう助言している。「きみたちは比較優位（と後に呼ばれる概念）に特化すべきだ。きみたちは農産物の生産が得意なのだから、それに集中すべきだ。羊毛や海産物などを輸出すればよい。工業製品をつくろうなどとは思わないことだ。それはイギリスが得意とする分野だからね。だから、きみたちは工業製品をイギリスから輸入すべきだ。イギリスの得意分野は工業で、きみたちの得意分野は綿や穀物なのだからね」。ちなみに言っておくと、ここで言われている綿の生産はお世辞にも自由な事業活動とは呼べない（笑）。それで、スミスはこう続けた。「きみたちは資源を独占してはいけない。代わりに私たちの言うとおりにしなさい。そうすれば万人が利するのだからね。経済理論がそれを証明している」。

ところで、アメリカはイギリスによる支配から自由だった。だから、アメリカはイギリスと同じ道を、すなわちこの「助言」とは正反対の道を選ぶことができた。関税を上げてイギリス製品の流入を防ぎ、それによって自国内に繊維産業を確立した。産業革命の幕開けだ。後にアメリカは鉄鋼産業を守るためにあえて高品質なイギリス産の鉄の流入を防ぎもした。さっきも言ったように、今もなお高度科学技術においてアメリカは同じことをしている。独占ということで言えば、アメリカは産業革命の黎明期において最重要の資源、つまり綿の独占に全力をあげた。綿こそ「一九世紀の石油」であり、アメリカはそれをほぼ完全に独占していた。メキシコ侵略も綿の独占を目指して決行された。自由な事業活動とは呼べないよね。綿の独占によって、アメリカは当時の宿敵であるイギリスをなんとか乗り越えようとしていた。当時、イギリスは超強力な敵国だった。ジャクソン派の大統領たちは、つまりタイラーやピアースなどの一九世紀の大統領たちは、綿さえ独占すればイギリスに降伏を迫ることができると考えていた。この思惑は大成功をおさめたとは言えないけど、それでもかなりの成果をあげた。（ついでに言っておくと、これと同じことをしただけで、サダム・フセインは一九九〇年に非難を浴びた。「フセインは石油を独占することでアメリカ全土を支配しようとしている」という、実に馬鹿げた非難をね）。とにかく、アメリカは実際に綿を独占しようと動いた。イギリスからアメリカへ権力が移った理由の一つがこれだ。これは「正しい経済理論」を評価するうえで参考になる好例だと思う。

それに、実際に「正しい経済理論」が（すなわち自由主義的な政策が）実践された地域も存在する――第三世界諸国だ。これは偶然ではない。発展途上諸国（グローバルサウス）を見てほしい。無事経済発展を遂げた国は日本だけだったわけだけど、日本は植民地支配を受けなかった唯一の国だ。東アジアにも目を向けてほしい。「東アジアの虎」になれなかった唯一の国「フィリピン」は、一八九八年にアメリカによって侵略され、国民が数十万名も殺され、今もなお擬似植民地状態にあり、「アジアの虎」の産業化の波に乗れずにいる。このパターンに例外はないが、なぜか経済理論には登場しない。不思議なことだ。きみは経済学者なわけだけど（笑）、これについてどう思う？

バルファキス　そうだねえ、なぜそれが経済理論に登場しないのかというと……　経済学は一九五〇年代以降の大学において社会科学の女王の座へのし上がった。学問の世界において経済学が言論の権力や独占力を持ちえたのも、「普遍的な真理を数理的に導出する唯一の社会理論」という体裁のおかげだった。こうして経済学は権力の確立に成功する。社会学者と人類学者と経済学者が研究助成金の給付申請をした場合、言論の独占力（discursive monopoly）のおかげもあって、助成金はいつも経済学者の手にわたった。しかし、数理モデルを完成させ、数式から解を導けるようにするためには、モデルを実在する資本主義から引き離す必要があった。例えば、「時空間は存在しない」という仮定が用いられたりした。時間や空間をモデルに導入しようとすると、決定不能性（indeterminacy）が生じてしまう。解がない数式、あるいは無限の解が存在する数式からなる系に行き着いてしまうんだ。そうなると、予測が立てられなくなってしまう。「この理論によるとこれこれこういう現象の発生が予測されます」と言えなくなってしまう。

ここから実に興味深いプロセスが浮き彫りになってくる。「逆ダーウィニズム」とでも呼べるプロセスだ。資本主義について何も教えてくれないモデルを構築すればするほど、学界における経済学の地位は上がっていった。あなたが説く「公共の知識人」（public intellectual）とは正反対の学者たちが量産されたわけだ。経済学者たちは魅力あふれる抽象概念を創造し、美しいモデルを構築した。僕もそれを夢中になって勉強した。ちょうど美術館で抽象芸術をみて感動するようなものだ。こうした抽象物の形式からは資本主義に関する真実が学べるわけではない。経済学者という職業に関する「知識の社会学」（sociology of knowledge）はこんなところだけど、なかなか面白いよね。

これと並行して、もう一つ大きな変化が起きていた——ブレトンウッズ体制の終焉と銀行業部門の解放だ。ブレトンウッズ会議は一九四〇年代から一九七三年までの戦後第一フェーズの枠組みを設計したわけだけど、そこでルーズヴェルトから会議への参加を拒否された人たちがいた。それが誰だったのか、覚えているだろうか。そう、銀行家だ。ブレトンウッズ会議には銀行家が一人も参加しなかった。フランクリン・D・ルーズヴェルトがはっきりと参加を禁じたからだ。おかげで、一九四四年から一九七一年までは銀行も立場をわきまえて細々とやっていた。ところが一九七一年に銀行業は束縛から解放された。その理由については後でまた話すとしよう。こうして、諸銀行は民間通貨を好きなだけ発行する能力を得た。それは世界資本主義とアメリカの覇権体制の戦後第二フェーズにとって欠かせない要素だ。このように銀行を「解放」するにあたっては、建前となる理論やイデオロギーが必要となった。経済学者たちは二〇〇八年前後の惨事の引き金をひいたわけだけど、僕はそれを責めようとは思わない。ただし、金融家に数理モデルを提供した責任は追及すべきだと思う。経済学者たちの説教は金融家に安心感を与え、「金融界で行われていた諸々の行為は科学的であり、リスクフリーであることが数理的に証明されている」と信じる動機を与えたわけだからね。そこからくる精神的・感情的支えがなければ、被害の規模ももう少し小さく済んでいただろうと思う。

チョムスキー　科学と学術研究の歴史においても興味深い瞬間が二〇〇八年には訪れていた。というのも、きみも知ってのとおり、経済学者たちは、自分は経済を制御し管理する術を完全に理解しているという実に傲慢な主張をしていた。効率的市場仮説や合理的期待仮説といった原理をふりかざしてさ。こうした仮説に疑問を呈する人たちは即座にばか者扱いされた。この知の建造物は二〇〇八年に音を立てて派手に崩れ落ちたわけだけど、経済学という職業には何の変化も起きなかった。

バルファキス　まったく何も変わらなかったね。強いて言うならば……　僕は高速道路で運転するときにいつも制限速度をオーバーしてしまうので（それについては申し訳ないと思っているよ、本当に）、当然ながら警察官に注意を受ける。すると、その後二〇分くらいは制限速度内で運転をするようになる。でもそれは二〇分以上続くことはない（笑）。すぐにまたトップスピードで駆け抜けていく（会場笑）。経済学の世界で起きたこともまさにこれだよ。ほんの一瞬だけ……

チョムスキー　でも中には反省した人もいたでしょう。

バルファキス　いたけど、ほんの一握りだね。ほんの一瞬だけ謙虚になり、おとなしく頭を下げていた。でも二〇分経ったら何事もなかったかのようにまた同じごみ理論を学生たちに教え始めた。何が興味深いって言うとね、ノーム……　これについては二つに分けて説明しよう。経済学者たちはこの数理的宗教を、つまりたくさんの数式に粗悪な統計をひとつまみ加えて作られたこの宗教を満場一致で盲信したわけではない。そこでは二つのことが起きていた。まず第一に、経済について冷静に考える能力を保持していた人たちは「民族浄化」の餌食となった。主流のドグマに挑戦状を突きつけるような経済学者は制度によって淘汰されたわけだ。研究助成金を得られず、博士課程の学生もつかず、弟子たちは大学で職を得られなかった。まさに「粛清」（パージ）だよ。第二に、そしてこれこそ実に興味深い現象なのだけれど、一般均衡モデルを設計した天才たち、いわばローマ教皇たちは、自分たちが作った宗教を信じていなかった。ケネス・アローやジェラール・ドブルー、あるいはジョン・ナッシュといった人たち、この欺瞞に満ちた体制の基盤となる数理体系を作った人たちだ。

例えば、ケン・アローについて話そうか。一九九〇年代前半にニューヨーク大学（NYU）で彼が講義を行ったときのことを僕は今でもよく覚えている。参加者は二〇名くらいで、講義の内容は数学的でとても複雑だった。ケンは熱心に数式を展開していた。途中で一人の教授が手をあげてケンの話をさえぎり、こう質問をした。「アロー教授、数式3・3は税制Aの方が税制Bよりも好ましいとする議論と重なるように思えるのですが……」という感じでね。するとケンは質問者を制してこう答えた。「やれやれ、」——ケンは人を見下すような物言いをする人だった——「きみは面白いアイデアと役に立つアイデアを混同している」とね。驚きだったよ（会場笑）。「このアイデアを現実世界で応用するのは危険すぎる」とケンは続けた。つまり、教祖たち・教皇たちは、自分たちの理論がポスト資本主義社会を扱っているという事実を自覚していたんだ。それは労働市場がない社会、労働者の搾取がない社会、独占が起きない社会、雇用主や起業家や、複合企業といった主体が価格操作をする能力を一切持たないような社会だ。この社会には企業すら存在しない。企業とはそもそも何か。企業とは、市場と完全に独立した場のことだろう？　企業とは序列構造（ヒエラルキー）であり、ゴスプランと中央計画当局を兼ね備えたプチソ連だ。グーグルやマイクロソフトの中を見れば一目瞭然だろう。

チョムスキー　それに、コースの定理[2]もある。

バルファキス　もちろん。でも、コースの定理は授業に一瞬だけ登場し、その後すぐに忘却される。

チョムスキー　なるほど。

バルファキス　企業の存在を正当化する道具として利用されて終わりだ。ところで、特にクリントン政権がこうしたモデルを積極的に使ってマクロ経済政策を立案したわけだけど、モデル内には企業が存在しない。時間も、企業も、空間も存在しない。全人類が一点に集中していると仮定されるんだ。移動コストを度外視するためにね。経済政策の基礎となるモデルに、なんと時間も、空間も、企業も、経済的レント（economic rent）も含まれていないとは。

チョムスキー　独占力も含まれていないね。

バルファキス　実に恐ろしい。

チョムスキー　現在の経済学者たちについて、私がいつも疑問に思ってきたことがある。これについて、きみは経験的に答えを知っていると思うけどね。つまり、ギリシャ財務相としてのきみがＩＭＦ

と関わる中で経験したことを聞かせてほしい。外から見る限り、ＩＭＦの経済学者たちはトロイカの緊縮政策をかなり辛辣に批判していたように見えたけど、どうなんだろうか。

バルファキス　もちろん、批判していたよ。

チョムスキー　でも、ＩＭＦは緊縮策を強く推進していたよね。これはどういうからくりなんだろうか。

バルファキス　良い質問だね。これについては、今日まで続くある現象に注目すれば答えが見えてくる。僕の古きよき友人のポール・トムセンは、ギリシャ経済を崩壊させたご褒美にＩＭＦの欧州局長に任命されたわけだけど、彼の後継者であるルーマニアの女性デリア・ヴェルクレスクと彼との会話をウィキリークスがリークした。実に面白い会話だ。ぜひ読んでみてほしい。ほんの数週間前に公開されたんだ。何がすばらしいって、二人は真実を述べているんだよ。きみが言っていたとおりのことをね。それは僕がトムセンと話したことでもあった。ＩＭＦ欧州局長と初めて話したのはパリのホテルでのことだった。僕はギリシャ債務の減免を交渉すると約束して議会に当選した。それは債権者であるトロイカの意志に反する交渉となるはずだった。それでも、それは「抗争」ではなくあくまで「交

（2）　Coase's theorem　外部性の取引が可能であり、かつ取引コストが十分に低い場合、交渉は資産の初期配分が何であれ必ずパレート最適結果を生むとする定理。要するに、ある条件のもとでは政府からの介入がなくても当事者同士で外部性問題を解決できるという風にも言い換えられる。ただし、コース自身はこの解釈に批判的だった。コースの定理の前提となっている「取引コストの低さ」が往々にして非現実的であるため、実際の外部性問題（例えば消費者の健康や地球環境への影響）を解決する上ではよりニュアンスに富んだ考え方が必要とされると考えていたからだ。

渉」だ。もちろん、必要あらば抗争する構えもとっていたけれど、僕はあくまで両者が納得できるような形での合意を望んでいた。当時、ドイツの連邦政府はある政治的課題を抱えていた。「ギリシャにあげたお金は実はギリシャへの援助ではなく、ドイツ銀行への援助であった。そのため、連邦議会（ブンデスターク）は借金の返済など本当は期待していない。ギリシャに債務減免を許すのはこのためである」――これを率直に認めるという選択肢はドイツ政府になかったからだ。もちろん、本来ならばメルケル首相はブンデスタークに素直にこう述べるべきだったのだけど、いうまでもなくこんなことを言ってなおドイツの首相でい続けることはできない。僕はドイツが直面していたこの政治的課題をよくわかっていた。ギリシャにお金をあげたことになっていたのに、実はそれはドイツやスロバキア等々の納税者のお金を使って十二ヶ月以内に二度目の銀行救済をしただけ。ドイツの銀行も金融家のご多分に洩れずヨーロッパの他国銀行へリスクをしっかり分散させていたからね。これを認めることなどドイツにはできない。だからこそ、僕はむしろギリシャの債務から毒を抜き、なんとか管理可能な形にしつつ、同時にドイツ連邦政府が「はい（ヤー）」と言ってくれるような政治的合意を取り付けたいと思っていた。

　この文脈でポール・トムセンとの最初の会議に臨んだ僕は、金融工学を駆使してウォール街がやるような債務スワップを提案した。左派の財務相がこんな提案をするのは意外に思えるかもしれない。でも、そのとき僕は抗争を避けてとにかく目の前の問題を解決する方を優先していた。トムセンの返事を予想できるかな？　彼はこう言った。「きみの案はおとなしすぎる。もっと思い切った金額の債務をただちに帳消しにすべきだよ」。僕はこう答えた。「それは願ってもないことだけど、ポール、きみはウォルフガング・ショイブレをどう説得するつもりなんだ？」「たしかに」と彼は言った。「それは一筋縄ではいかないだろうね。でも、きっと何とかなるはずさ」。つまりこの段階での二者間協議では、ＩＭＦのトップでさえ問題を把握し、自分たちが押し付けた過去の合意のひどさを自覚し、苦しむ国への助け舟という建前で諸銀行の救済を行った自分たちの欺瞞を認め、そうした問題を解決する意志をもっているものだという印象を与えてきた。ところが、いざ合意を結ぶ段階になると、債権者たちは一致団結して少しも譲歩しなかった。「ギリシャ政府は無理な要求をするばかりで具体的な解決策は何一つ提示していないぞ」などという噂を広げたのだ。こちらがウォール街ばりの金融工学に基づいた解決策を提示していたにも関わらずだ！　代案を出さずに空虚な言葉ばかり並べていたのはむしろあちら様だったというのに。

　僕にとって最も重要なやりとりは、ＩＭＦのトップ中のトップと交わしたある会話だ。誰とは言わないが、ポール・トムセンよりも上の人物とだけ言っておこう（会場笑）。その日、僕らは十時間にも及ぶ交渉を終えたばかりだった。付言すると、この手の交渉は絶望的なまでに無味乾燥で、政策秘書たちや政策顧問たちを交え、年金委員会や付加価値税委員会などともやりとりをし、実に細かい駆け引きを重ねていく。その末に、僕はようやくこの人のところへたどり着き、一対一の内密な議論をした。そのときこの人は僕にこう言った。「ヤニス、あなたは正しい」。これを聞いたとき僕はがっくりしたよ。心のすみっこで僕は密かにある期待を抱いていたからだ。ノーム・チョムスキーほどの人物ならばこんなことは思わないのだろうけど、僕はまだこのレベルで権力と闘うことに慣れていなかったから、心のどこか深いところでこう願っていた。「大人たちは自分たちのやっていることをよくわかっている。僕がギャーギャーと子どもみたいに騒ぐかたわらで、ＩＭＦのトップをはじめ権力者たちはより深い見識に基づいて判断をしているのだ。僕からの批判や抗議は実は勘違いに基づいているのかもしれない。僕が知らない何かをこの人たちは知っているのかもしれない」。僕はそう思いたかった。そこへ権力者が振り返って「きみは正しい」って言うんだから、たまったもんじゃないよね。そのときこの人はこう続けた。「でもね、ヤニス、わかってほしい。私たちはこのプログラムにあまりに多くの政治的資本（political capital）を投資した。だからもう後戻りはできない。あなたの信頼性も」――僕の信頼性のことだ――「このプログラムを受け入れるかどうかにかかっている」。これがきみの質問への答えだ。

（中略）

チョムスキー　ここら辺で一九五三年の一件がまた意味をもってくるね。

バルファキス　もちろん。一九五三年は、第二次世界大戦後のアメリカの覇権拡大という物語の一場面だ。この物語は二部構成になっている。第一に、冷戦の物語がある。これは重要な物語だ。トルーマン大統領やトルーマン・ドクトリン以降、アメリカはどんどん権威主義的になっていった。ここでも発端はギリシャだ。言っただろう？　悪いことはすべてギリシャから始まるって。冷戦もベルリンではなくギリシャから始まったのだ。一九四四年一二月にアテネの街頭に端を発し、それがベルリンへ飛び火し、ＣＩＡは世界帝国の行く手を阻む（とＣＩＡが判断した）政府の転覆を初めて遂行した

――モサッデク政権の転覆だ。その次の標的はギリシャ政府だった。

僕はCIAが作り出した独裁政権のもとで幼少期を過ごした。国防総省（ペンタゴン）がギリシャの司令官たちを使って独自にクーデターを決行する前に、CIAが先手を打ったわけだ。一九六七年にCIAとペンタゴンはどっちが先にギリシャでクーデターを仕掛けられるかって競争をしていた。互いに独立して動いていたんだね。ペンタゴンは国王や司令官たちに働きかけ、CIAは大佐たちに働きかけていた。先に動いたのは大佐たちだった。機動力に長けていたおかげで、速やかに行動がとれたわけだ。その後、ピノチェトの一件があり、ラテンアメリカにおける暴力行為がそれに続く。第一の物語はこれだ。一九四四年以後のアメリカによる帝国主義はもはや常識と化しているよね。

第二の物語はこれよりも穏やかな話だけど、第一の物語よりも面白い。始まりはブレトンウッズだ。当時権力を握っていたニューディール派の面々――そこには善良な人たちもたくさんいた――による、アメリカ恐慌の防止をめぐる物語だ。そのときニューディール派はある不安に突き動かされていた。一九四四年には終戦の兆しが見えてきていた。すると、航空母艦や戦車、弾丸やジープなどの製造に使われたあのきらびやかな工場の使い道が問題となる。設備を調整すれば自動車などの耐久消費財を生産することも可能だが、残念ながらアメリカにはこうした工場が製造しうる商品をすべて受け止めるだけの需要がない。つまり、まさにアメリカ軍兵士が戦場から帰還してくる時期に投資が滞ることになってしまう。ニューディール派はこの危険性を「一九四九年の出来事の場面」（the 1949 moment）と名づけた。一九二九年からちょうど二〇年後の一九四九年に新たな制度崩壊が起きるんじゃないかって思ったんだ。

チョムスキー　かの有名な「ドル・ギャップ」（dollar gap）だね。

バルファキス　そのとおり。だからニューディール派はこうした事態が起こらないようにという願いを込めて壮大な「世界計画」（グローバル・プラン）を設計した。それに、ニューディール派は冷戦を意識してもいて、アジアやヨーロッパが共産主義に染まらないようにするための策が急務だと感じていた。こうした二つの要素が組み合わさってできた世界計画（ブレトンウッズ体制はその一部分にすぎない）は、要約すると以下のようになる。まず、ヨーロッパをドル化する。そうすれば、ウェスティングハウス製の洗濯機やきらびやかな自動車や飛行機、つまりアメリカ産だがアメリカでは消費しきれない製品をヨーロッパの人々が買えるようになる。戦争によってヨーロッパは焦土と化していたので、ドル化は必須だった。もちろん、ヨーロッパ諸国には自国通貨をもつ権利が認められたけど、こうした諸通貨はあくまでドルに固定（ペッグ）されていた。要するに、ドルを別の形でもつことになったんだ。こうして固定相場制が生まれた。金本位制と似ていたけど、一つ重要な違いがある。ニューディール派は世界恐慌の恐怖を骨身に沁みてわかっていた。この人たちの伝記を読めばわかるけど、この人たちは文字通り身体的な苦しみを世界恐慌中に味わっており、もう二度とこんなことは経験したくないと切に思っていたんだ。また、ニューディール派は金本位制のある重大な欠陥をよく理解していた――黒字再循環装置（system of surplus recycling）の欠如だ。政治的な装置を使って黒字生産国から黒字を回収し、赤字地域への生産的投資という形でそれを再利用する。そうすれば、黒字諸国の製品を買うための所得が赤字諸国に生まれる。こうして、アメリカを含む黒字諸国は黒字を保つことができるわけだ。世界計画を維持するために、黒字と赤字を再循環させ続けること。考えてみると、これはニューディール政策の継続としても理解できる。

チョムスキー　その体制でドイツ再建が担った役割は重要だよね。

バルファキス　もちろんさ。僕も最近まさにこれに関する一九四六年連邦議会文献を調べていたところだ。世界計画の成功には、ヨーロッパとアジアの二本柱が必須だった。つまり、強い欧州通貨と強いアジア通貨が衝撃吸収装置として機能する必要があった。調べてみると、感動的な文献がたくさんみつかった。「アメリカ資本主義にも、資本主義のご多分に漏れず必ずやショックが起きるだろう」と書いてあったりしてさ。ここ二〇年間の政策立案者たちにはみられないような見識の深さを当時の為政者たちはもっていた。不況の必然性について、あの頃の人たちはよくわかっていたんだ。焦土になったヨーロッパはドル化するしかないとして、もし戦後の経済で単一の通貨にアメリカが頼ってしまった場合、ドル圏（すなわちアメリカ）で起きる危機はそのままアジアやヨーロッパへと飛び火してしまう。そうなれば、その衝撃はおさまるどころかむしろ一層大きくなってしまうかもしれない。だから衝撃吸収装置が必要であり、衝撃を吸収してくれるような欧州通貨とアジア通貨が必要なのだ、とね。一定の強度を保つために、これらの通貨はある条件を満たす必要があった……

チョムスキー　そうだね。支えとなる……

バルファキス　そう、支えとなる産業がないといけない。

チョムスキー　ドルへの従属という条件も見逃せない。ケインズ案との相違点はここだね。

バルファキス　まさしくそのとおり。よって、こうした通貨の持ち主は、各々の地域における純輸出国である必要があった。欧州に対するドイツ、中国に対する日本といった風にね。

チョムスキー　そしてその世界制度を管理するのはもちろん……

バルファキス　アメリカだよ。

チョムスキー　ケインズとホワイトの論争の争点はここだった。

バルファキス　そうそう。ブレトンウッズ論争、知と金融の歴史における偉大な一幕だ。しかしその後、一九四五年後半から一九四六年前半までの政策議論に入るにあたって、フランスはドイツを脱工業化し牧歌的な国家にするという約束を得ていたが、これは問題だった。そこでアメリカの政策立案者たちはフランスに「予定変更」を告げ、ある取引を持ちかけた。「ドイツの産業復興に同意してほしい。また、ドイツの債務帳消しにも同意してほしい。持続不可能な債務という暗雲を晴らさない限り、ドイツ経済は回復できないからね。代わりに、フランスには欧州のリーダーという役割を与えよう」。ド・ゴールの「フランスが御者となり、ドイツが馬車の動力を提供する」という考えの起源もここにある。この考えは実現した。考えてみてほしい。経済協力開発機構（ＯＥＣＤ）の本部はどこにある？そう、パリだ。ＯＥＣＤとは何か。ＯＥＣＤはマーシャル・プランの遺産だ。欧州全土にマーシャル援助を分配したのはフランスだ。あるいは、ブリュッセルについて考えてみてほしい。ブリュッセル体制は一から十までフランスのエリートによって設計された。ＩＭＦも然りだ。クリスティーヌ・ラガルドがＩＭＦの専務理事である理由はこれだ。前任のドミニク・ストロス＝カーンもフランスから来た。これらはすべて、フランスとドイツの間でのあのときの取引の遺産なのだ。

一九五三年に歩を進めよう。一九五三年は、アメリカがイギリスやフランス、イタリアやギリシャなどの国々を集めて「きみたちはドイツ債務を帳消しにしなさい」と指令を出した年だ。当時ドイツはギリシャに対して負債があったが、ギリシャは一九五〇年代のドイツ産業復興を促すためにこれを帳消しにしたんだよ。

チョムスキー　今の話はきみの本の書名の意味を明らかにしているね。フランスは取引から代償を得ることができたが、ギリシャには何の見返りもなかった。「弱者は苦しみを甘んじて受ける」だ。

バルファキス　まさしくそう。とはいえ、僕にはいつもいくばくかの楽観を宙に浮かせておく癖があってね（会場笑）。お気づきかもしれないけれど、その書名の最後には疑問符がついている（会場笑）。僕はこの疑問符を強調したい。今回の作品を僕は母に献辞した。「弱者は苦しみを甘んじて受けるなど」と言う人を、私の母は最大限の愛情を込めて一刀両断にしただろう」という言葉を添えてね。そもそも、この書名はトゥキディデスの『ペロポネソス戦争の歴史』から引用した。アテナイ人として戦争を記録した著作だ。トゥキディデスはアテナイ人の兵士・将軍であり、歴史家でもあった。彼はアテナイが海軍をメーロス島に送り込み、島の社会や都市国家を蹂躙したときの話をしている。そもそもなぜ進軍したのかといえば、メーロスがアテナイとスパルタの間での「冷戦」、いや、むしろ「熱戦」で中立を保とうとしたからだ。アテナイはエーゲ海に古代ギリシア版の「NATO」を結成していたので、もしメーロス島に独立を許した場合、他の都市国家もこの古代版NATOからの脱退を検討し始めるのではないかと危惧していた。だからアテナイはメーロスに軍隊を送り込んで一気に島を攻略した。その後、アテナイの将軍たちがメーロスの代表者たちと会って話をする場面が出てくる。興味深い場面だ。アテナイ側はそこでこう宣言する。「お前たちはもうおしまいだ。おとなしく降伏すれば、奴隷として売ってやろう。抵抗する者は容赦なく殺す」。対して、メーロス側はカント的な反論をした。

人間を単なる手段として扱ってはいけない、同時に目的としても扱わなければいけない、というような反論をしたんだ。

チョムスキー　カントをまだ誰も読んでいなかった時代なのに、大したものだ（会場笑）。

バルファキス　もちろん。でも反論の内容はつまるところカント的だった。「弱い立場にいる者たちに対しては、もし自分が弱い立場に置かれた場合に受けたいと思うような扱いをするべきだ。今日の強者にも必ずや弱者となる日が訪れるのだから」とね。現に、アテナイの人々はスパルタとの戦争に負けて弱者の立場を味わうことになる。でも、ここでアテナイの将軍はさらりとこう答えた。「いや、お前たちの言い分は間違っている。強者は思うがままに行動し、弱者は苦しみを甘んじて受ける」。ところで、トゥキディデスは読者にこれを批判してほしいという願いを込めてこの話をしているんだ。だから、僕は最後に疑問符をつけた。

チョムスキー　きみの本の最大の楽観性は、「権力行使を望みさえすれば、真の権力は民衆の側にある」というコンドルセからの引用にあると思ったよ。

バルファキス　民衆の側というより、民衆の「心の中」にある。

チョムスキー　そうそう。真の権力は民衆の心の中にある。コンドルセのこの洞察はおそらくデイヴィッド・ヒュームの受け売りだと思う。『統治の第一原理について』（*Of the Fundamental Principles of Government*）ではこの論点がとても明解に語られているからね。そこでヒュームは、国民の大多数がこれほど容易に統治者に従属するのは驚きだ、と言っている。真の権力は統治される側にあるのだから、とね。この妙技がどう達成されるかを考察してみると、統治者はただ「承諾」（consent）

によってのみ統治を成立させているということがわかる、とヒュームは続けている。きみの言葉を借りて言い換えるならば、もし統治される側が承諾を拒否した場合、ゲームオーバーとなる。
バルファキス　まったくそのとおり。妻ダナエと僕は昨年（二〇一五年）七月三日にそれを実感したよ。感動的な瞬間だった。思い出してほしい。僕らの政権は、権力者に対して真実を突きつけ断固「否」と言い続けることを公約に掲げて当選した。二〇一五年一月のことだ。煮るなり焼くなり好きにしろ、あなた方の有毒な融資を受けてこれ以上ギリシャの経済を衰退させギリシャの人々を苦しませるような真似はもうしないぞ、とね。選挙にこそ勝利したけど、それでも僕らは三六％しか票を獲得していなかった。ギリシャ議会は純粋な比例代表制ではないからだ。前政権は二五％くらいしか票を獲得できておらず、おかげで僕らは政権を奪取するのに十分な数の議席を確保できていた。それでも、得票率は三六％にすぎない。また、ギリシャ国内メディアも国際メディアも僕らを四方八方から絶え間なく攻撃し続けていた。財務相に就任して三日目に、ユーログループの議長が僕のオフィスにやってきてこう言った。「きみは既存の政策をただちに受け入れるべきだ」——まさにそれに反対するために僕らは当選したのにね！——「さもなければ一ヶ月以内にギリシャの銀行を閉鎖するぞ」とね。弱い立場とはまさにこのことだよ（笑）。とはいえ、僕らはちゃんと戦略を用意してもいた。秘密兵器を準備していたんだ。あとでこれについては詳しく話そう。とにかく、ユーログループが僕らの銀行を閉鎖したとき、僕は国民からの支持が下がるのも時間の問題だと観念していた。そこで僕らは抗戦を続けるための支持を仰いで国民投票を実施した。一月の得票率はたった三六％で、銀行は閉鎖している。人々は預金を引き出すことができず、年金受給者はなんとか食いつなごうとシャッターの降りた銀行の前に長蛇の列を作り、中には待ちながら気絶する人すらいた。お茶の間ではメディアがテレビ越しに絶え間なく絶望のメッセージを発信し続けていた。トロイカに対して反対票を投じたらアルマゲドンが起きるぞ、ギリシャは欧州だけでなくこの世から消えてなくなるぞ、ってね（会場笑）。それでも、ギリシャの誇り高き人々はなんと六二%もの票を僕らに与えてくれた。理由は何か。ギリシャの人々が唯一容認できなかった不足＝赤字（deficit）は尊厳の不足（deficit of dignity）だったからだ。これが僕らのコンドルセ的な覚醒の瞬間だった（会場拍手）。

チョムスキー　ところで、ギリシャにはどのような未来が待ち受けているんだろうか。

バルファキス　残念ながら、国民投票の夜、僕らの政府、僕の総理大臣は、すでに降伏してしまっていた。きみの質問に答えると、この降伏によって、僕らは両世界の最悪の組み合わせを選んでしまった――新自由主義的イデオロギーと非新自由主義的政策という組み合わせをね。トロイカは法人税を上げ、付加価値税を上げ、所得税を上げ、年金給付額を下げ、賃金を下げた。

チョムスキー　きみが拒否した政策案よりもさらに過酷な政策を押し付けてきたわけか。

バルファキス　そう。ギリシャの経済はもはや消え失せ始めている。全国各地の事業が採算をとれなくなっているからだ。フーヴァー大統領の「三つの清算」(liquidate, liquidate, liquidate）を思い出してほしい。たしかこれを言ったのは当時のメロン財務長官だったと思うけど……

チョムスキー　そうだね。

バルファキス　今起きているのはまさにこれ。ギリシャ事業の清算、ギリシャ政府の清算、そしてギリシャ国民の清算だ。それは一九世紀式の砲艦外交という文脈で進められている。その真のねらいはギリシャの外にある――フランス、スペイン、ポルトガル等々の国々を制するというねらいだ。二〇一五年七月一三日に我が総理大臣が降伏をしたとき、すなわち降伏書に署名をしたとき、何が起きたか覚えているだろうか。スペインの右派首相が降伏書を指でつまんでカメラの前にふりかざしてみせ、スペインのメディアにスペイン語でこう言ったんだ。「スペインのシリザであるポデモスに投票したらどうなるか、これでおわかりでしょう」ってね。幸いにもスペインの有権者たちはこの首相を退陣させたけど、ポデモスは勝利できなかった。現在、スペイン議会はこう着状態にあり、政権が不在だ。

チョムスキー　政府が機能していない。

バルファキス　へたに新政権を打ち立てるよりはマシな状況だけどね（会場笑）。

チョムスキー　では、周縁諸国の将来展望はどんなだろうか。「清算」という言葉を使うとき、きみは「ドイツのために清算」という意味でこれを言っているのかな?

バルファキス　それはね、ノーム、つまりこういうことだ。数十万もの中小零細企業や中産階級の人々(petit bourgeois people)は……

チョムスキー　それを買い上げているのは誰なの?

バルファキス　……店を失い、薬局を失う……失われた世代（ロスト・ジェネレーション）になる。この世代の人々はホームレスになり、ギリシャを去るだろう。その子どもたちはギリシャで優れた教育を受けた後、ドイツやスペインに……まあ、スペインには行かないかもしれない。むしろスペイン人がギリシャに来ている状況だから。ギリシャの子どもたちはカナダへ行き、オーストラリアへ行き、アメリカへ行くだろう。なんとか食いつないでいくためにね。住宅の清算、つまり差し押さえも頻発するだろう。言っておくけど、ギリシャの差し押さえはアメリカよりもひどい。アメリカでは家の鍵を銀行に渡しておさらばできるけど、ギリシャではそれが許されない。家を失っても、負債は消えないんだ。どこへ行っても、負債は永遠についてくる。地獄を身にまとって放浪するメフィストフェレスのように、家なき身で負債をまとって世界を放浪する運命が待ち受けているんだ。

チョムスキー　アメリカの学生ローンに似ているね。

バルファキス　まさしくそう！（会場拍手）さっきの質問への答えとして、ギリシャの希望となりうるような進歩派政治の展望を話そうか。今はというと……　あのとき、僕らにはギリシャの債務合意をリセットし、ヨーロッパを再起動する好機が訪れていた。あのときもし交渉に成功していれば、それはスペインやイタリアをはじめ欧州全土に広がったはず。でも、僕らは好機を逃した。これを受けて、僕を含む欧州のユートピア主義者たちやはみ出し者たちは一緒に「欧州民主主義運動」（ＤｉＥＭ）という運動を立ち上げた。ノーム・チョムスキーも僕らのマニフェストに賛同の署名をしてくれた。おかげで僕はこの上ない幸福を感じている（会場拍手）。運動を立ち上げた動機は実に単純なものだ。ウォール街の瓦解が記憶に新しい中、僕らは排外主義、非人道主義、欠陥経済政策、緊縮政策、そして債務デフレといった要素からなる奈落の底へと滑り落ちており、これはヨーロッパだけでなく世界中で人間不信（misanthropy）や苦しみの、つまり避けようと思えば避けられる苦しみの源泉となっている。僕らは今、一九三〇年的な場面に立ち会っている。これはそれに対抗する運動なのだ。さて、実は今日ここにＤｉＥＭのピンバッジを用意してきた。僕もつけているピンバッジだ。欧州民主主義運動のためのプロパガンダだよ（会場笑）。マニフェストに署名をしてくれた以上、これをノーム・チョムスキーにあげないわけにはいかない。

チョムスキー　これはこれは、どうもありがとう。[3]（会場笑＋拍手）

バルファキス　そして、司会からはそろそろ質問に入るようにというサインが来ている。

チョムスキー　それでは、質疑応答に進もうか。

（後略）

（3）　ピンバッジを受け取り、セーターにつける。

バルファキスが語る、パンデミック以後の世界経済のゆくえ

ヤニス・バルファキス（聞き手：ロバート・ジョンソン、新経済思想研究所ＩＮＥＴ所長）

二〇二〇年七月二日　オンライン配信イベント

ロバート・ジョンソン　みなさん、おはようございます。新経済思想研究所所長のロバート・ジョンソンです。本日はすばらしいゲストをお招きしています――ヤニス・バルファキスさんです。「二〇〇八年の金融崩壊と二〇二〇年のパンデミック――資本主義を一変させた組み合わせ」というテーマについてお話していただきます。講演のあとでＱ＆Ａ（質疑応答）の時間も設けてあります。

バルファキスさんは経済学者や哲学者、著作家や政治家といった様々な顔をもつ人物です。ギリシャ国会議員でもあり、ＭeＲＡ25党首やＤiＥＭ25共同創始者でもあります。ギリシャの財務相を務めた時期もありました。また、バーニー・サンダースと一緒に「プログレッシブ・インターナショナル」を共同創設し、世界各地の進歩派勢力の一致団結を促進しています。経済学者としてケンブリッジ大学やテキサス大学オースティン校などで教鞭をとり、*Adults in the Room*（邦題：『黒い匣』）、*And the Weak Suffer What they Must?*（邦題：『わたしたちを救う経済学』）、そして*The Global Minotaur*（邦題：『世界牛魔人――グローバル・ミノタウロス』）含め多くの作品を著しています。少し個人的な話にな

りますが、最近私はバルファキスご夫妻と一緒に「Economics and Beyond」シリーズの一環としてても面白いポッドキャストを収録させていただきました。みなさんもお気づきかと思いますが、私は彼に対して深い尊敬の念を抱いています——勇気と想像力にあふれる人物だからです。［ＩＮＥＴと経済協力開発機構（ＯＥＣＤ）による二〇一五年］パリ会議ではジョーセフ・スティグリッツとバルファキスさんと私で公開対談を行ったわけですが、あのときは様々な重圧を背負っていたにも関わらずＩＮＥＴを応援していただき感無量でした。公の場でも私生活においても勇敢さと明瞭さを基調とする、すばらしい人物です。バルファキスさん、今日はこの場にお越しいただき本当にありがとうございます。よろしくお願い申し上げます。

ヤニス・バルファキス　僕の方こそ、君とこうして時間を過ごせるのをとてもうれしく感じているよ。オンライン・オフライン問わずＩＮＥＴの活動を応援できることを光栄に思う。ＩＮＥＴは現代の様々な重要課題に取り組んでいるからね。導入の言葉にも感謝している。そして、僕にとって個人的に大切なテーマを扱えることを嬉しく思う。ありがとう。

よくあるパターンとして、今起きている危機——コロナウイルスに端を発する世界的な経済活動の停滞——を二〇〇八年の金融崩壊と対比して論じる人がいるよね。でもこれは間違っていると思う。二〇二〇年危機は二〇〇八年危機と切り離せるものではなく、むしろ二〇〇八年危機の延長線上で考えなければいけない事態だからさ。

もう少しさかのぼって考えてみようか。ブレトンウッズ体制終焉後に着々と金融化（financialization）が進み、世界レベルで資本が移動するようになった現代において、経済分析の定跡に従ってしまっては、つまり「アメリカ経済」「イギリス経済」「ギリシャ経済」「日本経済」という区分をもちいて国民国家をベースに議論を展開してしまっては誤解を生むだけだ。国単位で経済の強みや弱みを分析するという従来のマクロ経済学がいかに使い物にならないかは、ここ二〇年間ではっきりしているはず。貿易や財政に関するデータを用いても、僕らを取り囲む霧を晴らすことはできない。

鍵となるのは金融資本の潮流だ。金融化が世界を一新させた理由も、二〇〇八年金融崩壊が金融化に大ダメージを与えた結果、DNAですらない、RNAのほんの切れ端でさえもこれほどの打撃を僕らに浴びせることができるようになったその理由も、ここから読み取れる。コロナウイルスがこれほどひどい惨事をもたらしているのも、そもそも金融資本主義がコロナ以前にすでに深手を負っていたからなんだ。今日はこの文脈で話を進めたい。二〇〇八年に生じたある大きな出来事の発展型として二〇二〇年危機を捉えること。そもそも、二〇〇八年に起きた金融化の危機には決着がついていない——これを今日は示してみたいと思う。なるほど、金融市場は回復したかもしれない。今も金儲けは続いているかもしれない。でも、世界資本主義の要である金融化は、二〇〇八年という深手を完治できていない。僕の仮説が正しければ、コロナ以後の世界を理解したかったら——コロナ以後の世界について語りたがる人たちは本当に後を絶たないものだけど——まず二〇〇八年以後の世界を理解しない限り何も始まらない。

本題に移るとしよう。一昔前まで、お金は各国間を主に金融取引という形で行き来していた。各国経済の消費者内需は国内生産者が満たしていた。アメリカのような大国だけでなく、僕の母国ギリシャのような小国においても、今と比べてはるかに多くの生産物を国内消費者向けに生産していた。これに関する数値を参照すれば、一国の経済の状態を把握することができたわけだ。現代ではそういった手法はもはや通用しない。一九八〇年代以降の世界では、中国やドイツのような国における問題はアメリカやギリシャにおける問題と密接に結びついている。「アメリカやギリシャ」という風に、ロバート、君の輝ける母国、世界の覇権を握る超大国を、僕の故郷である破産小国と同列に扱うような言い方をしたけど、これには理由があるんだ。というのも、アメリカとギリシャには「赤字国家」という共通点がある。

ブレトンウッズ体制の終焉を資本主義の歴史における転機として位置づけたのにも理由がある。それ以前までは、金融家の活動は厳しく規制されており、通貨の循環（マネー・フロー）は実体経済の動向とつながりを保っていた。ところが一九八〇年代前半にブレトンウッズ体制が終わり、資本規制が取っ払われると、金融工学による民間通貨の激流が巨額の貿易不均衡の主な原資となった。さきほど僕はアメリカを例に挙げた。それに、あなた方は現在アメリカからこのライブインタビューを見ている。というわけで、今しばらくアメリカに注意を向けてみたい。未来の歴史家たちは「アメリカの覇権はアメリカの貿易赤字の拡大に比例して強まった」という、一九八〇年代に出てきた実に奇妙で重要な現象に焦点を当てるだろう。世界史上初めての出来事だからだ。これ以前は、帝国や経済大国や覇権国が黒字国から赤字国へと転落すると必ず権力の縮退が起きた。ところが、アメリカの場合はその反対のことが起きた。なぜだろう。

理由はこうだ。アメリカが貿易において黒字国から赤字国へと転落していくかたわらで、ウォール街は海外諸国の黒字を再循環（リサイクル）させる上で中心的な役割を担うようになった。主にドイツや日本からの黒字だが、最近では中国からの黒字もそこに加わっている。これらの国々は、アメリカへの純輸出によって利益を生む一方でその利益をウォール街経由で再循環させたわけだ。「非均斉動的平衡」(unbalanced dynamic equilibrium)とでも呼ぶべきこの実に興味深い状態を背景に、アメリカは商品と他国利益の両方で世界最大の輸入国となった。さらに、巨額のカネがウォール街へと流れ込んだ後にアメリカを含む各国への資金となって再び流れ出すという潮流が形成された――「金融化」と呼ばれる現象だ。金融化によって、持続不可能な量の民間通貨が発行された。砂上の楼閣のごとく崩れ落ちてしまった。その理由はこうだ。ところが二〇〇八年に金融化は砂上の楼閣のごとく崩れ落ちてしまった。その理由はこうだ。

この場合もまた増築を重ねてゆけばそのうち基盤が崩れ建物全体が瓦解する。連邦準備制度だけでなく、G20諸国の中央銀行が一致団結して二〇〇八年に金融市場を見事に再生(refloat)させたわけだが、ウォール街と金融化体制は世界の黒字を再循環する能力を失った。ブタ積みにされたカネを生産的な投資に変身させ、アメリカやイギリス、欧州各国やインド、そしてラテンアメリカ諸国で優良雇用を大規模に創出する力は、二〇〇八年以降失われたままだ。以上が僕の仮説だ。

この仮説を経験的証拠に照らし合わせて検証するのは別の機会に譲ることにしたい。ここでは二〇二〇年へと話を進めていこう。そのための準備として、さらにいくつか付言をしておく。まず、二〇〇八年金融崩壊以降、ウォール街をはじめ西洋諸国の金融市場では、先進国経済の(すなわちOECD加盟諸国の)二分化が起きている。これは実に面白い現象だ。一方には赤字諸国がある。赤字諸国は皆同じ運命を辿っている。負債バブルが生成されるかたわら、労働者階級は産業地帯の斜陽化を、指をくわえて見守るしかない。アメリカという強国であれ、ギリシャという弱小国であれ、それは変わらない。対外赤字を埋め合わせるためには、負債バブルを作るより他に道がないのだから。バブルはいつか当然破裂するわけだが、そうなると今度はアメリカ中西部からペロポネソス半島まで広範にわたって労働者が負債の奴隷となり、生活水準が下がる。他方の極には黒字諸国が存在するが、こちらは一国ごとに個性がある。例えば中国とドイツをみてほしい。どちらも巨額の対米貿易黒字を有している。中国の場合は欧州全体に対して、またドイツの場合はその他の欧州諸国に対して、やはり大きな貿易黒字がある。マクロ経済的にみると、中国においてもドイツにおいても労働者階級の所得と財産の抑圧がはっきりと見てとれる。特に中国ではこれが顕著だ。消費がＧＤＰに占める割合は五〇％を割っており、労働者階級には勤務先地域における居住権すら認められておらず、福祉国家へのアクセスも限られており、生存をかけてひたすら貯蓄をするしかない状態に置かれ、仮に貯蓄に成功してもほとんどの場合そこには雀の涙ほどの実質金利しかつかない。よって、中国では労働者階級の所得と財産の抑圧がある。ドイツも然りだ。だが、中国とドイツの間には重要な相違点がある。中国においては投資が活発だが、ドイツでは投資がほとんどされていない。ドイツ企業は投資を渋っているわけだ。さらに、特にこれはギリシャから見て重要な問題なのだが、ドイツ企業は自社商品への需要を確保する上で、ユーロ圏の諸外国――ギリシャ、スペイン、アイルランド、イタリア等々――で生成される信用（クレジット）バブルに依存している。

　別の言い方をするならば、世界の情勢を「国家のぶつかり合い」として――アメリカ対中国、ドイツ対ギリシャという具合に――表現する人たちは、故意にか、無意識的にか、周りを混乱させてしまっている。今起きていることは、ドイツとギリシャのぶつかり合いでも、アメリカと中国のぶつかり合いでもない。ことの本質は、階級闘争の激化にあるからだ。つまり、真のぶつかり合いはドイツ国内で、アメリカ国内で、そしてギリシャ国内で、すなわち国民国家（nation states）の内部で起きている。世界金融の潮流は、支えきれないはずのものを支え、維持できないはずのものを、すなわち貿易不均衡と金融の流れの不均衡からなる非均斉の均衡（unbalanced equilibrium）を維持している。この文脈で先述の点を理解しない限り、金融も経済も政治も理解できない。僕が「ナショナリスト・インターナショナル」と呼ぶ現象も理解できない――ドナルド・トランプ、ブラジルのボルソナーロ、インドのモディ、そして欧州連合（ＥＵ）諸国の排外主義者たちからなる国際連合だ。二〇二〇年の出来事も、こうした文脈から出発しない限り理解できないだろう。

ご存知のとおり、ラリー・サマーズは一連の出来事を「長期停滞論」を使って説明しようとしたし、ジョーセフ・スティグリッツも重要な仕事をした。いずれも頭脳明晰な思想家だ。しかし、真に必要とされているのは、事態を世界的な視野で把握することではないか。僕の関心もここにある。考えてみると、味わい深い矛盾が立ち現れてくる。金融化からくる不均衡が深まる中、世界金融資本主義社会は世界全体を無理矢理均衡状態へともっていこうとしているが、そうした動きが各国の内部での動向と矛盾してしまっているわけだ。

詳しく説明しよう。二〇〇八年は金融部門のバブルがはじけた年だった。債務担保証券（ＣＤＯ）や第三次証券化商品（CDO[2]）といった形で大量に刷られた民間通貨を支える余力がもはやこの地球にはないのだということがそのとき明らかになった。その後何が起きたのかと言えば、連邦準備制度とＧ20の中央諸銀行が先述のとおり金融部門を再生させた。類まれなる連帯感を示し、極少数の金融家のための社会主義（socialism for the very few financiers）を地で行く行動をとった。多数の人々から少数の人々へ、実体経済から金融部門へありったけの資金を移動し、金融部門を救済したのだ。これはしかし、がんの治療にコルチゾール（抗炎症薬）を使うようなものだと思えてしまう。金融資本主義という患者ががんになったとき、僕らは流動性という名のコルチゾールをそこへ惜しみなく注入したわけだ。患者は一時的に元気になり、金融市場にも活力が戻った。同時に、金融部門の救済と再生は民衆に対する緊縮策の実施を意味してもいた。アメリカ中西部やアメリカ全土、イギリスや欧州大陸全土でもそうだったが、殺意あふれるトロイカにお尻を叩かれつつ緊縮策を誰よりも熱心に推し進めたのはギリシャだった。緊縮策の本質は「投資と購買力の縮小」であると考えていただいて良い。

民衆に対して緊縮策を実施し、結果として総需要の低下――すなわち民衆の投資と購買力の低下――が起こってしまえば、あとは企業に流動性を注入し続ける以外に制度維持の道はない。当局による資本移転と流動性の提供は金融家たちを救済したが、過剰な流動性の行き先を作るという課題が未解決だった。仮にあなたが金融家だとして、もし中央銀行からタダでお金を貰えたら、当然それを融資する必要を感じるだろう。金融家は借り手がつかない流動性を抱えるのがとにかく嫌いだからだ。しかし、あなたはこのカネを一般の人たちには与えないだろう。緊縮策のおかげで人々の所得は下がっており、債務不履行のリスクが上がっているのだからね。よって、あなたは大企業への融資を好むようになる。アマゾンやフォルクスワーゲンやシーメンスのような大企業への融資だ。そこで、次はこのような大企業のCEOの身になって考えてみよう。中央銀行から（あるいは融資先を血眼になって探しているドイツ銀行やサンタンデール銀行のような商業銀行を経由して）たくさんのカネが流れ込んできた。

問題はその使い道だ。例えば、自動車の生産への投資をするにしても、人々には自動車を買う力がない、あるいはあなたにとって利益になるような金額で自動車を買う力がない。しかし、あなたにはもっとずっと簡単で魅力的な選択肢がある。金融市場や株式市場へ足を運び、自社の株を買い戻せば良いのだ。そうすれば株価は一気に上がり、企業の価値も上がり、あなたは一攫千金を手に入れる——CEOや取締役のボーナスは株価によって決まるわけだからね。すると面白いことが起きる——実体経済が干上がるかたわらで金融市場が潤うという現象だ。

巨額の貯蓄と流動性が一方にあり、固定資本への投資の躊躇（相対的な貸し渋り）が他方にあるわけだが、このような乖離が起きたのは資本主義の歴史においても初めてのことだ。米ドル建てで数兆ドルにものぼる負債がマイナス金利の領域に突入している理由もここにある。デフレ圧力がかかり、世界各地の政治に異変が起きているのもこのためだ。政治にとってデフレは（インフレとちがって）毒だからね。（ちなみに、わき道にそれるがドイツの友人たちのために一言付け加えておくと、「ハイパーインフレーションがナチズムの台頭の原因だった」という誤まった歴史認識はいまだにドイツにおいて根強い。言うまでもなく、本当の原因はデフレだ。一九三〇年にハインリヒ・ブリューニングが厳格な緊縮策を実施し、物価が下降した結果、デフレ圧力が生まれたのだ）。

パンデミックが将来に及ぼす影響を考えるにあたって鍵となる逆説（パラドクス）を二つ見てきた。一つ目の逆説はついさっき描写した現状と関連している。さて、経済学を学ぶ人たちはみな次のように教わるものだ——「正常に機能している資本主義において均衡（equilibrium）が成立するためには、ある実質金利を表す数字が必要となる。貯蓄と投資の均衡と銀行業部門における均衡を同時に達成するような実質金利を表す数字だ」とね。学生時代に経済学を学ばずに済んだ幸運な視聴者の皆様のために、もう少しこれについて説明させてほしい。貯蓄とは通貨供給量のことであり、投資とは通貨需要のことだ。例えば銀行の金庫や家庭のたんすの奥に積み上げられた札束は、適切な金利でそれを運用してくれる人を求めてうずいている。新たな収益、新たな事業、例えば新しいレストランでも何でも良い、とにかくそういう形で運用してもらいたいとね。貯蓄が通貨供給量であると言ったのはこのためだ。そこで今度は、お金はないがアイデアはもっている起業家を考えてみよう。起業家は貯蓄主に向けて「お金をください。しっかりと活用します。利益も出しますし、あなたへの金利も弾みますよ」と言うだろう。これこそ通貨を求めている人、すなわち通貨への需要を生み出す人だ。金利は通貨の価格、すなわち投資の価格に相当する。さて、均衡を得るためには、貯蓄と投資の間で均衡を達成するような金利が存在する必要がある。貯蓄が投資を上回るとデフレ圧力が生じ、反対に貯蓄が投資を下回るとインフレ圧力が生じるからだ。繰り返すが、資本主義が正常に機能するためには、貯蓄と投資の均衡を達成するような金利が必要となる。二〇二〇年以前、すなわち二〇〇八年から現在までの間は、そのような金利は存在しなかった。あるいは、そのような金利を示す数字が存在しなかったと言ってもよい。マイナス金利や量的緩和が出てきている理由もここにある。とはいえ、貯蓄と投資の均衡を達成するだけでは不十分だ。資本主義においては、企業資本を含む金融制度における楽観度や展望は金利によって決まるからだ。例えば、金利がマイナスになった場合、各種年金基金が壊滅的な打撃を受けるだろう。年金基金の崩壊はそのまま金融市場の瓦解へとつながるだろう。僕の仮説では、二〇〇八年以降、すなわち二〇〇八年金融崩壊以降は、貯蓄と投資の均衡を達成しつつ金融部門の崩壊を防ぐような金利を表す数字は存在しなかった。以上が第一の逆説、第一の謎、第一の矛盾だ。ちなみに、ここまではまだパンデミック以前の話だ。

今度は二〇二〇年と二〇〇八年の相違点へと話を進めよう。二〇〇八年に[1]破裂したバブルは、銀行家のバブルではなく、企業債務のバブルだった。先ほどフォルクスワーゲンを例に挙げて説明したとおり（ちなみにこれはフォルクスワーゲンを名指しで攻撃しているわけではなく、ただ単にふと浮かんだから例としてフォルクスワーゲンを使っているだけだという点はご留意いただきたい）、企業は中央銀行からの通貨にすぐに依存した。流動性のおかげで負債の繰り越しが可能となり、低利益（場合によっては損失）に陥っても企業自体が存続できるようになっていた。また、この流動性は株価の上昇を可能にもし、場合によっては中央銀行による絶え間なき通貨発行の恩恵を受けていわば賃料のような収益があがることもあった。こうして、コロナウイルスに至るまでの一二年間で企業部門全体に巨大なバブルが形成されたわけだ。

二〇〇八年には銀行業部門におけるバブルが破裂した。今もなお記憶に新しい出来事だ。対して、二〇二〇年に至るとバブルは世界の企業資本主義社会の隅々にまで広がっていた。コロナウイルスの重要性もこれでわかるだろう。超巨大なバブルを弾く針のような役割を担ったわけだからね。このバブルは二〇〇八年のそれよりもはるかに大きいが、同時にこれは二〇〇八年のバブル崩壊なくしてはありえないようなバブルでもあった。二〇〇八年への対処として、中央諸銀行や各当局が企業部門全体へとバブルを広げることで［金融市場の］再生を図ったわけなのだから。第二の逆説あるいは矛盾――一筋縄ではいかない逆説――もここにある。（繰り返すが、第一の逆説は「貯蓄を投資に変えられるくらい低いが、年金基金を壊滅させるほどは低くない実質金利は存在しなかった」というものだ)。

第二の逆説は次のように表現できる。まず、金融市場を一二年間潤してきた結果、資産価格が空前絶後の高さとなっている。例えば、最近の三ヶ月間をよく見てほしい。あたかも資本主義が仮死状態に突入したかのような、誰かが「一時停止」ボタンを押したかのような状態だ。需要も供給もなくなり、人々は待機を強制され、所得は下がっており、生産量も下がっているが、それにも関わらず金融市場は万事快調ときている。その理由はというと、公共通貨(public money、本書第七章訳注も参照)が発行されて金融市場に注入されたからだ。こうした公共通貨は、「量的緩和」と呼ばれるものも含め、資産価格を人為的に高く保ってきた。人為的に高い資産価格は「不平等」という名のコインの裏面にすぎない。つまり、資産価格の人為的な上昇と、大半の国々で大半の人々が日々の生活に困窮している現状とはいずれも共通の原因から生じているわけだ。人々は魂を削られるような仕事で毎日働き、労働時間もとても長く、しかも仕事場での努力と社会的ステータスの向上との間にはもはや何のつながりも残っていない。アメリカンドリームの終幕と言っても良い。少なくともアメリカやイギリス、ギリシャやドイツにおける標準的な(median)国民は、いくら一生懸命に働いても絶対に出世することができない。資産価格の高騰と不平等の拡大とは表裏一体だ。

ルーズヴェルト式のニューディール政策は、地球規模でのグリーン・ニューディール政策も含め、貯蓄を投資へと徐々に誘導し、社会や地球環境が必要としている優良な雇用や「緑の移行」(green transition)(2)を創出すべきだ。しかしながら、僕には一つ気にかかっていることがある——単なる勘違

(1)　おそらく「二〇二〇年に」の誤り

いだと良いのだけれど。説明させてほしい。まず、人類の生存には地球規模でのルーズヴェルト式のニューディール政策が必要不可欠だ。このような政策は資産価格を相対的に下げるだろう。現状では、実体経済とは切り離されたところで金融市場が再生（refloat）されたため、資産価格が人為的に高く保たれている。ところが、話はこれほど単純ではない。既存の企業の多くは融資の金利の低さのおかげで生き延びている。低金利のローンを得るためには担保が必要となるが、（中央銀行からの保証がつい た）高い資産価格は担保の価値を保つ上で欠かせない。融資の波が企業部門に押し寄せているのも、ひとえにこうした担保の存在のおかげなのだ。まさに「動いて災難、動かなくても災難」とは言い得て妙だろう。資産価格を下げないと、優良な雇用の創出も、不平等の是正も、地球や社会の救済も、ファシストその他の連中による政界汚染の阻止もかなわない。しかし、もし実際に資産価格を下げた場合、今度は企業が軒並み倒産してしまう。

以上の二つの逆説は、世界資本主義のもつ様々な矛盾の源泉となっている。僕はそう思う。では、さらにここに現代の政治や技術革新の話を追加してみようか。昨今では、新型コロナ感染に対する恐怖は人間の心を変え、ＩＴ系の大企業によるアプリの拡大が受け入れられやすくなってきている。こうした大企業は各国政府としっかり共謀しており、新商品（すなわち新しいアプリ）の開発と拡散をとおして僕らの生態データや地理データ（そしてそれらの組み合わせ）を集めている。そこから出てくるアルゴリズムは、たしかにパンデミックの最中では役に立つもので、体温や血圧を測ったり、各種医療検査の補助を担ったり、ショッピングモールやスポーツ観戦などに出かけた場合の感染リスクを教えてくれたりもするはずだ。しかし、僕に言わせればこれはオーウェルの『一九八四年』そのままの世界だ。病に対する監視システムにはその他の心の動きを監視する力も当然あり、偉大なリーダーの演説や職場の上司の小話などを聞いたときの僕らの血圧を測ったりもできる。ソ連国家保安委員会（ＫＧＢ）など比較の対象にすらならないほどの暗い可能性が僕らを待ち構えているわけだ。

さらに言わせてもらうと、僕の（あるいは「僕らの」と言った方がいいかな）友人や同志の中には、進歩主義に忠実で、僕なんかよりも楽観的な人たちもいる。今回のロックダウンは、地域レベルでの連帯を強め（これ自体は良いことだ）、政府のもつ力を回復した（あるいは、少なくとも政府が元々持っていた力の強さが国民に明らかになった）として、彼らは喜んでいる。たしかに、政府には自宅待機を国民に命じたり、経済の各部門を丸ごと国有化したりする力がある――新自由主義体制においてすらもね。しかし、先ほど論じた危機や矛盾の文脈で、企業資本主義が分裂しつつも猛威をふるう現状において国家権力が増大する様子を見ていると、僕は心配になる。なぜかといえば、そもそも国家権力は民衆の力（the power of the *demos*）と必ずしも同じものではない。ドナルド・トランプの力、ヒトラーやムッソリーニの力、あるいはモディやボルソナーロの力にだってなりえるからだ。

質疑応答もあるわけだし、そろそろまとめようか。現時点での僕の見解はこうだ。資本主義には大きな変化が起きている。金融化の隆盛、そして二〇〇八年における金融化の崩壊は、マルクスには想像できなかったような新しい矛盾をたくさん生み出した。ところが、世界各国の進歩派勢力は国際的

（２）　green transition　生態系破壊や地球温暖化などの環境問題を解決しつつ持続可能な社会を実現するような政策群の総称。「公正な移行」（just transition）や「気候変動」（climate action）と呼ばれることもある。

な進歩派運動をまったく組織できていない。国家権力を駆使して経済を再編成し、「超少数のための社会主義」（socialism for the very, very, very few）という現状を打破するための運動がないわけだ。このような政治組織の不在、いわば「現代のフランクリン・ルーズヴェルト」の不在、金融界の悪霊（genie）をランプに戻し、（金融化の危機とは別途に）資本主義を蝕んでいる新型テクノロジーの所有権を再考するような政治運動の不在……こうした不在のせいで、僕らは岐路に立たされている。人類の未来をかけた選択を迫られている。一方にはディストピアが待ち受けている。二〇〇八年や二〇二〇年の危機を受けて衰退する資本主義が産業封建主義を生み、少数の人たちが高い壁や電気フェンスで囲われた領地（ゲーテッド・コミュニティー）に立てこもるかたわら、外の世界にはジョン・カーペンター監督の『ニューヨーク1997』のような殺伐とした風景が広がる。他方には、理性と連帯を組み合わせたポスト資本主義社会が待っている。

ジョンソン　力強いスピーチをありがとうございます。とても射程範囲が広く、歴史に深く根ざした論考ですね。特に私にとって印象深かったのは、社会運動が広がり、国家権力が拡大し、民間団体を次々と国有化できても、国家権力は必ずしも民衆の力と同じではなく、必ずしも民意を広く代表しているわけではない、というあなたの指摘です。そこで質問なのですが、民衆の力を阻む勢力を打破するためには、どのような改革が必要だとお考えですか。

バルファキス　それこそまさに究極の問いだね。一年前の僕ならば、ニューディール派のような答え方をしただろう。つまり、ルーズヴェルト式のニューディール政策の理念を蘇らせ、民間資金を公共の目的に向けて動員させるべきだ、と説いただろう。僕は今でもこうした考えを持っているけれど、今回のパンデミックの広がりに対抗するためには、もはやこれだけでは不十分だ。必要条件ではあるが、十分条件ではない、と言い換えても良い。仮にニューディール政策を実施できたとしても問題が残るからだ。例えば、ブレトンウッズ体制を思い出してほしい。ブレトンウッズ体制には確かに不備も多かったが、金融界の規制と不平等の是正という観点からは実に腰の据わった実験だった。それでもなお、企業に従事する人々［＝労働者］と企業を所有する人々［＝資本家］の分離をベースに資本を蓄積する制度［＝資本主義］は、株式市場での取引や金融化のおかげで爆発的な力を得た。仮にフランクリン・ルーズヴェルトとジョン・メイナード・ケインズとイエス・キリストとお釈迦様が一同に会し、天使たちやしもべたちと一緒に力を合わせて新しい世界制度を設計したとしても、それは民間金融と株式市場の組み合わせからなるゲームによって転覆させられ、一九七一年八月一五日のような事態が再び起きるだけだろう（ブレトンウッズ体制終焉の日、制度の分裂を受けてリチャード・ニクソンがやむを得ずブレトンウッズ体制に終止符を打った日だ）。

優れた目的のために既存の流動性を役立てるのはもちろん大切だけど、それだけでは不十分。では、十分条件は何なのか。所得のみならず所有権も再分配すること——これこそが答えだと思う。考えれば考えるほど、僕は歴史上のある興味深い場面へと立ち返っている自分に気づく。場所はロンドン、時は一五九九年、ちょうどウィリアム・シェイクスピアが『ハムレット』を書き終えていた頃、「東インド会社」という名の史上初の株式会社が創設された。匿名かつ流動的であり、しかも銀と同じように売買が可能な株式に基づいた会社だ。これは実に衝撃的な出来事だった。会社が何をし、そこで誰が働いており、世間や地球環境に、また搾取や取引の相手に会社がどのような影響を与えているのか等々の要素から完全に独立したところで、しかも匿名かつ流動的かつ売買可能な所有形態に基づく巨大企業を作ろうと決めたわけだからね。

僕は最近、「図書カードのような株式」というアイデアに魅力を感じている。みなさんはどう思われるだろうか。変な提案だと感じるだろうか。学校や大学、つまりニューヨーク大学やスタンフォード大学、あるいは地域のコミュニティ・カレッジなどに入学した場合、あなたは図書カードを渡される。それはあなたのものとなり、あなたはそれを自由に使うことができる。ただし、他の人にそれを売ったり貸したりすることはできない。図書カードのおかげで、あなたは知識にアクセスできるようになる。同じように、「一人一票一株」の会社を作ってみたらどうだろうか。ボーナスを使って資本を蓄積することもできるようにする。配当は同じでも、ボーナスは人によって異なる。ボーナスの金額は同僚からの評価によって決定される。専用の投票システムを作ればできることさ。退社した場合は、今まで使っていた図書カードを別の新しい図書カードと取り替える。転学するのと同じ感覚で転職をするわけだ。こうなれば、株式市場はおしまいだ。

今年の九月に発売予定の新刊があるんだけど、その執筆の真っ最中だから、こうやってその本からのアイデアについてつい熱っぽく語ってしまった。ポスト資本主義社会を構想するという本なんだ。そこでも、考えれば考えるほど、市場を機能させるためには資本主義を終わらせる必要があるという結論にたどり着く。どういう意味かと言うと、私的所有（private property）[3]と株式市場（stock exchange）を廃止すべきだということだ。企業はすべて組合に変身し、「一人一株一票」が原則となり、民間銀行業も廃止となる。そもそも、民間銀行業なんて必要ないだろう？　国民は連邦準備制度で直接、銀行口座を開設すれば良い。そもそもなぜ仲介人が必要なのか。

例えば、量的緩和という政策がいかに馬鹿げているかを考えてみてほしい。パンデミックの渦中で経済がボロボロにされているというのに、連邦準備制度はこともあろうにバンク・オブ・アメリカやシティバンクに融資をしている。そうすればバンカメやシティが国民や企業にそのカネを渡して生産的に使ってくれるだろうという期待を込めてさ。でも、中央銀行と市場や社会の間に民間銀行を挟んだ途端、かかる融資は即座に消えてなくなるか、あるいはとんでもない使われ方をする。銀行家には鉄のルールがあるからね――「お金を必要としていたり、お金を生産的に使えたりするような人には決して融資をしないこと。代わりに、投機家にそれを融資すること」というルールだ。宇宙人が地球の株式市場を見たらびっくり仰天するだろうね！　天才集団が必死になって紙の束を（あるいは電子の束を）右から左へ手渡ししている光景。金融工学などと言うけど、何も発明できていない。ポール・ボルカーの名言を思い出してほしい――「長年この業界を見てきて思うのだが、新式の負債を除いて他に何一つ発明品は生まれていない」。

そこで想像してみてほしい。僕ら一人ひとりに個別の連邦準備制度口座が与えられる。普通預金口座と貯蓄口座に分けても良いだろう。そして、今回のような危機が起きた場合には、連邦準備制度が直接個々の口座に追加でお金を打ち込む。そうすれば、パンデミックの渦中でも需要がつぶれずに済む。すばらしい仕組みだろう！　銀行家に巨額の手数料を支払う必要などどこにもない。それに、民間銀行業と証券・株式市場の組み合わせを廃止にすれば、企業は「一人一株」の原則に従って民主的

（3）　おそらく「民間銀行業」の誤り

な意思決定をする組織へと様変わりする。人間には自分が属する組織に関わるものごとを合理的に決定する能力があるし、その能力は驚くほど高い。企業でも地元の政治集会でもそれは変わらない。経済の民主化だ——すてきなアイデアだろう？ 断っておくが、市場をやめろと言っているのではない。株式市場と民間銀行業をやめろと言っているのだ。何度も言うが、僕の仮説はこうだ——「市場を正常に機能させるためには、資本主義を終わらせるしかない」。

ジョンソン　実に鮮やかな逆説ですね！ ところで、セネガルの視聴者から質問が来ています。「こうした逆説について、また先進国においてかかる逆説がもつ力についてはよくわかりました。そこで、今度はセネガルのような発展途上国の文脈でこうした逆説がどう展開されていくものなのかについてお話しいただけますか」。

バルファキス　まず、すばらしい質問をしていただけたことに心から感謝したい。これは重要な問題だからね。先進国経済とセネガルのような発展途上国経済の間には、重要かつ「有毒な」関係が常にあり続けてきた。思い出してほしい。一九七一年にブレトンウッズ体制が崩壊したとき、金融化に端を発する初めての債務危機の試練を味わったのは発展途上諸国だった。国際通貨基金（ＩＭＦ）が推進する「構造調整プログラム」を思い出してほしい。これも最初はセネガルやケニアといった国々において実施され、完璧に洗練された後にトロイカ主導のプログラムとしてギリシャやアイルランドなどの欧州諸国に持ち込まれたのだ。この問題に関しては僕らの国々はみな相互につながっている。

さきほどのスピーチで論じた「現代の難題」とセネガルの情勢の関係へと話を進めよう。連邦準備制度が諸企業を救済するために刷った巨額の米ドルこそが諸悪の根源だと僕はみている。あふれかえるカネは二〇〇九年から二〇一〇年を経た後で発展途上国に大波となって押し寄せた。欧米よりも高いリターンが期待できたからだ。こうしてセネガルをはじめとする国々でバブルが形成された。各国の寡頭者たち（oligarchs）は、日本銀行や連邦準備制度、イングランド銀行等々が実施した量的緩和政策が自国の債務の増加という形で流れ込んでくると、このカネを悪用した。するとセネガルその他の国々では人為的な富（まがい物の富）が形成された。これはセネガルの民衆に対する寡頭者の権力を強めた。後ほどウォール街やシティ・オブ・ロンドンなどでパニックが起きると、セネガルを潤していたカネもみるみるうちにセネガルから流出してゆき、セネガルをはじめとする発展途上諸国ではバブルがはじけた。すると待ってましたとばかりにIMFが参上し、水道局や電力供給網の没収、そして学校や病院の閉鎖を要求した。繰り返すが、これは僕らみんなの問題だ。「アメリカ対中国」「欧州対セネガル」といった構図の誤りを指摘したのもそのためだ。本当は、各国の内部で階級闘争が繰り広げられているのだ。「国境なき寡頭階級」は実にすばらしい結束をみせている。セネガルの寡頭者たちは、僕の祖国ギリシャの寡頭者たちと実にうまくやっているよ。アメリカやドイツの寡頭者たちともね。全人類がこれほど強く結束できたらどれほど良いだろうかと思わされるほどすばらしい結束力を寡頭者たちは体現している。

ジョンソン　次はさきほどの図書カードのアイデアに関連した質問です。「ドイツにおけるデフレと政局の関係について、歴史的背景や出典を教えていただけますか」とのことです。

バルファキス　出典はいくつかあるが、ここではあえて自分の作品を挙げることをお許し願いたい。*And the Weak Suffer What They Must?*（『弱者は苦しみを甘んじて受ける？』）という、導入部でも紹介していただいた作品だ。この本の題名はトゥキディデスから引用した。(4)（古代ギリシアで）強力なアテナイ人たちが弱小国を蹂躙していたとき、弱小国側の代表者はたまらずこう言い放った――「あなたたちの行動はおかしい。ただ強いからといって、あなたたちに私たちを踏みにじる権利があるわけではない。あなたもいずれは弱者に変わる瞬間がくる。そのとき、あなたは今の行動を後悔するはずだ」とね。それに対して、アテナイの軍曹は振り向きざまにこう答えた――「強者は思うがままに行動し、弱者は苦しみを甘んじて受ける」。本書の題名はここに由来するわけだが、この本で僕は欧州連合（EU）の仕組みやEUにおけるドイツの役割を、アメリカの「世界計画」（グローバル・プラン）――ブレトンウッズ体制のことだ――という広い文脈から解説した。

ジョンソン　アメリカとヨーロッパの対比に関する質問が来ています。「ブレトンウッズ体制や金本位制があった頃には何かしらの制約が存在していたわけですが、こうした制度の崩壊以後はすべてが宙に浮いたままです。とはいえ、株式の買い戻しといった現象はヨーロッパよりもアメリカにおいて顕著であるように思えます。ヨーロッパの方がアメリカよりも健全な構造を保っているとあなたはお考えですか。それとも、アメリカの機能不全は世界経済という名の船をまるごと転覆させようとしているのでしょうか」。

バルファキス　二〇〇八年に欧州人が陥っていた自信過剰を思い出してほしい。「今回の危機はアメリカの問題だ。あるいは、アングロ圏（英語圏）の問題だ！　ドイツやギリシャ、フランスやイタリアの国民は賢明であり、金融化にすべてを賭けるような愚かなまねはしないのだから」。こんな調子で、欧州大陸の人々は二〇〇八年に温泉気分を満喫していたわけだ。しかしそれもソシエテ・ジェネラル、

BNPパリバ、ファイナンスバンク、コメルツ銀行、そしてドイツ銀行等々の帳簿の中身が表に出るまでの話だった。ドイツやフランスの銀行、そしてイタリアやスペインの一部の銀行が、ウォール街など比べ物にならないくらい実に劣悪な慣習にどっぷり浸かっていたということが発覚したのだからね。さきほどの質問に対しても、同じようなことが言えると思う。つまり、欧州企業はアップル社のようなアメリカ企業とさして変わらない。例えば、巨額の貯蓄を抱えているという点でね。実に馬鹿げた話だろう――そもそも企業に貯蓄をする必要など一切ないはずなのだから！

僕がまだ若かった頃は、世帯が貯蓄し企業が投資目的で借金をできるからこそ資本主義はすばらしいのだと教わったものだ。アップル社には、アイルランドに二五〇〇億ドル（二五兆円）もの貯蓄を置いておく利点などないだろう？　単なるカネの無駄だ。不合理とはまさにこのこと。同時に、こうした企業は連邦準備制度からひたすら借金をしている。タダだからさ。そして、それを使って今度は自社株を買い戻している。こうして、数兆ドルという次元の評価を得たりする。欧州でも話はまったく一緒だ。一つ違いがあるとすれば、欧州はアメリカよりもはるかに愚かで下手な仕方で二〇〇八年金融危機に対処した。対処に必要な機関が欧州には欠けているからだ。米国財務省もなければ、短期国債に対応する制度もない。「ユーロ債券」もない。しかも、いまだにユーロ債券への反対の声が優勢と来ている。狂気という他ない状況だ。狂気というよりは、ここでもまた「階級闘争」と言った方が正確だ。これについては、また別の機会に詳しく話したいと思う。とにかく、アメリカに比べてはるかに愚かで無能な管理体制が欧州にはある。さて、アメリカの人々はアメリカの政治に心底幻滅しているだろうから、欧州がアメリカよりもひどい状態にあると言われても納得がいかないかもしれない。誓って言うが、欧州の方がひどいし、アメリカよりもひどい政治というものもたしかに存在する。欧州の無能さは、さらにまた別の「逆転」をもたらしている。最近ふとデータを漁っていて気がついたのだけど、二〇〇七年（金融崩壊の前年）に欧州企業はアメリカ企業よりも一〇〇〇億ドル（一〇兆円）ほど高い収益（純益）を誇っていた。ところが、今では立場がまったく逆転しており、遅れているのは欧州企業の方だ。それでも、欧州企業のやっていることはアメリカ企業と大して変わらない。

ジョンソン　ＩＮＥＴ所長の私にとってうれしい質問もいくつか来ています。喜んで読み上げさせていただきます。「バルファキスさんに、経済学についての見解を語っていただきたい。あなたが展開するビジョンや分析に適うような理論や研究分野は、現代の経済学において存在するのでしょうか。もし存在しない場合、中期的にはどのような理論や分野がこの先考えられるでしょうか」。もう一つ質問を読みます。「有力な進歩派政治運動の不在を指摘されましたが、そもそもポスト資本主義に関する対話をするだけの力が私たちの社会にはあるのでしょうか。もしある場合、こうした対話を一般市民に奨励する上で、経済学者たちや彼らの《政界の側近たち》(their political aides) には何ができるのでしょうか。今に至るまで私たちが信じ続けてきた迷信としてのイデオロギーを打破するにはどうすればよいのか教えてください」。

バルファキス　政治に関してお話しした後で、経済学へと歩を進めたいと思う。今こそ世界政治の舞台に切り込むチャンスだと僕は考えている。だからこそ「プログレッシブ・インターナショナル」という世界政治運動を二〇二〇年七月現在立ち上げているところだ。それは世界レベルの視野で思考しつつ地域レベルで活動家として行動を起こす政治運動だが、特に「活動家として」という部分を強調したい。

一例として、二〇二〇年三月のクリス・スモールズの一件を思ってみてほしい。スモールズはニュージャージー州のアマゾン倉庫の不潔な労働環境に抗議してストライキを組織していたが、たったそれだけのことでアマゾン社から誹謗中傷される羽目になった。スモールズをクビにしただけでなく、アマゾン社の取締役会はスモールズをどう中傷し、どうやってメディアでつるし上げようかという戦略を練る議論を長時間行った。世界で一番裕福な企業がこんなことをしたのだ。そこで、仮に世界的な社会運動がこのとき存在したとしよう。それを仮にプログレッシブ・インターナショナル（ＰＩ）と呼ぼう。（ちなみに、ＰＩは二〇一八年一一月にサンダース・インスティチュートと欧州民主主義運動２０２５（ＤｉＥＭ25）によってアメリカのバーモント州で共同創設された。二〇二〇年九月には、アイスランドのカトリーン・ヤコブスドッティル首相の後援を受けつつ、レイキャヴィークでさらに運動を発展させる予定だ）。そして、仮にＰＩが三月の時点で十分に機能していたとしよう。その場合、僕らはアマゾン社に対して世界規模でストライキを計画することができる。ボイコットでも良い。日付を決めて、その一日だけは世界中の人々がみんなアマゾン社のウェブサイトにアクセスしないことにする。もしこのようなボイコットが国際規模で成功すれば、クリス・スモールズは解雇されなかっただろうし、僕らもニュージャージー州のたった一つの倉庫のたった一人の労働者のために世界的な連帯を示すことができただろう。これをさらに毎日続けたと仮定してほしい。今日はナイジェリア、明日はインド、明後日は中国、また別の日は香港、次はギリシャ、といった具合に運動を続けていく。

僕の考えでは、これこそ今必要とされているものなんだ。新しい経済思想の体系など必要ない。昔は、僕も新しい経済思想の体系を使って既存のパラダイムを乗り越えようなどと考えたこともあったけれど、今はもうそういうことは信じていない。むしろありとあらゆる思想体系を学び、折衷主義者（an eclectic）となってすべての体系から学べるだけ学ぶ方が良い。例えば、僕はマルクスから多くのことを学んだ。マルクスの労働価値論や景気循環論なくしては資本主義を理解するのも不可能だ。彼は景気や収益率や失業率などの変動を階級闘争と組み合わせてビジネスサイクルを論じた初めての思想家だ。また、当然ながらジョン・メイナード・ケインズからも僕は多くのことを学んだ。ケインズなくしては金融化を理解するのも不可能だ。ミンスキーからも多くのことを学んだし、ハイエクのような政敵から学んだことも多い。ハイエクは価格を、ものごとを調整する信号（シグナル）として捉え、優れた洞察や理解を提示してみせた。もちろんこれはアダム・スミスに由来する考えだが、ハイエクはこれを実にうまく発展させた。繰り返すが、ありとあらゆる経済思想に触れることこそが大切だと僕は思っている。そもそも、資本主義は調和の取れた単独の経済思想体系でとらえられるようなものではない。なぜかといえば、資本は無秩序で自己矛盾を生むような存在だからだ。数理的に言い換えるならば、資本主義社会の浮き沈みを正確に表現できるような数式（解のある数式）は存在しない。だからこそ、哲学者の例に倣って僕らも折衷主義者になるべきなんだ。イマニュエル・カントやデイヴィッド・ヒュームのような個別の思想家に忠実であるうちは、僕らは優れた哲学者にはなれない。渓谷を飛び回るミツバチのように、谷のそこかしこに咲き誇る花からそれぞれ少しずつ汁を集めて、自分のオリジナルの蜜を作るのが本筋だ。

ジョンソン　そろそろお開きの時間が近づいてきましたが、最後に一つだけ、グリーン・エネルギーに関する質問をさせてください。「緊縮政策や長期的不況を受けて、また総需要の不足を受けて、なお《グリーン・ケインジアニズム》（緑のケインズ主義）とでも呼べるもの、すなわち経済をより強固にアップグレードしつつ環境問題も解決できるような財政政策は可能なのでしょうか」。この質問者は欧州を念頭に置いているようですが、世界全体にも当てはまる質問だと思います。

バルファキス　答えはもちろん「Ｙｅｓ！」だ。僕自身も最近では欧州議会選挙でグリーン・ニューディール政策を公約に掲げて戦ったわけだからね。ただし、ここでも先ほど言ったことを忘れないでほしい――二〇〇八年以降巨額の貯蓄と少額の投資の間に乖離が生じてしまっているという現状をね。僕らがすべきことは単純で、貯蓄を使って投資をすれば良い。たったそれだけのことなのだ。もちろんこれはフランクリン・ルーズヴェルトの元祖ニューディール政策の考え方でもある。公共金融を介して余剰資金を投資に変えること。僕らがすべきことはこれであり、しかもこれは今すぐ実行できる。難しいところなど一つもない。金融界を救済するために中央諸銀行が一致団結したあのときのように、今度は世界各国の財務省が世界銀行と共に一致団結して公共金融商品を開発したとしよう――例えば、グリーン債券を社会的に発行したとしよう。あとは中央諸銀行が一度だけ（たった一度だけでいい！）声明を発表する。声明の内容はこうだ。「必要に応じて、グリーン債券は中央銀行が買い取ります」と ね。そうすれば金利を低く保つことができるようになる。こうして、グリーン・エネルギーに投資するための巨額の資金が捻出される。技術的には何も難しいところはない。通貨を発行しろとすら言っていない。既存の貯蓄を公共の善のために使えと言っているだけなのだから。だから、これは十分実行可能なアイデアだ。ただし、誰がこれを実行に移すのかという問題は残っている。ルーズヴェルトはもうとうに亡くなっている。それに、僕らは昨年の欧州議会選挙では残念ながら議席を獲得できなかった。敗因の一つに、資金不足がある。競争相手は銀行部門から支援を受けつつ力でねじ伏せてくる。銀行部門は僕らが提唱するような政策に全力で反対しているからね。グリーン・エネルギーなくても、銀行部門は十分に潤っているからだ。金融化や負債の無期限繰り越しを、中央銀行を使っていつまでも再生させ続けること——銀行部門にとってこれほど都合の良いものはないが、地球にとっては最悪の状態だ。

ジョンソン　本日は広く深いお話を本当にありがとうございました。身につまされるような、目を背けたくなるような現実が提示された場面もありましたが、より健全な未来像を作るための原動力にさせていただきたいと思います。

バルファキス　こちらこそ、色々と話せて良かったよ。ありがとう。

訳者から、読者のみなさまへ

やさしい経済書を期待して本書を手にとった読者は、訳文の「難しさ」に直面してがっかりするかもしれない。幸か不幸か、今回の原著の文体の良さはわかりやすく読みやすい文体では再現できないものとなっている。ヤニス・バルファキスは反緊縮運動の世界的な第一人者であり、ギリシアの現職国会議員・元財相であり、マルクスやケインズの伝統を汲むいわば「人々のための経済学」を実践する政治家だ。そして、マルクスやケインズがそうであったように、バルファキスもまた思想を展開する上では独自の美学を妥協せずに追究している。この二つの特徴は矛盾しない。こうした書き手たちにとって、経済学とは単に経済の構造を図式化して提示する学問であるに留まらず、社会における人間活動を俯瞰しつつ読み手の思考や感性を開拓する学問、すなわち一種の文学でもある。

当初、私は本書の翻訳を終えた後、今回の翻訳方針を改めてまとめた短いテキストを「訳者あとがき」として添える予定でいた。その後色々な事情が重なり、那須里山舎では本書の製作費用をクラウドファンディングで調達することとなった。私も微力ながらこれに協力させていただいたが、支援者のみなさまとやりとりをする中で、「前作（『負債の網』や『普通の人々の戦い』）はわかりやすい訳文で良かったです。今回の作品も楽しみにしています」という趣旨のメッセージを何通もいただいた。こうして読者のみなさまの顔が見える状況が生まれ、どうも本作を支援してくださった方々はわかりやすい訳文、誰でもスラスラ読めるような訳文を期待しているのかもしれないと私は思うようになった。言うまでもなく、本書の訳文はどう考えても「スラスラ読める」ものではない。それこそが本作の面白さだと思う一方、支援をしてくださった方々にこの面白さがはたして伝わるだろうかという不安も大きくなっていった。

わかりやすく読みやすい作品を求める読者に向けて、わかりやすくも読みやすくもない本作の面白さをどうお伝えすれば良いか……。この問題と向き合いながら、私は「訳者あとがき」の推敲を進めたが、説明を重ねれば重ねるほど問題は深くなっていった。理由は二つある。まず、そもそも難しくて読みにくい作品を嫌う読者の嗜好は、訳者が訳文の良さや正当性を語ったところで変わるものではない。それは哲学が嫌いな人にヘーゲル論理学の良さを伝えようとしたり、前衛映画が嫌いな人にカサヴェテス監督作品の良さを伝えようとしたりするようなものだ。二つ目の理由として、そもそも本書は「わかりやすさ原理主義者」を読者として想定していないという問題がある。本来ならば本書の訳文の良さであるはずの要素も、わかりやすさ原理主義者の目には誤りの集積として映るだけだろう。そのような見方をする読者に対して本書の翻訳方針の解説を試みても、「読みにくい翻訳を行ったことへの見苦しい言い訳」としてしか受け取っていただけない可能性が高い。同じ問題は「辞書的逐語訳原理主義者」に対しても生じる。こうした種類の読者や批評家を事後的に想定して何かを書いてみても、訳者としては不本意な方向へ作品の解釈が引きずられていくような感覚が拭えず、読者としても訳者に言いくるめられるような感覚にさせられるだけだろう。そこからは健全な信頼関係も豊かな読書体験も生まれ得ないように思える。

以上のような過程を経て、私は結局ふりだしに戻ることとなった。つまり、『負債の網』や『普通の人々の戦い』を読んでそのわかりやすい訳文を良いと思ってくださった読者のみなさまには、『世界牛魔人（グローバル・ミノタウロス）』の良さもきっとわかっていただけるだろうという前提に私は立つことにした。本書の良さを実感していただくためには、著者と訳者へ一定の信頼を保ちつつ、ある程度忍耐強く作品を読み込んでいただく必要がある。それはやさしい経済解説書やライトノベルを読むのとは別の読書体験であり、詩や哲学思想のように想像力を働かせて能動的に作品を読むということだ。それは時間がかかる作業となるかもしれないが、そのような読書によってでしか得られない発見や喜びもある。そのような経験を与えてくれるだけの強度が本書にはある。だからこそ私は今回あえてこのような文体を選択した。この点を信頼していただき、読者のみなさまには本書がもつ遊び心や味わい深さを少しずつでも確実に実感していただけたら、訳者としてこれに優る喜びはない。

なお、本作には付録として「バルファキス×チョムスキー　ニューヨーク対談——財政民主化への道」「バルファキスが語る、パンデミック以後の世界経済のゆくえ」の二本のインタビューが所収されている（ノーム・チョムスキーはアメリカの言語学者、思想家、社会活動家。一九五〇年代から現在に至るまで膨大な数の著作を発表してきたが、なかでも言語学、メディア理論、そしてアメリカの近現代政治経済史において特に大きな功績を残している。また、世界最高の知識人として国際的に慕われてもいる）。『世界牛魔人』の原著の初版発行は二〇一一年だが、一本目のインタビューはその五年後の二〇一六年に、二本目はさらにその四年後の二〇二〇年に行われている。二本の付録を合わせて読むと、『世界牛魔人』で提示されている洞察や概念が時代を象徴する大きな出来事に即して発展し応用されていく様子を実感できる。たった十年とはいえ、この期間の時の流れには異様なまでの力があった。
　最後に、本書では経済用語等の監修を関西学院大学総合政策学部教授の朴勝俊氏に快諾していただいた。環境経済学と環境政策のエキスパートである朴氏は『黒い匣』の訳者でもあり、バルファキスの作品を取り巻く経済的諸概念への洞察も深く、専門的な見地からのフィードバックは訳文の質を高める上で大変参考になるものだった。この場を借りて深く御礼申し上げたい。当然ながら、文中の欠陥や不備も含む最終的な文責は私にあるという点も明記しておく。

二〇二一年三月　訳者

『世界牛魔人（グローバル・ミノタウロス）』翻訳方針

天才は間違えません。錯誤にも作為があり、新発見への扉を開いてくれるのです。
——『ユリシーズ』スティーヴン・デダラスの言

「日本語は天才である」と柳瀬尚紀は言った。本書では「日本語の天才」を存分に生かした和訳を心がけた。『世界牛魔人（グローバル・ミノタウロス）』の原文は遊び心に満ちている。表題に登場するミノタウロス神話だけでなく、『オデュッセイア』『ヴェニスの商人』『フォースタス博士』『大いなる遺産』『すばらしい新世界』なども含め多くの西洋文学古典が参照されつつ、同時に『マトリックス』や『スタートレック』などのポップな映画への参照も本書には散りばめられている。伝統文化とポップカルチャーを織り込んだ文体に、バルファキスはさらに「fund white elephants」「let the genie out of the bottle」「find a pot of gold at the end of the rainbow」「long live the king!」のような世界各国の文化に根付いた慣用句を編み入れている。主流の芸術作品や慣用句への参照をこれほどたくさん盛り込んでしまっては、悪い意味で「枯れた」作品、保守的で生気のない文体が生まれてしまう危険性もある。バルファキスはこの問題を重々承知しており、マルクスの『資本論』第一巻やジョイスの『ユリシーズ』に代表されるような皮肉まじりの文体を採用することで、既存の伝統や文化に根ざしつつも現代的で遊び心豊かな作品を作り上げている。

過去の言葉の泉から水を汲みつつ、バルファキスは極めて現代的で未来的ですらある対象を分析している——世界資本主義の全体構造だ。世界各国が米国の政府やウォール街に貢物のごとく黒字を献上する、その力学（ダイナミック）を牛魔人神話（ミノタウロス）という古代の物語を使って機動的（ダイナミック）に捉えること。温故知新という言葉があるが、バルファキスの筆致には「言故論新」（故きを言って新しきを論じる）とでも呼べる性質が貫徹されている。

では『The Global Minotaur』の和訳には一体どのような文体がふさわしいのだろうか。無難に行くならば、辞書に忠実な逐語訳を選ぶ道も当然考えられた。「辞書的に正しい＝翻訳として正しい」という信仰は現代日本の翻訳出版界においても根強く、あとは読みやすい文章となるように注意しさえすれば訳者を批判から守る頑強な砦が完成する。作業の流れも機械的といえるほどわかりやすく、なるべく限られた語彙に従ってやさしく流れるような文章を綴ってゆけば良い。このような翻訳方針が適切となる作品も多いが、残念ながら本書にこれはふさわしくない。先述のとおり、バルファキスの文体には英語の伝統文化や慣用句への皮肉交じりの参照が多く含まれている。それは英語圏の読者に対して独特の効果を演出している。象徴的な例として、第四章の「空位期間」節の三段落目に「Japan and the Europeans found themselves between a rock and a hard place」という一文が登場する。これは辞書的に逐語訳すると「気がつくと、日本と欧州は岩と困難な場所の間にいた」となる。より「わかりやすく」するならば、「欧州と日本はどちらを選んでも悪くなるような二者択一を迫られた」という意訳も十分に考えられる。しかし、これでは『オデュッセイア』から生まれた「between a rock and a hard place」という慣用句がもつ響きがまったく伝わらない。訳注にも記したように、これはスキュラとカリュブディスという二匹の怪物が巣食う海域に突入したオデュッセウス一味の困難を語源とする。ホメロス神話の世界へと心が飛び、船に打ちつける波しぶきやせっせと帆を立てる船員の足音や掛け声が耳に鳴る。そのような効果を出すには、日本語ではより直接的にホメロス神話を参照する必要がある。そのため、本書ではこの部分を「欧州と日本はスキュラとカリュブディスに航路を塞がれてしまった」と訳し、ホメロス神話を読んだことがない読者のために訳注を加えた。

原著のもつ表現を日本語に訳出するための工夫の一例を挙げたが、原著では西洋や中東などの伝統文化を参照したような表現を和訳では東洋の類似の伝統文化への参照に置き換えた部分もある。これは丸谷才一が『ユリシーズ』の和訳で、また柳瀬尚紀が『フィネガンズ・ウェイク』の和訳で採用した手法だ。例えば原文の「domino effect」は和訳では「将棋倒し」とした。「ドミノ倒し」や「ドミノ効果」という訳ももちろん「正しい」のだが、あえて表現を東洋の伝統文化である将棋のほうへひきつけた。さらには、原著のもつ感触を日本語でもくっきりと演出するために日本的な表現を盛り込んだ部分もたくさんある。一例として、第五章「ヘッジとレバレッジ」節の六段落目に「Volcker lost no time in lashing out with the words」という一文が登場するが、ここは「ボルカーは早速切れ味鋭い言葉の手裏剣を飛ばします」と訳し、「手裏剣」という語で鋭さや速さを演出した。また同段落の「Volcker responded with a killer question」という一文も同様の理由から「ボルカーは間髪いれずに鋭い質問で切り返します」と訳している。これらはいずれも辞書的には「間違った」訳かもしれない。しかし、原文の意味を保持しつつ「lash out with words」や「killer question」といった表現のニュアンスをうまく訳出できているという点では辞書的逐語訳よりも優れた翻訳だと判断した。

バルファキスは言語として英語が持つ面白さを存分に本書の文体に盛り込んでいる。それは必ずしも真面目な理由からというわけではなく、遊び心に任せて綴られた文章も本書にはたくさん登場する。そのため、訳文にも相応の遊び心や冒険心が求められる。言語として日本語が持つ面白さを盛り込むことが大切となる。

日本語には「漢字・ひらがな・カタカナ」の三つの文字群があり、漢字の読み方を表記する「ルビ」というものがある。これらはいずれも英語にはない特徴であり、ある意味で日本語に特権的な表現を可能にしている。原著の精神に従い、本書では日本語がもつこうした特徴を存分に生かせるような文体を作った。それは「ギリシア人が英語で書いた作品」という感触と「日本語として面白く読める作品」という感触を両立させるための戦略でもある。

この戦略の柱として、「漢字＋カタカナルビ」という表記を積極的に用いた。これはさきの柳瀬尚紀も愛用した手法だが、本書の着想はオウィディウス『変身物語』の訳者である中村善也の仕事から来ている。例えば中村は「あけぼの」という言葉を「曙（アウロラ）」と訳し、バッコスの別称も「鳴る神（ブロミオス）」「解放者（ヘリュアイオス）」という具合に訳している。本書ではこれをさらに発展させ、元々はカタカナで表記すべき外来語に日本語の訳語（場合によっては造語）を当ててカタカナ表記をルビで行うという手法も採用した。これは現代日本文学では大江健三郎が何度か用いている方法だ。例えば『燃えあがる緑の木』第二巻では「首台の諧謔」に「ギャロウズ・ヒューマー」というルビがふられている。この手法を用いることで、本書では視覚要素と聴覚要素の両面で適切な訳語を作ることができた。例えば、書題でもある「Global Minotaur」という語を訳すとき、「グローバル・ミノタウロス」としてしまうとカタカナで十二文字の長さの言葉を本文中に繰り返し用いることになり、視覚的な不快さが生まれてしまう。そこで「世界牛魔人」という漢字表記をひねり出したわけだが、これだけだと今度は「せかいぎゅうまじん」という読みが違和感を生む。「世界牛魔人（グローバル・ミノタウロス）」という風に漢字＋カタカナルビを使うことで、視覚要素と聴覚要素が相互に弱点を補うような翻訳が可能となった。さらに極端な例としては、バルファキスの造語である「ptocho-trapezocracy」は「素寒貧銀行主義（プトーホス・トラーペザ）」と訳した。原注と訳注でも説明されているように、これは古代ギリシア語の「プトーホス」と「トラーペザ」という二語を使った言葉だが、表面的には笑ってしまうようなまぬけな響きや字面をしているものの、ギリシア語の語源を探ってみると思いのほか現代の「破産主義社会」の本質を言い当てた含蓄の深い言葉だということに気づかされる。こうした多層性は辞書的逐語訳では到底訳出できるものではない。

美しい日本語や正しい日本語を求めるような読者や批評家には受け入れ難い判断かもしれない。しかし、そもそも日本語は言語としての起源もはっきりしておらず、上代日本語から現代日本語までの言語的変化の歴史は、外国語を積極的に吸収しつつ常に変化を続ける言語の歴史であり、翻訳者による積極的な創作の歴史だと言っても過言ではないだろう。そのような言語で書かれた翻訳作品に対して、現代において一時的に有効であるにすぎない言語的慣習をあたかも日本語の本質的な規範であるかのように参照して実験的・創作的な訳文を批判するのは筋違いというものだ。

他にも本書の訳文は細かい工夫を随所に加えている。語彙で言うと、なるべく含みの多い言葉を選択し、さらにはなるべく含みの豊かな表記を選ぶよう努めた。それは必ずしも真面目で論理的な理由からだけでなく、遊び心に任せて行った判断もある。例えば第三章のコラム3・1の中盤に「ひしめく」という語が登場するが、ここでは牛が三頭詰め寄った「犇(ひしめ)く」という表記をあえて選択した。米国という「親牛」にドイツと日本という二頭の「仔牛」が寄り添うイメージだが、その滑稽さには深い意味はなくともそれ自体として価値があるように思える。また文末に関しては「です・ます調」を用いて全体として語りかけるような質感を演出した。ギリシア神話とはそもそも伝承から発展してきた物語であり、バルファキスの語りかけるような文体にも神話的な声色がある。さらにはダーシや体言止めを積極的に取り入れた部分もあるが、これも語りのリズムを優先したためだ。

　以上のような工夫を凝らしつつも、慣習に従うべき強い理由がある場合はある程度しっかりと保守的な訳を行った。例えば「デリバティブ」といった専門用語や「ウォルマート」といった固有名などは平板で一直線な訳をした。ただし専門用語に関しても「均霑(トリクルダウン)」のような翻訳を選んだケースがいくつもある。訳語ごとの理由については本書中の訳註を参照していただきたい。これもまた、視覚要素と聴覚要素を両立させようという先述の戦略の一環だ。

　繰り返すが、『世界牛魔人』は文体では多義性を、内容では領域横断性を基調とした作品だ。そのため文体も議論も往々にして錯綜しがちだが、それは必ずしも悪いことではない。例えば那須里山舎の前作『普通の人々の戦い』（アンドリュー・ヤン著）はアメリカ大統領候補補者の主著であり、選挙活動への助走として刊行された作品なので、作品のメッセージが単刀直入に読者に届くような簡潔明瞭な訳文を心がけた。また『負債の網』（エレン・ブラウン著）にもエッセイ集のような軽妙さがあり、『オズの魔法使い』というポップなモチーフのおかげもあってやや軽やかな文体を採用した。対して『世界牛魔人』は思想家としてのバルファキスが戦後世界経済の全容と脆弱性を解明するために年月を費やして書いた作品だ。これほど複雑な現象を扱った作品なのだから、内容や文体も当然単純にはなりえない。「世界黒字再循環装置」「米国二重赤字」といった主要概念こそある程度シンプルに要約可能だが、あまりに図式的で単純化された理解をバルファキスはよしとしない。第一章でも述べられているように、世界の政治経済を理解するときにある一つの視点を過度に強調しつつ他の視点をないがしろにするような理論ではいけない。むしろ本書では視点間を行き来する中で生じる「視差（パララクス）」を言葉でとらえる作業が丹念に行われる。単一の視点から見慣れた語彙で淡々と進む議論を読みたがる読者はバルファキスのスタイルを「わかりにくい」と感じるかもしれない。そこで諦めて本書を投げ出すのか、それとも新しい思索の流儀を体得する好機として丹念にテキストを読み進めていくのか。後者を選択して読者が得るものは大きいと私は思う。

さて、日本におけるバルファキスの作品の受容に目を向けてみると、二〇一五年の政界入り以降の作品が一つ残らず和訳されているのに対して、それ以前の学者・思想家としてのバルファキスの仕事は一冊も和訳されていないという状況がある。つまり思想の部分がほぼ全く紹介されないまま、政治ドラマや大衆向けの啓蒙書が「エデュテインメント」感覚で消費されている。もちろん『黒い匣』（原題はAdults in the Room, 邦題は欧州最高機関という「ブラックボックス」に加えダナエ・ストラトウの芸術作品『It's Time to Open the Black Boxes』も彷彿とさせる）はバルファキスが欧州の政治家として魂を込めて書いた名作だが、総じてそれ以外の作品は大衆の啓蒙と政治参加への呼びかけという実践的な目的を達成するための手段としてのみ書かれているような印象を受ける。要するに『黒い匣』以降のバルファキスは欧州の文脈でも世界の文脈でも主要な政治経済問題に対してある程度自分なりの答えを出しきっており、あとは政治家として巧みな弁舌を駆使しつつ解答を実践に移す方へ力を注いでいる。対して『世界牛魔人』では、現実を把握するために思索を深め粘り強く探究を続ける思想家としてのバルファキスがいる。バルファキスはゲーム理論の研究者として出発し、均衡モデルのもつ決定不能性の問題を追究した上で、マルクスやケインズに代表されるようなより散文的かつ経験主義的な思想の伝統に再合流した。目先の政治ドラマにとらわれずに、大きく構えて人間の経済活動の歴史を俯瞰し、戦後世界経済の仕組みと不備を入念に分析していくこと。それも単なる学術的・専門的な論法で無味乾燥な推論をするのではなく、欧州文化という言葉の泉からふんだんに水をくみ上げて思想の大河を作ること。豊かな語りに乗って壮大な世界経済劇が演じられる『世界牛魔人』の舞台奥からは、作家の左手が生んだ言葉を批評家の右手が書き直すという自己批評の作業を淡々と続ける思想家バルファキスの乾いて孤独なベケット的笑いがかすかに聴こえるような気がしなくもない。

「文学の言葉は［すぐに意味がわからなくても］それ自体として身体に入れるのが大切だ」と多和田葉子は言った。『世界牛魔人』におけるバルファキスの思索もまずは「それ自体として身体に入れるのが大切」だろう。身体の中で思想や言葉たちがゆっくりと分解され、消化され、栄養となり、読み手の精神を培ってゆく。場合によっては何年もかかる自己陶冶の道だが、そうした「長い読書」にも耐えうるような奥深さと広がりをもった作品を日本の読者に届けられることを光栄に思う。

早川健治

二〇二〇年八月（二〇二一年二月改稿）

【ワ行】

【年代とアルファベット】

【ラ行】

【マ行】

【ヤ行】

【ハ行】

【ナ行】

【タ行】

【サ行】

【カ行】

本書は、クラウドファンディングサービスREADYFORにより資金の一部を多くの方々にご支援いただき作成された。以下に、お名前掲載希望ご支援者の方々の氏名を掲載する。ここにあらためて、多くのご支援者に厚く御礼申し上げます。

世界牛魔人　クラウドファンディング　お名前掲載者（五十音順・敬称略）

天木直人　池見恒則　上西雄太　奥富愼太郎　桐山和彦　艸薙匠　小谷敏
酒井充　品川尚子　高野文雄　高橋良明　田中佳子　徳島とんび　中村天磨
中村哲治　中山恵子　庭山保夫　松尾匡　松下幸民　水野孝彦　皆川眞一郎
諸星たお　山崎一雄　山崎崇史　山田哲明

著者・訳者紹介

著者　ヤニス・バルファキス（Yanis Varoufakis）

1961年アテネ生まれ。経済学者、政治家、現ギリシャ国会議員。英国、オーストラリア、米国などの大学で教鞭をとった後、2015年1月に成立したギリシャ急進左派連合政権（シリザ）のチプラス政権時において財務大臣を務める。その際の国際債権団（トロイカ）との債務減免交渉の過程は、邦訳『黒い匣——密室の権力者たちが狂わせる世界の運命』（明石書店）に詳しい。財務大臣職を辞した後は、2016年から欧州草の根政治運動のDiEM25（Democracy in Europe Movement）のリーダーを務め、2018年には米国上院議員バーニー・サンダースらと共にプログレッシブ・インターナショナル（Progressive International）を立ち上げた。『黒い匣』以外の邦訳書に『父が娘に語る美しく、深く、壮大で、とんでもなくわかりやすい経済の話』（ダイヤモンド社）『わたしたちを救う経済学——破綻したからこそ見える世界の真実』（Pヴァイン）、また、論文に「ヨーロッパを救うひとつのニューディール」（『「反緊縮！」宣言』〈亜紀書房〉）がある。ウェブサイト：www.yanisvaroufakis.eu/

付録・著者　ノーム・チョムスキー（Noam Chomsky）

1928年米国フィラデルフィア生まれ。思想家、社会活動家、言語学者。1950年代から現在に至るまで膨大な数の著作を発表してきたが、なかでも言語学、メディア理論、そしてアメリカの近現代政治経済史において大きな功績を残している。また、世界最高の知識人として国際的に慕われている。邦訳書に『統辞構造論 付『言語理論の論理構造』序論』（岩波書店）、『アメリカンドリームの終わり　あるいは、富と権力を集中させる10の原理』（ディスカヴァー・トゥエンティワン）、『メディアとプロパガンダ』（青土社）など多数。ウェブサイト：chomsky.info/

序文・著者　ポール・メイソン（Paul Mason）

1960年英国生まれ。ジャーナリスト、ブロードキャスター。優れたジャーナリストに贈られる「ウィンコット賞」などを受賞。英国TV局チャンネル4の経済担当編集者を務めた後フリーランス。現在、ウォルバーハンプトン大客員教授。邦訳に『ポスト・キャピタリズム——資本主義以後の世界』（東洋経済新報社）などがある。ウェブサイト：www.paulmason.org/

訳者　早川健治

1989年日本生まれ。翻訳家、著作家。著書に『Echo and Gróa: Philosophical Dialogues』（Dialectical Books）、英訳書に多和田葉子著『Opium for Ovid』（Stereoeditions）、邦訳書にアンドリュー・ヤン著『普通の人々の戦い』、エレン・ブラウン著『負債の網』（以上、那須里山舎）、ロビン・コリングウッド著『哲学の方法について』などがある。ウェブサイト：kenjihayakawa.wordpress.com/